证券业从业资格考试统编教材 (2011)

证 券 交 易

中国证券业协会　编

U0133268

中国财政经济出版社

图书在版编目（CIP）数据

证券交易/中国证券业协会编 . —北京：中国财政经济出版社，2011.6

证券业从业资格考试统编教材：2011

ISBN 978 – 7 – 5095 – 2957 – 7

Ⅰ.①证…　Ⅱ.①中…　Ⅲ.①证券交易 – 资格考核 – 教材

Ⅳ.①F830.91

中国版本图书馆 CIP 数据核字（2011）第 116669 号

责任编辑：裴兰英　　　　　　　　责任校对：陈可强

封面设计：李运平　　　　　　　　版式设计：苏　红

中国财政经济出版社 出版

URL：http：//www. cfeph. cn

E – mail：cfeph @ cfeph. cn

（版权所有　翻印必究）

社址：北京市海淀区阜成路甲 28 号　邮政编码：100142

营销中心电话：010 – 88190406　北京财经书店电话：010 – 64033436

北京富生印刷厂印刷

787×960 毫米　16 开　20.75 印张　337 000 字

2011 年 6 月第 1 版　2011 年 7 月第 2 次印刷

定价：35.00 元

ISBN 978 – 7 – 5095 – 2957 – 7/F · 2506

（图书出现印装问题，本社负责调换）

本社质量投诉电话：010 – 88190744

前　言

随着我国资本市场规范化、市场化、国际化的发展趋势日渐显著，不断提高证券经营机构的竞争能力和风险控制水平，提升证券业从业人员和广大证券市场参与者整体素质，显得尤为重要。《中华人民共和国证券法》、《中华人民共和国证券投资基金法》以及中国证监会颁布的《证券业从业人员资格管理办法》规定，从事证券业务的专业人员，应当参加从业资格考试并取得从业资格。凡年满18周岁、具有高中以上文化程度和完全民事行为能力的人员都可参加证券业从业资格考试。上述规定对扩大证券市场从业人员队伍，提高证券业从业人员的专业水平，规范证券业从业人员管理具有十分重要的意义。

为适应资本市场发展的需要，中国证券业协会根据一年来法律法规的变化和市场的发展，对《证券业从业资格考试统编教材》进行了修订：第一，对《证券市场基础知识》和《证券投资分析》中的一些基本概念、分类方法进行了校订，并对5本教材的内容进行协调，对同一内容的表述保持一致，同时根据不同教材的特点对同一内容的介绍各有侧重；第二，根据新公布的《证券投资顾问业务暂行规定》和《发布证券研究报告暂行规定》对《证券投资分析》、《证券交易》及《证券市场基础知识》等书中的相关内容进行了调整，增加相关内容；第三，根据中国证监会发布的《关于深化新股发行体制改革的指导意见》及相关规则的调整，在《证券发行与承销》中修订了首次公开发行股票操作中的相关内容，增加了证券公司次级债发行的相关内容；第四，对《证券交易》中有关经纪业务的内容进行了调整，补充了证券公司证券自营业务投资范围的内容；第五，在《证券投资基金》中调整了基金评价等内容；第六，对原教材中的基本概念、理论和基本框架进行了较为全面的梳理和修订，对错漏之处进行更正，删除了已不再适用的内容。

由于编写时间紧迫，书中难免有疏漏、错误之处，恳请读者指正。

中国证券业协会

2011 年 6 月

目　录

第一章

证券交易概述

 第一节　证券交易的概念、基本要素和交易机制

一、证券交易的概念及原则

（一）证券交易的概念及特征

证券是用来证明证券持有人有权取得相应权益的凭证。证券交易是指已发行的证券在证券市场上买卖的活动。证券交易与证券发行有着密切的联系，两者相互促进、相互制约。一方面，证券发行为证券交易提供了对象，决定了证券交易的规模，是证券交易的前提；另一方面，证券交易使证券的流动性特征显示出来，有利于证券发行的顺利进行。

证券交易的特征主要表现在三个方面，分别为证券的流动性、收益性和风险性。同时，这些特征又互相联系在一起。证券需要有流动机制，因为只有通过流动，证券才具有较强的变现能力。而证券所具有的变现能力，又在一定程度上关系到证券持有者收益的实现。同时，经济发展过程中存在许多不确定因素，所以证券在流动中也存在因其价格变化给持有者带来损失的风险。

（二）我国证券交易市场发展历程

新中国证券交易市场的建立始于 1986 年。当年 8 月，沈阳开始试办企业债券转让业务；9 月，上海开办了股票柜台买卖业务。从 1988 年 4 月起，我国先后在 61 个大中城市开放了国库券转让市场。1990 年 12 月 19 日和 1991 年 7 月 3 日，上海证券交易所和深圳证券交易所先后正式开业。1992 年年初，人民币特种股票（B 股）在上海证券交易所上市。同一时期，证券投资基金的交易转让也逐步开展。1999 年 7 月 1 日，《中华人民共和国证券法》（简称《证券法》）正式开始实施，标志着维系证券交易市场运作的法规体系趋向完善。进入 21 世纪以后，随着我国加入WTO，证券交易市场对外开放也稳步向前迈进。2004 年 5 月，中国证券监督管理委员会（简称"中国证监会"）批准了深圳证券交易所在主板市场内开设中小企业板块，并核准了中小企业板块的实施方案。2005 年 4 月底，我国开始启动股权分置改革试点工作。这是一项完善证券市场基础制度和运行机制的改革，它不仅在于解决历史问题，更在于为资本市场其他各项改革和制度创新创造条件。2005 年 10 月，重新修订的《证券法》经第十届全国人民代表大会常务委员会第十八次会议通过后颁布，并于 2006 年 1 月 1 日起正式实施。2009 年 10 月 30 日，创业板在深圳证券交易所开市。2010 年 3 月 31 日，上海证券交易所和深圳证券交易所开始接受融资融券交易的申报。2010 年 4 月 16 日，我国股指期货开始上市交易。

结合我国经济发展的历程，从以上情况可见，我国证券交易市场是随着我国市场经济体系的建立和发展而逐渐成长起来的。

（三）证券交易的原则

证券交易的原则是反映证券交易宗旨的一般法则，应该贯穿于证券交易的全过程。为了保障证券交易功能的发挥，以利于证券交易的正常运行，证券交易必须遵循"公开、公平、公正"三个原则。

1. 公开原则。公开原则又称"信息公开原则"，指证券交易是一种面向社会的、公开的交易活动，其核心要求是实现市场信息的公开化。根据这一原则的要求，证券交易参与各方应依法及时、真实、准确、完整地向社会发布有关信息。从国际上来看，1934 年美国《证券交易法》确定公开原则后，它就一直为许多国家的证券交易活动所借鉴。在我国，强调公开原则有许多具体的内容。例如，上市公司的财务报表、经营状况等资料必须依法及时向社会公开，上市公司的一些重大事项也必须及时向社会公布等等。按照这个原则，投资者对于所购买的证券，能够有更充分、真实、准确、完整的了解。

2. 公平原则。公平原则是指参与交易的各方应当获得平等的机会。它要求证券交易活动中的所有参与者都有平等的法律地位，各自的合法权益都能得到公平保护。在证券交易活动中，有各种各样的交易主体，这些交易主体的资金数量、交易能力等可能各不相同，但不能因此而给予不公平的待遇或者使其受到某些方面的歧视。

3. 公正原则。公正原则是指应当公正地对待证券交易的参与各方，以及公正地处理证券交易事务。在实践中，公正原则也体现在很多方面。例如，公正地办理证券交易中的各项手续，公正地处理证券交易中的违法违规行为等等。

二、证券交易基本要素

（一）证券交易的种类

证券交易种类通常是根据交易对象来划分的。证券交易的对象就是证券买卖的标的物。在委托买卖证券的情况下，证券交易对象也就是委托合同中的标的物。按照交易对象的品种划分，证券交易种类有股票交易、债券交易、基金交易以及其他金融衍生工具的交易等。

1. 股票交易。股票是一种有价证券，是股份有限公司签发的证明股东所持股份的凭证。股票可以表明投资者的股东身份和权益，股东可以据以获取股息和红利。股票交易就是以股票为对象进行的流通转让活动。股票交易可以在证券交易所进行，也可以在场外交易市场进行。前者通常称为"上市交易"，后者的常见形式是柜台交易。在股票上市交易后，如果发现不符合上市条件或其他原因，可以暂停上市交易，直至终止上市交易。暂停上市交易后，在规定时间内重新具备了条件的亦可以恢复上市交易。

2. 债券交易。债券也是一种有价证券，是社会各类经济主体为筹集资金而向债券投资者出具的、承诺按一定利率定期支付利息并到期偿还本金的债权债务凭证。债券交易就是以债券为对象进行的流通转让活动。

根据发行主体的不同，债券主要有政府债券、金融债券和公司债券三大类。这三类债券都是债券市场上的交易品种。政府债券是国家为了筹措资金而向投资者出具的，承诺在一定时期支付利息和到期还本的债务凭证。政府债券的发行主体是中央政府和地方政府。中央政府发行的债券称为"国债"，地方政府发行的债券称为"地方债"。金融债券是指银行及非银行金融机构依照法定程序发行并约定在一定期限内还本付息的有价证券。公司债券是公司依照法定程序发行，约定在一定期限还本付息的有价证券。

3. 基金交易。证券投资基金是指通过公开发售基金份额募集资金，由基金托管人托管、由基金管理人管理和运用资金、为基金份额持有人的利益以资产组合方式进行证券投资活动的基金。因此，它是一种利益共享、风险共担的集合证券投资方式。基金交易是指以基金为对象进行的流通转让活动。从基金的基本类型看，一般可以分为封闭式与开放式两种。

对于封闭式基金来说，在成立后，基金管理人可以申请其基金在证券交易所上市。如果获得批准，投资者就可以在证券交易所市场上买卖基金份额。对于开放式基金来说，有非上市的开放式基金和上市的开放式基金之分。如果是非上市的开放式基金，投资者可以进行基金份额的申购和赎回。其中，一种情况是只允许通过基金管理人及其代销机构办理；另一种情况是既可以通过基金管理人及其代销机构办理，也可以通过证券交易所系统办理。如果是上市的开放式基金，则除了申购和赎回外，投资者还可以在证券交易所市场上进行买卖。开放式基金份额的申购价格和赎回价格，是通过对某一时点上基金份额实际代表的价值即基金资产净值进行估值，在基金资产净值的基础上再加一定的手续费而确定的。

此外，我国证券市场上还有交易型开放式指数基金。这种基金代表的是一篮子股票的投资组合，追踪的是实际的股价指数。对于投资者而言，交易型开放式指数基金可以在证券交易所挂牌上市交易，并同时进行基金份额的申购和赎回。

4. 金融衍生工具交易。股票、债券等属于基础性的金融产品。在现代证券市场上，除了基础性的金融工具交易，还存在许多衍生性的金融工具交易。金融衍生工具又称"金融衍生产品"，是与基础金融产品相对应的一个概念，指建立在基础产品或基础变量之上，其价格取决于后者价格（或数值）变动的派生金融产品。金融衍生工具交易包括权证交易、金融期货交易、金融期权交易、可转换债券交易等。

（1）权证交易。权证是基础证券发行人或其以外的第三人发行的，约定持有人在规定期间内或特定到期日，有权按约定价格向发行人购买或出售标的证券，或以现金结算方式收取结算差价的有价证券。从内容上看，权证具有期权的性质。在证券交易市场上，因为权证代表一定的权利，故也有交易的价值。目前我国权证都在证券交易所进行交易，它们的具体交易方式与股票交易类似。另外，在国内外证券市场上，权证根据不同的划分标准可以有不同的分类，如认股权证和备兑权证，认购权证和认沽权证，美式权证、欧式权证和百慕大式权证等。

（2）金融期货交易。金融期货交易是指以金融期货合约为对象进行的流通转让活动。金融期货合约是指买卖双方在有组织的交易所内以公开竞价的形式达成的，在将来某一特定时间交收标准数量特定金融工具的协议。这里的特定金融工具是指诸如外汇、债券、股票和股票价格指数等。因此，在实践中，金融期货主要有外汇期货、利率期货、股权类期货（如股票价格指数期货和股票期货等）三种类型。

（3）金融期权交易。金融期权交易是指以金融期权合约为对象进行的流通转让活动。金融期权合约是指合约买方向卖方支付一定费用（称为"期权费"或"期权价格"），在约定日期内（或约定日期）享有按事先确定的价格向合约卖方买卖某种金融工具的权利的契约。因此，金融期权交易实际上是一种权利的单方面让渡。金融期权的买方以支付一定数量的期权费为代价而拥有了这种权利，但不承担必须买进或卖出的义务；金融期权的卖方则在收取了一定数量的期权费后，在一定期限内必须无条件服从买方的选择并履行成交时的允诺。金融期权的基本类型是买入期权和卖出期权。前者指期权的买方具有在约定期限内按协定价格买入一定数量金融工具的权利，后者指期权的买方具有在约定期限内按协定价格卖出一定数量金融工具的权利。如果按照金融期权基础资产性质的不同，金融期权还可以分为股权类期权、利率期权、货币期权、金融期货合约期权、互换期权等。

（4）可转换债券交易。可转换债券是指其持有者可以在一定时期内按一定比例或价格将之转换成一定数量的另一种证券的债券。可转换债券交易就是以这种债券为对象进行的流通转让活动。在通常情况下，可转换债券转换成普通股票，因此它具有债权和期权的双重特性。一方面，可转换债券在发行时是一种债券，债券持有者拥有债权，持有期间可以获得利息，如果持有债券至期满还可以收回本金；另一方面，可转换债券持有者也可以在规定的转换期间内选择有利时机，要求发行公司按规定的价格和比例，将可转换债券转换为股票。此外，可转换债券持有者还可以选择在证券交易市场上将其抛售来实现收益。

在我国，近年来还出现了分离交易的可转换公司债券。这种债券实际上是可分离交易的附认股权证公司债券，即该债券发行上市后，债券与其原来附带的认股权可以分开，分别独立交易。

（二）证券交易的方式

证券交易方式可以按照不同的角度来认识。根据交易合约的签订与实际交割之间的关系，证券交易的方式有现货交易、远期交易和期货交易。在短期资金市场，结合现货交易和远期交易的特点，存在着债券的回购交易。如果投资者买卖证券时允许向经纪商融资或融券，则发生信用交易。

1. 现货交易。所谓现货交易，是指证券买卖双方在成交后就办理交收手续，买入者付出资金并得到证券，卖出者交付证券并得到资金。所以，现货交易的特征是"一手交钱，一手交货"，即以现款买现货方式进行交易。

2. 远期交易和期货交易。远期交易是双方约定在未来某一时刻（或时间段内）按照现在确定的价格进行交易。期货交易是在交易所进行的标准化的远期交易，即交易双方在集中性的市场以公开竞价方式所进行的期货合约的交易。而期货合约则是由交易双方订立的、约定在未来某日期按成交时约定的价格交割一定数量的某种商品的标准化协议。

期货交易与远期交易有类似的地方，都是现在定约成交，将来交割。但远期交易是非标准化的，在场外市场进行；期货交易则是标准化的，有规定格式的合约，一般在场内市场进行。另外，现货交易和远期交易以通过交易获取标的物为目的；而期货交易在多数情况下不进行实物交收，而是在合约到期前进行反向交易、平仓了结。

3. 回购交易。回购交易更多地具有短期融资的属性。从运作方式看，它结合了现货交易和远期交易的特点，通常在债券交易中运用。债券回购交易就是指债券买卖双方在成交的同时，约定于未来某一时间以某一价格双方再进行反向交易的行为。在债券回购交易中，当债券持有者有短期的资金需求时，就可以将持有的债券作质押或卖出而融进资金；反过来，资金供应者则因在相应的期间内让渡资金使用权而得到一定的利息回报。

4. 信用交易。信用交易是投资者通过交付保证金取得经纪商信用而进行的交易，也称为"融资融券交易"。这一交易的主要特征在于经纪商向投资者提供了信用，即投资者买卖证券的资金或证券有一部分是从经纪商借入的。

我国过去是禁止信用交易的。2005 年 10 月重新修订后的《证券法》取消了证券公司不得为客户交易融资融券的规定。随后，中国证监会发布了《证券公司融资融券业务试点管理办法》，上海证券交易所和深圳证券交易所也公布了融资融券交易试点的实施细则。根据《证券公司融资融券业务试点管理办法》的规定，融资融券业务是指证券公司向客户出借资金供其买入上市证券或者出借上市证券供其卖出，并收取担保物的经营活动。

（三）证券投资者

证券投资者是买卖证券的主体，他们可以是自然人，也可以是法人。相应地，证券投资者可以分为个人投资者和机构投资者两大类。其中，机构投资者主要有政府机构、金融机构、企业和事业法人及各类基金等。

就投资者买卖证券的基本途径来看，主要有两条：一是直接进入交易场所自行买卖证券，如投资者在柜台市场上与对方直接交易；二是委托经纪商代理买卖证券。在证券交易所的交易中，除了按规定允许的证券公司自营买卖外，投资者都要通过委托经纪商代理才能买卖证券。此时，证券投资者也就是委托人。所以，在证券经纪业务中，委托人是指依国家法律法规的规定，可以进行证券买卖的自然人或法人。

另外，我国对证券投资者买卖证券还有一些限制条件。例如，我国《证券法》规定，证券交易所、证券公司和证券登记结算机构的从业人员、证券监督管理机构的工作人员以及法律、行政法规禁止参与股票交易的其他人员，在任期或者法定限期内，不得直接或者以化名、借他人名义持有、买卖股票，也不得收受他人赠送的股票。

随着我国证券市场的对外开放，我国证券市场的投资者不再局限于境内的自然人和法人，还出现了境外的自然人和法人，但是对境外投资者的投资范围有一定的限制。一般的境外投资者可以投资在证券交易所上市的外资股（即 B 股）；而合格境外机构投资者则可以在经批准的投资额度内，投资于下列人民币金融工具：在证券交易所挂牌交易的股票、在证券交易所挂牌交易的债券、证券投资基金、在证券交易所挂牌交易的权证、中国证监会允许的其他金融工具。还可以参与新股发行、可转换债券发行、股票增发和配股的申购。所谓合格境外机构投资者，是指符合中国证监会、中国人民银行和国家外汇管理局发布的《合格境外机构投资者境内证券投资管理办法》规定的条件，经中国证监会批准投资于中国证券市场，并取得国家外汇管理局额度批准的中国境外基金管理机构、保险公司、证券公司以及其他资产管理机构。合格境外机构投资者应当委托境内商业银行作为托管人托管资产，委托境内证券公司办理在境内的证券交易活动。

（四）证券公司

在我国，证券公司是指依照《中华人民共和国公司法》（简称《公司法》）规定和经国务院证券监督管理机构审查批准的、经营证券业务的有限责任公司或者股份有限公司。证券公司在证券交易活动中发挥着重要的作用。一方面，证券公司为投资者提供代理证券买卖的中介服务；另一方面，证券公司也是证券市场上的机构投资者。

1. 我国《证券法》规定，设立证券公司应当具备下列条件：

（1）有符合法律、行政法规规定的公司章程。

（2）主要股东具有持续盈利能力，信誉良好，最近 3 年无重大违法违规记录，净资产不低于人民币 2 亿元。

（3）有符合本法规定的注册资本。

（4）董事、监事、高级管理人员具备任职资格，从业人员具有证券业从业资格。

（5）有完善的风险管理与内部控制制度。

（6）有合格的经营场所和业务设施。

（7）法律、行政法规规定的和经国务院批准的国务院证券监督管理机构规定的其他条件。

2. 经国务院证券监督管理机构批准，证券公司可以经营下列部分或者全部业务：

（1）证券经纪。

（2）证券投资咨询。

（3）与证券交易、证券投资活动有关的财务顾问。

（4）证券承销与保荐。

（5）证券自营。

（6）证券资产管理。

（7）其他证券业务。

其中，证券公司经营上述第（1）项至第（3）项业务的，注册资本最低限额为人民币5 000万元；经营上述第（4）项至第（7）项业务之一的，注册资本最低限额为人民币1亿元；经营上述第（4）项至第（7）项业务中两项以上的，注册资本最低限额为人民币5亿元。证券公司的注册资本应当是实缴资本。国务院证券监督管理机构根据审慎监管原则和各项业务的风险程度可以调整注册资本最低限额，但不得少于上述规定的限额。

（五）证券交易场所

证券交易场所是供已发行的证券进行流通转让的市场。证券交易市场的作用在于：一是为各种类型的证券提供便利而充分的交易条件；二是为各种交易证券提供公开、公平、充分的价格竞争，以发现合理的交易价格；三是实施公开、公正和及时的信息披露；四是提供安全、便利、迅捷的交易与交易后服务。

证券交易场所分为证券交易所和其他交易场所两大类。

1. 证券交易所。证券交易所是有组织的市场，又称"场内交易市场"，是指在一定的场所、一定的时间，按一定的规则集中买卖已发行证券而形成的市场。在我国，根据《证券法》的规定，证券交易所是为证券集中交易提供场所和设施，组织和监督证券交易，实行自律管理的法人。证券交易所的设立和解散，由国务院决定。证券交易所作为进行证券交易的场所，其本身不持有证券，也不进行证券的买卖，当然更不能决定证券交易的价格。证券交易所应当创造公开、公平、公正的市场环境，保证证券市场的正常运行。为此，我国《证券交易所管理办法》具体规定了证券交易所的职能和不得从事的事项。

证券交易所的职能有：

（1）提供证券交易的场所和设施。

（2）制定证券交易所的业务规则。

（3）接受上市申请、安排证券上市。

（4）组织、监督证券交易。

（5）对会员进行监管。

（6）对上市公司进行监管。

（7）设立证券登记结算机构。

（8）管理和公布市场信息。

（9）中国证监会许可的其他职能。

证券交易所不得直接或者间接从事的事项有：

（1）以营利为目的的业务。

（2）新闻出版业。

（3）发布对证券价格进行预测的文字和资料。

（4）为他人提供担保。

（5）未经中国证监会批准的其他业务。

证券交易所的组织形式有会员制和公司制两种。我国上海证券交易所和深圳证券交易所都采用会员制，设会员大会、理事会和专门委员会。理事会是证券交易所的决策机构，理事会下面可以设立其他专门委员会。证券交易所设总经理，负责日常事务。总经理由国务院证券监督管理机构任免。

2. 其他交易场所。其他交易场所是指证券交易所以外的证券交易市场，也称为"场外交易市场"，包括分散的柜台市场和一些集中性市场。

在证券交易市场发展的早期，柜台市场（又称"店头市场"）是一种重要的形式，许多有价证券的买卖是在银行或证券公司等金融机构的柜台上进行的。这种交易活动呈现分散性，其买卖方式与集中交易市场采取的委托买卖有很大不同。通常，在柜台上交易的证券，其买卖价格由开设柜台的金融机构报出，投资者根据金融机构柜台所报的买入价或卖出价进行柜台交易，即证券出售者将证券直接卖给柜台，证券购入者直接从柜台买入证券。所以，金融机构的柜台既是证券交易的组织者，也是证券交易的直接参加者。由于这种交易是一对一的方式，就不会出现投资者买方内部或卖方内部直接的出价、要价竞争，而是由金融机构柜台根据投资者的接受程度调整报价。我国在 2002 年 6 月开始运作的商业银行记账式国债柜台市场就采用这样的交易方式。

随着证券交易市场的进一步发展，其他交易场所也出现了一些集中性的交易市场。从我国情况看，银行间债券市场已成为一个重要的债券集中性交易市场。1997 年 6 月，中国人民银行发出通知，决定在全国银行间同业拆借中心开办银行间债券交易业务。由此，我国银行间债券市场建立起来。在随后的几年里，这一市场有了较快发展。在现阶段，银行间债券市场的参与者有境内商业银行、非银行金融机构、非金融机构、可经营人民币业务的外国银行分行等。主要交易方式包括债券现货交易和债券回购。全国银行间同业拆借中心为参与者的债券报价、交易提供中介及信息服务。债券交易实行双边谈判成交，逐笔结算。

另外，我国现行开展的代办股份转让系统也属于其他交易场所。该转让系统以具有代办股份转让主办券商业务资格的证券公司为核心，为非上市股份有限公司提供了规范的股份转让平台。

（六）证券登记结算机构

我国《证券法》规定，证券登记结算机构是为证券交易提供集中登记、存管与结算服务，不以营利为目的的法人。设立证券登记结算机构必须经国务院证券监督管理机构批准。证券登记结算机构应履行下列职能：

（1）证券账户、结算账户的设立和管理。

（2）证券的存管和过户。

（3）证券持有人名册登记及权益登记。

（4）证券和资金的清算交收及相关管理。

（5）受发行人的委托派发证券权益。

（6）依法提供与证券登记结算业务有关的查询、信息、咨询和培训服务。

（7）中国证监会批准的其他业务。

证券登记结算机构为证券市场提供安全、高效的证券登记结算服务。根据自律管理的要求，它需采取以下措施保证业务的正常进行：一是要制定完善的风险防范制度和内部控制制度；二是要建立完善的技术系统，制定由结算参与人共同遵守的技术标准和规范；三是要建立完善的结算参与人准入标准和风险评估体系；四是要对结算数据和技术系统进行备份，制定业务紧急应变程序和操作流程。同时，为防范证券结算风险，我国还设立了证券结算风险基金，用于垫付或弥补因违约交收、技术故障、操作失误、不可抗力造成的证券登记结算机构的损失。

中国证券登记结算有限责任公司（简称"中国结算公司"）是我国的证券登记结算机构，该公司在上海和深圳两地各设一个分公司，其中上海分公司（简称"中国结算公司上海分公司"）主要针对上海证券交易所的上市证券，为投资者提供证券登记结算服务；深圳分公司（简称"中国结算公司深圳分公司"）主要针对深圳证券交易所的上市证券，为投资者提供证券登记结算服务。

三、证券交易机制

证券交易机制是证券市场具体交易制度设计的基础，如上海证券交易所和深圳证券交易所的集合竞价和连续竞价，其设计依据就是定期交易和连续交易的不同机制；而上海证券交易所固定收益平台交易中一级交易商提供的双边报价，就采用了报价驱动的机制。

（一）定期交易和连续交易

从交易时间的连续特点划分，有定期交易和连续交易。在定期交易中，成交的时点是不连续的。在某一段时间到达的投资者的委托订单并不是马上成交，而是要先存储起来，然后在某一约定的时刻加以匹配。在连续交易中，并非意味着交易一定是连续的，而是指在营业时间里订单匹配可以连续不断地进行。因此，两个投资者下达的买卖指令，只要符合成交条件就可以立即成交，而不必再等待一段时间定期成交。

这两种交易机制有着不同的特点。定期交易的特点有：第一，批量指令可以提供价格的稳定性；第二，指令执行和结算的成本相对比较低。连续交易的特点有：第一，市场为投资者提供了交易的即时性；第二，交易过程中可以反映更多的市场价格信息。

（二）指令驱动和报价驱动

从交易价格的决定特点划分，有指令驱动和报价驱动。指令驱动是一种竞价市场，也称为"订单驱动市场"。在竞价市场中，证券交易价格是由市场上的买方订单和卖方订单共同驱动的。如果采用经纪商制度，投资者在竞价市场中将自己的买卖指令报给自己的经纪商，然后经纪商持买卖订单进入市场，市场交易中心以买卖双向价格为基准进行撮合。报价驱动是一种连续交易商市场，或称"做市商市场"。在这一市场中，证券交易的买价和卖价都由做市商给出，做市商将根据市场的买卖力量和自身情况进行证券的双向报价。投资者之间并不直接成交，而是从做市商手中买进证券或向做市商卖出证券。做市商在其所报的价位上接受投资者的买卖要求，以其自有资金或证券与投资者交易。做市商的收入来源是买卖证券的差价。

这两种交易机制也有着不同的特点。指令驱动的特点有：第一，证券交易价格由买方和卖方的力量直接决定；第二，投资者买卖证券的对手是其他投资者。报价驱动的特点有：第一，证券成交价格的形成由做市商决定；第二，投资者买卖证券都以做市商为对手，与其他投资者不发生直接关系。

（三）证券交易机制目标

通常，证券交易机制的目标是多重的。主要的目标有：

1. 流动性。证券的流动性是证券市场生存的条件。如果证券市场缺乏流动性，或者说不能提供充分的流动性，证券市场的功能就要受到影响。从积极的意义上看，证券市场流动性为证券市场有效配置资源奠定了基础。证券市场流动性包含两方面的要求，即成交速度和成交价格。如果投资者能以合理的价格迅速成交，则市场流动性好。反过来，单纯是成交速度快，并不能完全表示流动性好。

2. 稳定性。证券市场的稳定性是指证券价格的波动程度。一般来说，稳定性好的市场，其价格波动性比较小，或者说其调节平衡的能力比较强。从证券市场健康运行的角度看，保持证券价格的相对稳定、防止证券价格大幅度波动是必要的。证券市场的稳定性可以用市场指数的风险度来衡量。由于各种信息是影响证券价格的主要因素，因此，提高市场透明度是加强证券市场稳定性的重要措施。

3. 有效性。证券市场的有效性包含两方面的要求：一是证券市场的高效率；二是证券市场的低成本。其中，高效率又包含两方面内容。首先是证券市场的信息效率，即要求证券价格能准确、迅速、充分反映各种信息。根据证券价格对信息的反映程度，可以将证券市场分为强式有效市场、半强式有效市场和弱式有效市场。其次是证券市场的运行效率，即证券交易系统硬件的工作能力，如交易系统的处理速度、容量等。低成本也包含两方面：一是直接成本；二是间接成本。前者如投资者参与交易而支付的佣金和缴纳的税收，后者如投资者收集证券信息所发生的费用等。

第二节　证券交易所的会员、席位和交易单元

一、会员制度

在证券市场上，证券交易所是最主要的交易场所。对于实行会员制的证券交易所，投资者是通过交易所会员来代理买卖证券的。上海证券交易所和深圳证券交易所都采取会员制。它们通过接纳证券公司入会，组成一个自律性的会员制组织。

在我国，证券交易所接纳的会员分为普通会员和特别会员。普通会员应当是经有关部门批准设立并具有法人地位的境内证券公司。境外证券经营机构设立的驻华代表处，经申请可以成为证券交易所的特别会员。

证券交易所要对会员进行监督管理，其中重要的一环是制定具体的会员管理规则。这一规则的内容包括总则、会员资格管理、席位与交易权限管理、证券交易及相关业务管理、日常管理、监督检查和纪律处分等。

（一）会员资格

证券公司要成为会员应具备一定的条件。一般来说，证券交易所是从证券公司的经营范围、承担风险和责任的资格及能力、组织机构、人员素质等方面规定入会的条件。上海证券交易所和深圳证券交易所对此的规定基本相同，主要有：

1. 经中国证监会依法批准设立并具有法人地位的证券公司。

2. 具有良好的信誉、经营业绩和一定规模的资本金或营运资金。

3. 组织机构和业务人员符合中国证监会和证券交易所规定的条件。

4. 承认证券交易所章程和业务规则，按规定缴纳各项会员经费。

5. 证券交易所要求的其他条件。

具备上述条件的证券公司向证券交易所提出申请，并提供必要文件，经证券交易所理事会批准后，可成为证券交易所的会员。

（二）会员的权利与义务

1. 会员的权利。证券交易所会员可享有某些权利，上海证券交易所和深圳证券交易所在这方面的规定基本一致，主要有以下几方面：

（1）参加会员大会。

（2）有选举权和被选举权。

（3）对证券交易所事务的提议权和表决权。

（4）参加证券交易所组织的证券交易，享受证券交易所提供的服务。

（5）对证券交易所事务和其他会员的活动进行监督。

（6）按规定转让交易席位等。

2. 会员的义务。证券交易所会员在享受权利的同时，也必须承担一定的义务。上海证券交易所和深圳证券交易所对这方面的规定也大致相同，主要有以下几方面：

（1）遵守国家的有关法律法规、规章和政策，依法开展证券经营活动。

（2）遵守证券交易所章程、各项规章制度，执行证券交易所决议。

（3）派遣合格代表入场从事证券交易活动（深圳证券交易所无此项规定）。

（4）维护投资者和证券交易所的合法权益，促进交易市场的稳定发展。

（5）按规定缴纳各项经费和提供有关信息资料以及相关的业务报表和账册。

（6）接受证券交易所的监督等。

对于不履行义务的会员，证券交易所有权根据情节的轻重给予一定的处分。

（三）会员资格的申请与审批

证券公司申请成为证券交易所的会员，首先要将一系列相关材料报送证券交易所，如申请书、设立的批准文件、经营证券业务许可证、企业法人营业执照、章程及主要业务规章制度等。证券公司申请文件齐备的，证券交易所予以受理，并自受理之日起 20 个工作日内作出是否同意接纳为会员的决定。证券交易所同意接纳的，向该证券公司颁发会员资格证书，并予以公告。

（四）日常管理

证券交易所会员应当设会员代表 1 名，组织、协调会员与证券交易所的各项业务往来。会员代表由会员高级管理人员担任。会员应当设会员业务联络人 1～4 名，根据授权代位履行会员代表职责。

会员代表应当履行的职责有：办理证券交易所会员资格、席位、参与者交易业务单元（交易单元）、交易权限管理等相关业务；报送统计月报、年报及证券交易所要求的其他文件；组织与证券交易所证券业务相关的会员内部培训；组织会员相关业务人员参加证券交易所举办的培训；协调会员与证券交易所交易及相关系统的改造、测试等；每日浏览证券交易所网站会员专区，及时接收本所发送的业务文件，并予以协调落实；及时更新会员专区中的会员总部、分支机构的相关资料及其他信息；督促会员及时履行报告与公告义务；督促会员及时缴纳各项费用；证券交易所要求履行的其他职责。

证券交易所会员应当向证券交易所履行下列定期报告义务：每月前 7 个工作日内报送上月统计报表及风险控制指标监管报表，每年 4 月 30 日前报送上年度经审计财务报表和证券交易所要求的年度报告材料，每年4月30日前报送上年度会员交易系统运行情况报告，证券交易所规定的其他定期报告义务。

证券交易所会员应当按照规定的收费项目、收费标准与收费方式，按时缴纳相关费用。会员拖欠证券交易所相关费用的，证券交易所可视情况暂停受理或者办理相关业务。会员被中国证监会依法指定托管、接管的，应当按照证券交易所要求缴纳为保证证券交易正常进行发生的相关费用。如不能按时缴纳的，证券交易所可视情况采取相应措施。

（五）监督检查和纪律处分

1. 监督检查。证券交易所对会员的证券交易行为实行实时监控，重点监控会员可能影响证券交易价格或者证券交易量的异常交易行为。证券交易所可根据监管需要，采用现场和非现场的方式对会员证券业务活动中的风险管理、交易及相关系统安全运行等情况进行监督检查。

证券交易所在会员监管过程中，对存在或者可能存在问题的会员，可以根据需要采取下列措施：

（1）口头警示。

（2）书面警示。

（3）要求整改。

（4）约见谈话。

（5）专项调查。

（6）暂停受理或者办理相关业务。

（7）提请中国证监会处理。

证券交易所会员应当积极配合证券交易所监管，按照证券交易所要求及时说明情况，提供相关的业务报表、账册、原始凭证、开户资料及其他文件、资料，不得以任何理由拒绝或者拖延提供有关资料，不得提供虚假的、误导性的或者不完整的资料。

2. 纪律处分。证券交易所会员应承担相应的义务，如果违反证券交易所业务规则，证券交易所责令其改正，并视情节轻重单处或者并处下列纪律处分措施：

（1）在会员范围内通报批评。

（2）在中国证监会指定媒体上公开谴责。

（3）暂停或者限制交易。

（4）取消交易权限。

（5）取消会员资格。

证券交易所采取上述纪律处分时，可视情况通报中国证监会或者其派出机构。会员受到上述第（3）、（4）、（5）项纪律处分的，应当自收到处分通知之日起 5 个工作日内在其营业场所予以公告。

证券交易所会员董事、监事、高级管理人员对会员违规行为负有责任的，证券交易所责令改正，并视情节轻重处以下列纪律处分措施：

（1）在会员范围内通报批评。

（2）在中国证监会指定媒体上公开谴责。

另外，根据我国《证券交易所管理办法》的规定，证券交易所决定接纳或者开除会员应当在决定后的 5 个工作日内向中国证监会备案，决定接纳或者开除正式会员以外的其他会员应当在履行有关手续 5 个工作日之前报中国证监会备案。

（六）特别会员的管理

境外证券经营机构设立的驻华代表处，若符合条件，经申请可以成为我国上海证券交易所和深圳证券交易所的特别会员。

境外证券经营机构驻华代表处申请成为证券交易所特别会员的条件是：依法设立且满 1 年；承认证券交易所章程和业务规则，接受证券交易所监管；其所属境外证券经营机构具有从事国际证券业务经验，且有良好的信誉和业绩；代表处及其所属境外证券经营机构最近 1 年无因重大违法违规行为而受主管当局处罚的情形。

1. 特别会员享有的权利有：

（1）列席证券交易所会员大会。

（2）向证券交易所提出相关建议。

（3）接受证券交易所提供的相关服务。

2. 特别会员应承担的义务有：

（1）遵守国家相关法律法规、规章和证券交易所章程、规则及其他相关规定。

（2）执行证券交易所决议，接受证券交易所年度检查和临时检查，提交年度工作报告和其他重大事项变更报告。

（3）及时协调、联络所属境外证券经营机构与证券交易所有关的业务与事务。

（4）按证券交易所规定缴纳特别会员费及相关费用。

特别会员可以申请终止会籍。特别会员违反有关法律法规、证券交易所章程和规则的，证券交易所可以责令其改正，并视情节轻重给予处分，如警告、会员范围内通报批评、公开批评、取消会籍等。

二、交易席位和交易单元

（一）交易席位的含义

在传统意义上，交易席位是证券公司在证券交易所交易大厅内进行交易的固定位置，其实质还包括了交易资格的含义，即取得了交易席位后才能从事实际的证券交易业务。从上海证券交易所和深圳证券交易所的相关管理制度看，交易席位代表了会员在证券交易所拥有的权益，是会员享有交易权限的基础。

（二）交易席位的管理

1. 交易席位的取得和享有的权利。证券交易所会员的权利之一是参加交易，参加交易先要取得交易席位。根据我国证券交易所现行制度的规定，证券交易所会员应当至少取得并持有一个席位。证券交易所会员可以向证券交易所提出申请购买席位，也可以在证券交易所会员之间转让席位。

证券交易所会员取得席位后，享有下列权利（以深圳证券交易所为例）：

（1）进入证券交易所参与证券交易。

（2）每个席位自动享有一个交易单元的使用权。

（3）每个席位自动享有一个标准流速的使用权。

（4）每个席位每年自动享有交易类和非交易类申报各2万笔流量的使用权。

（5）证券交易所章程、业务规则规定享有的其他权利。

2. 交易席位的转让。证券交易所为了保证证券交易正常、有序地进行，要对会员取得的交易席位实施严格管理。证券交易所会员不得共有席位，席位也不得退回证券交易所。未经证券交易所同意，会员不得将席位出租、质押，或将席位所属权益以其他任何方式转给他人。

交易席位可以转让，但转让席位必须遵守证券交易所的有关规定。根据现行制度：席位只能在会员间转让；会员转让席位的，应当将席位所属权益一并转让；会员转让席位，应当签订转让协议，并向证券交易所提出申请。证券交易所自受理之日起5个工作日内对申请进行审核，并作出是否同意的决定。对存在欠费或不履行证券交易所规定义务的会员，证券交易所可不受理其席位转让申请。

（三）交易单元

交易单元是指证券交易所会员取得席位后向证券交易所申请设立的、参与证券交易所证券交易与接受证券交易所监管及服务的基本业务单位。

证券交易所的会员及证券交易所认可的机构，若要进入证券交易所市场进行证券交易，要向证券交易所申请取得交易权，成为证券交易所的交易参与人。交易参与人应当通过在证券交易所申请开设的交易单元进行证券交易，交易单元是交易权限的技术载体。会员参与交易及会员权限的管理通过交易单元来实现。

下面根据《深圳证券交易所席位与交易单元管理细则》的规定，介绍深圳证券交易所交易单元的相关事项。

深圳证券交易所会员取得席位后，可根据业务需要向证券交易所申请设立1个或1个以上的交易单元。会员通过其在证券交易所设立的交易单元参与证券交易，接受证券交易所交易服务和管理。会员从事证券经纪、自营、融资融券等业务，应当分别通过专用的交易单元进行（证券交易所另有规定的除外）。

深圳证券交易所根据会员的申请和业务许可范围，为其设立的交易单元设定下列交易或其他业务权限：

（1）一类或多类证券品种或特定证券品种的交易。

（2）大宗交易。

（3）协议转让。

（4）交易型开放式指数基金（ETF）、上市开放式基金（LOF）及非上市开放式基金等的申购与赎回。

（5）融资融券交易。

（6）特定证券的主交易商报价。

（7）其他交易或业务权限。

深圳证券交易所根据会员的申请，为交易单元提供下列使用交易所交易系统资源和获取交易系统服务的功能：

（1）申报买卖指令及其他业务指令。

（2）获取实时及盘后交易回报。

（3）获取证券交易即时行情、证券指数、证券交易公开信息等交易信息及相关新闻公告。

（4）配置相应的通信通道等通信资源，接入和访问交易所交易系统。

（5）获取交易所交易系统提供的其他服务权限。

会员设立的交易单元通过网关与深圳证券交易所交易系统连接。会员可通过多个网关进行一个交易单元的交易申报，也可通过一个网关进行多个交易单元的交易申报，但不得通过其他会员的网关进行交易申报。

经深圳证券交易所同意，会员可将其设立的交易单元提供给证券投资基金管理公司、保险资产管理公司等机构使用。

会员通过交易单元从事证券交易业务，应当向深圳证券交易所缴纳交易单元使用费、流速费与流量费等费用。

第二章

证券交易程序

 第一节 证券交易程序概述

在证券交易活动中，投资者在证券市场上买卖已发行的证券要按照一定的程序进行。所谓证券交易程序，就是投资者在二级市场上买进或卖出已上市证券所应遵循的规定过程。本章主要针对证券交易所场内集中竞价交易，不涉及场外市场。另外，有关证券交易所的大宗交易等特别交易内容，将在后面章节介绍。

在证券交易所市场，证券交易的基本过程包括开户、委托、成交、结算等几个步骤（见图2－1）。

一、开户

开户有两个方面，即开立证券账户和开立资金账户。证券账户用来记载投资者所持有的证券种类、数量和相应的变动情况，资金账户则用来记载和反映投资者买卖证券的货币收付和结存数额。

开立证券账户和资金账户后，投资者买卖证券所涉及的证券、资金变化就会从相应的账户中得到反映。例如，某投资者买入甲股票1 000股，包括股票价格和交易税费的总费用为10 000元，则投资者的证券账户上

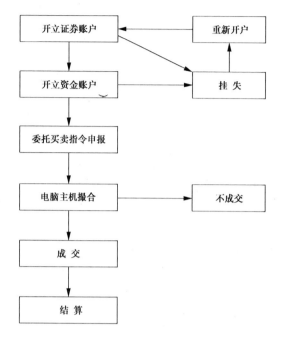

图 2 - 1 证券交易程序

就会增加甲股票 1 000 股, 资金账户上就会减少 10 000 元。

二、委托

在证券交易所市场, 除了证券交易所会员的自营业务外, 投资者买卖证券是不能直接进入证券交易所办理的, 而必须通过证券交易所的会员。换而言之, 投资者需要通过证券经纪商（证券经纪商职能一般由证券公司行使）的代理才能在证券交易所买卖证券。在这种情况下, 投资者向经纪商下达买进或卖出证券的指令, 称为"委托"。

委托指令有多种形式, 可以按照不同的依据来分类。从各国（地区）情况看, 一般根据委托订单的数量, 有整数委托和零数委托; 根据买卖证券的方向, 有买进委托和卖出委托; 根据委托价格限制, 有市价委托和限价委托; 根据委托时效限制, 当日委托、当周委托、无期限委托、开市委托和收市委托等。

证券经纪商接到投资者的委托指令后, 首先要对投资者身份的真实性和合法性进行审查。审查合格后, 经纪商要将投资者委托指令的内容传送到证券交易所进行撮合。这一过程称为"委托的执行",也称为"申报"或"报盘"。

证券交易所在证券交易中接受报价的方式主要有口头报价、书面报价和电脑报价三种。采用口头报价方式时,经纪商的场内交易员接到交易指令后,在证券交易所规定的交易台前或者指定的区域,用口头方式喊出自己的买价或者卖价,同时辅以手势,直至成交。在书面报价情况下,交易员将证券买卖要求以书面形式向证券交易所申报,然后按规定的竞价交易原则撮合成交。电脑报价则是指经纪商通过计算机交易系统进行证券买卖申报。其做法是:经纪商将买卖指令输入计算机终端,并通过计算机系统传给证券交易所的交易系统,交易系统接收后即进行配对处理。若买卖双方有合适的价格和数量,交易系统便自动撮合成交。目前,我国通过证券交易所进行的证券交易均采用电脑报价方式。

三、成交

证券交易所交易系统接受申报后,要根据订单的成交规则进行撮合配对。符合成交条件的予以成交,不符合成交条件的继续等待成交,超过了委托时效的订单失效。

在成交价格确定方面,一种情况是通过买卖双方直接竞价形成交易价格;另一种情况是交易价格由交易商报出,投资者接受交易商的报价后即可与交易商进行证券买卖。

在订单匹配原则方面,根据各国(地区)证券市场的实践,优先原则主要有:价格优先原则、时间优先原则、按比例分配原则、数量优先原则、客户优先原则、做市商优先原则和经纪商优先原则等。其中,各证券交易所普遍以价格优先原则为第一优先原则。我国采用价格优先和时间优先原则。

四、结算

证券交易成交后,首先需要对买方在资金方面的应付额和在证券方面的应收种类和数量进行计算,同时也要对卖方在资金方面的应收额和在证券方面的应付种类和数量进行计算。这一过程属于清算,包括资金清算和证券清算。清算结束后,需要完成证券由卖方向买方转移和对应的资金由买方向卖方转移。这一过程属于交收。清算和交收是证券结算的两个方面。

对于记名证券而言，完成了清算和交收，还有一个登记过户的环节。完成了登记过户，证券交易过程才告结束。

第二节 证券账户和证券托管

一、证券账户管理

账户包括证券账户和资金账户。对于投资者的资金账户，涉及投资者买卖证券的交易结算资金管理。这方面的内容将在后面有关证券经纪业务的"客户交易结算资金第三方存管"中进一步论述。下面主要说明证券账户的内容。在我国证券市场上，中国结算公司经中国证监会批准发布的《中国证券登记结算有限责任公司证券账户管理规则》（简称《证券账户管理规则》）以及相关业务指南是办理这类业务活动的依据，对参与主体具有约束力。

证券账户是指中国结算公司为申请人开出的记载其证券持有及变更的权利凭证。开立证券账户是投资者进行证券交易的先决条件。根据《证券账户管理规则》的规定，中国结算公司对证券账户实施统一管理，投资者证券账户由中国结算公司上海分公司、深圳分公司及中国结算公司委托的开户代理机构负责开立。其中，开户代理机构是指中国结算公司委托代理证券账户开户业务的证券公司、商业银行及中国结算公司境外B股结算会员。

（一）证券账户的种类

目前，我国证券账户的种类有两种划分依据：一是按照交易场所划分；二是按照账户用途划分。按交易场所划分，证券账户可以划分为上海证券账户和深圳证券账户，分别用于记载在上海证券交易所和深圳证券交易所上市交易的证券以及中国结算公司认可的其他证券。按用途划分，证券账户可以划分为人民币普通股票账户、人民币特种股票账户、证券投资基金账户、创业板交易账户和其他账户等。下面分别对股票账户和基金账户作简要介绍。

1. 人民币普通股票账户。人民币普通股票账户简称"A股账户"，其开立仅限于国家法律法规和行政规章允许买卖A股的境内投资者和合格境外机构投资者。A股账户按持有人分为自然人证券账户、一般机构证券账户、证券公司自营证券账户和基金管理公司的证券投资基金专用证券账户等。在实际运用中，A股账户是我国目前用途最广、数量最多的一种通用型证券账户，既可用于买卖人民币普通股票，也可用于买卖债券、上市基金、权证等各类证券。

2. 人民币特种股票账户。人民币特种股票账户简称"B股账户"，是专门为投资者买卖人民币特种股票（即B股，也称"境内上市外资股"）而设置的。B股账户按持有人可以分为境内投资者证券账户和境外投资者证券账户。

3. 证券投资基金账户。证券投资基金账户简称"基金账户"，是用于买卖上市基金的一种专用型账户。基金账户是随着我国证券投资基金的发展，为方便投资者买卖证券投资基金而专门设置的。

（二）开立证券账户的基本原则

证券经纪商为投资者办理经纪业务的前提条件之一，是投资者必须事先到中国结算公司或其开户代理机构开立证券账户。开立证券账户应坚持合法性和真实性的原则。

1. 合法性。合法性是指只有国家法律允许进行证券交易的自然人和法人才能开立证券账户。对国家法律法规不准许开户的对象，中国结算公司及其开户代理机构不得予以开户。

《证券账户管理规则》规定，一个自然人、法人可以开立不同类别和用途的证券账户。对于同一类别和用途的证券账户，原则上一个自然人、法人只能开立一个。对于国家法律法规和行政规章规定需要资产分户管理的特殊法人机构，包括保险公司、证券公司、信托公司、基金公司、社会保障类公司和合格境外机构投资者等机构，可按规定向中国结算公司申请开立多个证券账户。

2. 真实性。真实性是指投资者开立证券账户时所提供的资料必须真实有效，不得有虚假隐匿。目前，投资者在我国证券市场上进行证券交易时采用实名制。《证券法》规定，证券登记结算机构应当按照规定以投资者本人的名义为投资者开立证券账户。投资者申请开立账户时，必须持有证明中国公民身份或者中国法人资格的合法证件（国家另有规定的除外）。

（三）证券账户开立流程和规定

证券公司和基金管理公司等特殊法人机构开立证券账户，由中国结算公司上海分公司和深圳分公司直接受理。这类特殊法人机构投资者需要前往中国结算公司上海分公司和深圳分公司现场办理开户手续。

自然人及一般机构开立证券账户，可以通过中国结算公司上海分公司和深圳分公司委托的分布在全国各地的开户代理机构办理。目前多数证券公司营业部都取得了开户代理资格，可以代理中国结算公司上海分公司和深圳分公司为投资者开立证券账户。投资者通过开户代理机构开立证券账户的流程是：开户代理机构受理投资者申请，申请材料审核合格后实时向中国结算公司上海分公司和深圳分公司上传开户申请；中国结算公司上海分公司和深圳分公司收到后进行审核，对于合规的申请予以配号，并实时将审核结果返回各开户代理机构；开户代理机构对已配号的申请，使用中国结算公司上海分公司和深圳分公司统一制作的证券账户纸卡，打印证券账户卡交申请人。

目前，上海证券账户当日开立，次一交易日生效。深圳证券账户当日开立，当日即可用于交易。

（四）证券账户管理的其他内容

证券账户管理除了开立证券账户外，还涉及证券账户的挂失与补办、证券账户查询等方面。

投资者证券账户卡毁损或遗失，可向中国结算公司上海分公司和深圳分公司开户代理机构申请挂失与补办，或更换证券账户卡。证券账户持有人也可以查询其账户的注册资料、证券余额、证券变更及其他相关内容。这方面的内容将在后面章节进一步介绍。

二、证券托管与存管

(一) 证券托管、存管的概念

一般意义上，证券托管是指投资者将持有的证券委托给证券公司保管，并由后者代为处理有关证券权益事务的行为。证券存管是指证券公司将投资者交给其保管的证券以及自身持有的证券统一交给证券登记结算机构保管，并由后者代为处理有关证券权益事务的行为。在账户记录上，由于实现了无纸化，证券登记结算机构一般以证券公司为单位，采用电脑记账方式记载证券公司交给的证券；证券公司也采用电脑记账的方式记载投资者的证券。对股权、债权变更引起的证券转移，通过账面予以划转。

(二) 我国目前的证券托管制度

1. 上海证券交易所交易证券的托管制度。对于在上海证券交易所交易的证券，其托管制度是和指定交易制度联系在一起的，指定交易制度于1998年4月1日起推行。所谓指定交易，是指凡在上海证券交易所市场进行证券交易的投资者，必须事先指定上海证券交易所市场某一交易参与人，作为其证券交易的唯一受托人，并由该交易参与人通过其特定的交易单元参与交易所市场证券交易的制度。投资者如不办理指定交易，上海证券交易所交易系统将自动拒绝其证券账户的交易申报指令，直至该投资者完成办理指定交易手续。

对于持有和买卖上海证券交易所上市证券的投资者，办理的指定交易一经确认，其与指定交易证券公司（指定的交易参与人）的托管关系即建立，即投资者持有的上海市场证券将由其指定的证券公司负责托管，投资者需要通过其托管证券公司领取相应的红利、股息、债息、债券兑付款等。中国结算公司上海分公司将记录该投资者与托管证券公司托管关系的建立、变更等情况，并对投资者托管在证券公司的证券数量及其变化情况等加以记录。

未办理指定交易的投资者的证券暂由中国结算公司上海分公司托管，其红利、股息、债息、债券兑付款在办理指定交易后可领取。

投资者在办理指定交易时，须通过其委托的交易参与人向上海证券交易所交易系统申报证券账户的指定交易指令，申报经上海证券交易所交易系统确认后即时生效。

已办理指定交易的投资者，根据需要可以变更指定交易。办理指定交易变更手续时，投资者须向其原指定交易的交易参与人提出撤销指定交易的申请，并由原交易参与人完成向上海证券交易所交易系统撤销指定交易的指令申报。申报一经确认，其撤销即刻生效。但投资者具有下列情形之一的，交易参与人不得为其申报撤销指定交易：

（1）撤销当日有交易行为的；

（2）撤销当日有申报；

（3）新股申购未到期的；

（4）因回购或其他事项未了结的；

（5）相关机构未允许撤销的。

撤销指定交易的投资者，在撤销指定交易的手续办妥后，必须按规定另行选择一个交易参与人重新办理指定交易申请后，方可进行交易。

2. 深圳证券交易所交易证券的托管制度。深圳证券交易所交易证券的托管制度可概括为：自动托管，随处通买，哪买哪卖，转托不限。深圳证券市场的投资者持有的证券需在自己选定的证券营业部托管，由证券营业部管理其名下明细证券资料。投资者的证券托管是自动实现的，投资者在哪家证券营业部买入证券，这些证券就自动托管在哪家证券营业部。投资者可以利用同一证券账户在国内任意一家证券营业部买入证券。投资者要卖出证券，必须到证券托管营业部方能进行（在哪里买入就在哪里卖出）。投资者也可以将其托管证券从一家证券营业部转移到另一家证券营业部托管，称为"证券转托管"。转托管可以是一只证券或多只证券，也可以是一只证券的部分或全部。

投资者办理证券转托管的具体程序如下：

（1）投资者在确定转入证券营业部的席位代码和地址后，携带身份证、证券账户原件及复印件，到转出证券营业部申请办理。

（2）转出证券营业部受理投资者申请时，核对投资者的身份证、证券账户、转入证券营业部席位代码等内容。核对无误后，在投资者填写的转托管申请表上盖章确认，并将客户联交给投资者。

（3）转出证券营业部按照深圳证券交易所有关规定，在交易时间内申报转托管。转托管可以撤单。在同一证券公司的不同席位之间，当日买入证券可以转托管；在不同证券公司的席位之间，当日买入证券不可以转托管。

（4）每个交易日下午收市后，证券营业部接收中国结算公司深圳分公司传回的已确认和未确认转托管数据，据此调整相应证券明细数据。

（5）转出证券营业部收到转托管未确认数据，可向中国结算公司深圳分公司查询转托管不成功的原因。

（6）转托管数据确认后的下一个交易日起，相应的证券托管再转入证券营业部。

投资者需要通过其托管证券公司领取相应的红利、股息、债息、债券兑付款等。中国结算公司深圳分公司将记录该投资者与托管证券公司托管关系的建立、变更等情况，同时对投资者托管在证券公司的证券数量及其变化情况等加以记录。

 ## 第三节　委托买卖

一、委托形式

投资者在证券交易所买卖证券，是通过委托证券经纪商来进行的，此时，投资者是证券经纪商的客户（下文中的客户即指委托证券经纪商代理买卖证券的投资者）。客户在办理委托买卖证券时，需要向证券经纪商下达委托指令。委托指令有不同的具体形式，可以分为柜台委托和非柜台委托两大类。

（一）柜台委托

柜台委托是指委托人亲自或由其代理人到证券营业部交易柜台，根据委托程序和必需的证件采用书面方式表达委托意向，由本人填写委托单并签章的形式。采用柜台委托方式，客户和证券经纪商面对面办理委托手续，加强了委托买卖双方的了解和信任，比较稳妥可靠。

（二）非柜台委托

非柜台委托主要有人工电话委托或传真委托、自助和电话自动委托、网上委托等形式。根据中国证券业协会提供的《证券交易委托代理协议（范本）》的要求，客户在使用非柜台委托方式进行证券交易时，必须严格按照证券公司证券交易委托系统的提示进行操作，因客户操作失误造成的损失由客户自行承担。对证券公司电脑系统和证券交易所交易系统拒绝受理的委托，均视为无效委托。

1. 人工电话委托或传真委托。人工电话委托是指客户将委托要求通过电话报给证券经纪商，证券经纪商根据电话委托内容向证券交易所交易系统申报。传真委托是指客户填写委托内容后，采用传真的方式表达委托要求，证券经纪商接到传真委托书后，将委托内容输入交易系统申报进场。

2. 自助和电话自动委托。这里的自助方式是自助终端委托，即客户通过证券营业部设置的专用委托电脑终端，凭证券交易磁卡和交易密码进入电脑交易系统委托状态，自行将委托内容输入电脑交易系统，以完成证券交易。电话自动委托是指证券经纪商把电脑交易系统和普通电话网络连接起来，构成一个电话自动委托交易系统；客户通过普通电话，按照该系统发出的指示，借助电话机上的数字和符号键输入委托指令。

3. 网上委托。网上委托是指证券公司通过基于互联网或移动通讯网络的网上证券交易系统，向客户提供用于下达证券交易指令、获取成交结果的一种服务方式，包括需下载软件的客户端委托和无需下载软件、直接利用证券公司网站的页面客户端委托。网上委托的上网终端包括电子计算机、手机等设备。

客户在办理网上委托的同时，也应当开通柜台委托、电话委托等其他委托方式，当证券公司网上证券委托系统出现网络中断、高峰拥挤或网上委托被冻结等异常情况时，客户可采用上述其他委托方式下达委托指令。

二、委托内容

(一) 委托指令的基本要素

在委托指令中，不管是采用填写委托单还是自助委托方式，都需要反映客户买卖证券的基本要求或具体内容，这些主要体现在委托指令的基本要素中。以委托单为例，委托指令的基本要素包括：

1. 证券账号。客户在买卖上海证券交易所上市的证券时，必须填写在中国结算公司上海分公司开设的证券账户号码；买卖深圳证券交易所上市的证券时，必须填写在中国结算公司深圳分公司开设的证券账户号码。

2. 日期。日期即客户委托买卖的日期，填写年、月、日。

3. 品种。品种指客户委托买卖证券的名称，也是填写委托单的第一要点。填写证券名称的方法有全称、简称和代码三种（有些证券品种没有全称和简称的区别，仅有一个名称）。通常的做法是填写代码及简称，这种方法比较方便快捷，且不容易出错。上海证券代码和深圳证券代码都为一组6位数字。委托买卖的证券代码与简称必须一致。表2-1列举了上海证券交易所和深圳证券交易所各两只股票的代码、简称和全称。

表2-1　　　　　　　股票代码、简称和全称的举例

市　场	代　码	简　称	全　称
上海证券交易所	600000	浦发银行	上海浦东发展银行股份有限公司
	600004	白云机场	广州白云国际机场股份有限公司
深圳证券交易所	000001	深发展	深圳发展银行股份有限公司
	000002	万科A	万科企业股份有限公司

4. 买卖方向。客户在委托指令中必须明确表明委托买卖的方向，即是买进证券还是卖出证券。

5. 数量。这是指买卖证券的数量，可分为整数委托和零数委托。整数委托是指委托买卖证券的数量为1个交易单位或交易单位的整数倍。1个交易单位俗称"1手"。零数委托是指客户委托证券经纪商买卖证券时，买进或卖出的证券不足证券交易所规定的 1 个交易单位。目前，我国只在卖出证券时才有零数委托。关于上海证券交易所和深圳证券交易所对证券买卖申报数量的具体规定，将在后面进一步说明。

6. 价格。这是指委托买卖证券的价格。在我国上海证券交易所和深圳证券交易所的交易制度中，涉及委托买卖证券价格的内容包括委托价格限制形式、证券交易的计价单位、申报价格最小变动单位、债券交易报价组成等方面。这些内容也将在后面进一步说明。

7. 时间。这是指客户填写委托单的具体时点，也可由证券经纪商填写委托时点，即上午×时×分或下午×时×分。这是检查证券经纪商是否执行时间优先原则的依据。

8. 有效期。这是指委托指令的有效期间。如果委托指令未能成交或未能全部成交，证券经纪商应继续执行委托。委托有效期满，委托指令自然失效。委托指令有效期一般有当日有效与约定日有效两种。当日有效是指从委托之时起至当日证券交易所营业终了之时止的时间内有效；约定日有效是指委托人与证券公司约定，从委托之时起到约定的营业日证券交易所营业终了之时止的时间内有效。如不在委托单上特别注明，均按当日有效处理。我国现行规定的委托期为当日有效。

9. 签名。客户签名以示对所作的委托负责。若预留印鉴，则应盖章。

10. 其他内容。其他内容涉及委托人的身份证号码、资金账号等。

（二）上海、深圳证券交易所证券买卖申报数量的规定

2006 年 5 月 15 日，上海证券交易所发布了《上海证券交易所交易规则》；同日，深圳证券交易所也发布了《深圳证券交易所交易规则》。两个交易规则在有关证券买卖申报数量方面大多数规定相同，个别地方有差异。表 2－2 列示了上海证券交易所和深圳证券交易所通过竞价交易进行证券买卖的申报数量，表 2－3 则列示了两家证券交易所通过竞价交易进行证券买卖的单笔申报最大数量。

表2-2　　　　　证券交易所竞价交易的证券买卖申报数量

交易内容	上海证券交易所	深圳证券交易所
买入股票、基金、权证	100股（份）或其整数倍	100股（份）或其整数倍
卖出股票、基金、权证	余额不足100股（份）的部分应一次性申报卖出	余额不足100股（份）的部分应一次性申报卖出
买入债券	1手或其整数倍	10张或其整数倍
卖出债券	1手或其整数倍	余额不足10张部分，应当一次性申报卖出
债券质押式回购交易	100手或其整数倍	10张或其整数倍
债券买断式回购交易	1 000手或其整数倍	

注：上海证券交易所的债券交易和债券买断式回购交易以人民币1 000元面值债券为1手，债券质押式回购交易以人民币1 000元标准券为1手。深圳证券交易所的债券交易以人民币100元面值为1张，债券质押式回购以100元标准券为1张。

表2-3　　　　　证券交易所竞价交易的单笔申报最大数量

交易内容	上海证券交易所	深圳证券交易所
股票、基金、权证交易	不超过100万股（份）	不超过100万股（份）
债券交易	不超过1万手	不超过10万张
债券质押式回购交易	不超过1万手	不超过10万张
债券买断式回购交易	不超过5万手	

（三）上海、深圳证券交易所证券买卖申报价格的规定

上海证券交易所和深圳证券交易所有关证券买卖申报价格的规定，主要体现在《上海证券交易所交易规则》和《深圳证券交易所交易规则》中。

1. 委托价格限制形式。从委托价格的限制形式看，可以将委托分为市价委托和限价委托。

市价委托是指客户向证券经纪商发出买卖某种证券的委托指令时，要求证券经纪商按证券交易所内当时的市场价格买进或卖出证券。市价委托的优点是：没有价格上的限制，证券经纪商执行委托指令比较容易，成交

迅速且成交率高。市价委托的缺点是：只有在委托执行后才知道实际的执行价格。尽管场内交易员有义务以最有利的价格为客户买进或卖出证券，但成交价格有时会不尽如人意，尤其是当市场价格变动较快时。

限价委托是指客户要求证券经纪商在执行委托指令时，必须按限定的价格或比限定价格更有利的价格买卖证券，即必须以限价或低于限价买进证券，以限价或高于限价卖出证券。限价委托方式的优点是：证券可以以客户预期的价格或更有利的价格成交，有利于客户实现预期投资计划。但是，采用限价委托时，由于限价与市价之间可能有一定的距离，故必须等市价与限价一致时才有可能成交。此时，如果有市价委托出现，市价委托将优先成交。因此，限价委托成交速度慢，有时甚至无法成交。在证券价格变动较大时，客户采用限价委托容易失去成交机会。

上海证券交易所和深圳证券交易所都规定，客户可以采用限价委托或市价委托的方式委托会员买卖证券。同时，证券交易所也接受会员的限价申报和市价申报。不过，市价申报只适用于有价格涨跌幅限制证券连续竞价期间的交易。在市价申报类型方面，上海证券交易所和深圳证券交易所不完全相同。

（1）上海证券交易所市价申报类型。《上海证券交易所交易规则》规定，根据市场需要，上海证券交易所可以接受下列方式的市价申报：

①最优5档即时成交剩余撤销申报，即该申报在对手方实时最优5个价位内以对手方价格为成交价逐次成交，剩余未成交部分自动撤销。

②最优5档即时成交剩余转限价申报，即该申报在对手方实时5个最优价位内以对手方价格为成交价逐次成交，剩余未成交部分按本方申报最新成交价转为限价申报；如该申报无成交的，按本方最优报价转为限价申报；如无本方申报的，该申报撤销。

③上海证券交易所规定的其他方式。

（2）深圳证券交易所市价申报类型。《深圳证券交易所交易规则》规定，根据市场需要，深圳证券交易所接受下列类型的市价申报：

①对手方最优价格申报。

②本方最优价格申报。

③最优5档即时成交剩余撤销申报。

④即时成交剩余撤销申报。

⑤全额成交或撤销申报。

⑥深圳证券交易所规定的其他类型。

所谓对手方最优价格申报，是指以申报进入交易主机时集中申报簿中对手方队列的最优价格为其申报价格。

所谓本方最优价格申报，是指以申报进入交易主机时集中申报簿中本方队列的最优价格为其申报价格。

所谓最优5档即时成交剩余撤销申报，是指以对手方价格为成交价格，与申报进入交易主机时集中申报簿中对手方最优5个价位的申报队列依次成交，未成交部分自动撤销。

所谓即时成交剩余撤销申报，是指以对手方价格为成交价格，与申报进入交易主机时集中申报簿中对手方所有申报队列依次成交，未成交部分自动撤销。

所谓全额成交或撤销申报，是指以对手方价格为成交价格，如与申报进入交易主机时集中申报簿中对手方所有申报队列依次成交能够使其完全成交的，则依次成交；否则申报全部自动撤销。

本方最优价格申报进入交易主机时，集中申报簿中本方无申报的，申报自动撤销。其他市价申报类型进入交易主机时，集中申报簿中对手方无申报的，申报自动撤销。

2. 证券交易的计价单位。证券交易有不同的种类，不同种类证券的交易就可能采用不同的计价单位。

上海证券交易所和深圳证券交易所都规定，股票交易的报价为每股价格，基金交易为每份基金价格，权证交易为每份权证价格，债券交易（指债券现货买卖）为每百元面值债券的价格，债券质押式回购为每百元资金到期年收益，债券买断式回购为每百元面值债券的到期购回价格。

3. 申报价格最小变动单位。在申报价格最小变动单位方面，《上海证券交易所交易规则》规定：A股、债券交易和债券买断式回购交易的申报价格最小变动单位为0.01元人民币，基金、权证交易为0.001元人民币，B股交易为0.001美元，债券质押式回购交易为0.005元人民币。《深圳证券交易所交易规则》规定：A股交易的申报价格最小变动单位为0.01元人民币，基金、债券、债券质押式回购交易为0.001元人民币，B股交易为0.01港元。另外，根据市场需要，我国证券交易所可以调整各类证券单笔买卖申报数量和申报价格的最小变动单位。

4. 债券交易报价组成。对于债券交易报价来说，客户还需要注意债券标价的内涵。

从交易价格的组成看，债券交易有两种：全价交易和净价交易。全价交易是指买卖债券时，以含有应计利息的价格申报并成交的交易。净价交易是指买卖债券时，以不含有应计利息的价格申报并成交的交易。在净价交易的情况下，成交价格与债券的应计利息是分解的，价格随行就市，应计利息则根据票面利率按天计算。

过去，我国证券交易所债券交易采用全价交易。从 2002 年 3 月 25 日开始，国债交易率先采用净价交易。实行净价交易后，采用净价申报和净价撮合成交，报价系统和行情发布系统同时显示净价价格和应计利息额。根据净价的基本原理，应计利息额的计算公式应为：

应计利息额 = 债券面值 × 票面利率 ÷ 365（天）× 已计息天数

公式中各要素的含义为：

（1）应计利息额：零息债券是指发行起息日至成交日所含利息金额；附息债券是指本付息期起息日至成交日所含利息金额。

（2）票面利率：固定利率债券的票面利率是指发行票面利率；浮动利率债券的票面利率是指票面利率本付息期计息利率。

（3）年度天数及已计息天数：1 年按 365 天计算，闰年 2 月 29 日不计算利息；已计息天数是指起息日至成交日实际日历天数。

（4）当票面利率不能被 365 天整除时，计算机系统按每百元利息额的精度（小数点后保留 8 位）计算；交割单所列应计利息额按四舍五入原则，以元为单位保留 2 位小数列示。

（5）债券交易计息原则是算头不算尾，即起息日当天计算利息，到期日当天不计算利息。交易日挂牌显示的每百元应计利息额是包括交易日当日在内的应计利息额。若债券持有到期，则应计利息额是自起息日至到期日（不包括到期日当日）的应计利息额。

例 2 - 1：某债券面值为 100 元，票面利率为 5%，每年付息一次，起息日是 8 月 5 日，交易日是 12 月 18 日，则已计息天数是 136 天。交易日挂牌显示的应计利息额为：

应计利息额 = $100 \times 5\% \div 365 \times 136 = 1.86$（元）

另外，上海证券交易所和深圳证券交易所目前公司债券的现货交易也采用净价交易方式。

三、委托受理、执行与委托撤销

（一）委托受理

证券经纪商在收到客户委托后，应对委托人身份、委托内容、委托卖出的实际证券数量及委托买入的实际资金余额进行审查。经审查符合要求后，才能接受委托。

1. 验证与审单。验证主要是对客户委托时递交的相关证件（如身份证件等）进行核实；审单主要是检查客户填写的委托单。证券经纪商要根据证券交易所的交易规则，对客户的证件和委托单在合法性和同一性方面进行审查。这些审查是为了维护交易的合法性，提高成交的准确率，避免造成不必要的纠纷。

2. 查验资金及证券。在不采用信用交易的情况下，投资者必须用自己账户上的资金买入证券，或者卖出自己账户上实际存在的证券。因此，证券经纪商在受理客户委托买卖证券时，要查验证实客户的资金及证券。

另外需要说明，如果客户采用自助委托方式，则当其输入相关的账号和正确的密码后，即视同确认了身份。证券经纪商的电脑系统还自动检验客户的证券买卖申报数量和价格等是否符合证券交易所的交易规则。

（二）委托执行

证券经纪商接受客户买卖证券的委托，应当根据委托书载明的证券名称、买卖数量、出价方式、价格幅度等，按照证券交易所交易规则代理买卖证券。买卖成交后，应当按规定制作买卖成交报告单交付客户。

1. 申报原则。证券经纪商接受客户委托后应按"时间优先、客户优先"的原则进行申报竞价。时间优先是指证券经纪商应按受托时间的先后次序为委托人申报。客户优先是指当证券公司自营买卖申报与客户委托买卖申报在时间上相冲突时，应让客户委托买卖优先申报。在我国，根据上海、深圳证券交易所交易规则的规定，取得自营业务资格的证券公司应当设专门管理人员和专用交易终端从事自营业务，不得因自营业务影响经纪业务。这样，就从制度上限制了证券公司自营买卖申报抢先客户委托买卖申报的情况。

证券经纪商在接受客户委托、进行申报时还应该做到：在交易市场买卖证券均必须公开申报竞价；在申报竞价时，须一次完整地报明买卖证券的数量、价格及其他规定的因素；在同时接受两个以上委托人买进委托与卖出委托且种类、数量、价格相同时，不得自行对冲完成交易，仍应向证券交易所申报竞价。

2. 申报方式。申报方式有两种：一种由证券经纪商的场内交易员进行申报；另一种由客户或证券经纪商营业部业务员直接申报。在前一种情况下，证券经纪商营业部业务员在受理客户委托后，要按受托先后顺序用电话将委托买卖的有关内容通知其场内交易员（俗称"红马甲"），由场内交易员通过场内电脑终端将委托指令输入证券交易所交易系统。在后一种情况下，证券经纪商的电脑系统要与证券交易所交易系统联网；客户利用网上交易、电话委托或自助委托方式，自行将委托指令输入证券经纪商电脑系统，经审查确认后，再自动传送至证券交易所交易系统；或是由证券经纪商营业部业务员在进行委托审查后，将委托指令直接通过终端机输入证券交易所交易系统，无需其场内交易员再行输入。客户自行输入委托指令这种方式，缩短了申报时间与成交回报时间，而且减去了场内交易员人工报盘的环节，降低了申报的差错，减少了客户与证券经纪商的纠纷，因此成为目前主要的申报方式。前一种申报方式更多地是作为备用应急的手段。

另外，B股的境外客户在境外委托时，有一些不同于境内委托申报的特点。境外客户若要买卖B股，可通过境内、境外证券代理商进行。目前，境外证券代理商基本都是通过国际通信设备与证券交易所系统直接连接，将客户交易指令申报进交易所。

3. 申报时间。上海证券交易所和深圳证券交易所都规定，交易日为每周一至周五。国家法定假日和证券交易所公告的休市日，证券交易所市场休市。另外，根据市场发展需要，经中国证监会批准，证券交易所可以调整交易时间。交易时间内因故停市，交易时间不作顺延。

关于申报时间，上海证券交易所规定：接受会员竞价交易申报的时间为每个交易日9：15～9：25、9：30～11：30、13：00～15：00；每个交易日9：20～9：25的开盘集合竞价阶段，上海证券交易所交易主机不接受撤单申报。深圳证券交易所则规定：接受会员竞价交易申报的时间为每个交易日 9：15～11：30、13：00～15：00；每个交易日 9：20～9：25、14：57～15：00，深圳证券交易所交易主机不接受参与竞价交易的撤销申报；每个交易日 9：25～9：30，交易主机只接受申报，不对买卖申报或撤销申报作处理。另外，上海证券交易所和深圳证券交易所认为必要时，都可以调整接受申报时间。

（三）委托撤销

1. 撤单的条件。在委托未成交之前，客户有权变更和撤销委托。证券营业部申报竞价成交后，买卖即告成立，成交部分不得撤销。

2. 撤单的程序。在委托未成交之前，客户变更或撤销委托，在采用证券经纪商场内交易员进行申报的情况下，证券经纪商营业部业务员须即刻通知场内交易员，经场内交易员操作确认后，立即将执行结果告知客户。在采用客户或证券经纪商营业部业务员直接申报的情况下，客户或证券经纪商营业部业务员可直接将撤单信息通过电脑终端输入证券交易所交易系统，办理撤单。对客户撤销的委托，证券经纪商须及时将冻结的资金或证券解冻。

第四节　竞价与成交

证券市场的市场属性集中体现在竞价与成交环节上，特别是在高度组织化的证券交易所内，会员经纪商代表众多的买方和卖方按照一定规则和程序公开竞价，达成交易。这种竞价成交机制，要求能符合证券市场公开、公平、公正的原则。

一、竞价原则

证券交易所内的证券交易按"价格优先、时间优先"原则竞价成交。

（一）价格优先

成交时价格优先的原则为：较高价格买入申报优先于较低价格买入申报，较低价格卖出申报优先于较高价格卖出申报。

（二）时间优先

成交时时间优先的原则为：买卖方向、价格相同的，先申报者优先于后申报者。先后顺序按证券交易所交易主机接受申报的时间确定。

例如，有甲、乙、丙、丁投资者四人，均申报卖出 X 股票，申报价格和申报时间分别为：甲的卖出价 10.70 元，时间 13：35；乙的卖出价 10.40 元，时间 13：40；丙的卖出价 10.75 元，时间 13：25；丁的卖出价 10.40 元，时间 13：38。那么这四位投资者交易的优先顺序为：丁、乙、甲、丙。

二、竞价方式

目前，我国证券交易所采用两种竞价方式：集合竞价方式和连续竞价方式。

上海证券交易所规定，采用竞价交易方式的，每个交易日的 9：15～9：25 为开盘集合竞价时间，9：30～11：30、13：00～15：00 为连续竞价时间。

深圳证券交易所规定，采用竞价交易方式的，每个交易日的 9：15～9：25 为开盘集合竞价时间，9：30～11：30、13：00～14：57 为连续竞价时间，14：57～15：00 为收盘集合竞价时间。

（一）集合竞价

所谓集合竞价，是指对在规定的一段时间内接受的买卖申报一次性集中撮合的竞价方式。根据我国证券交易所的相关规定，集合竞价确定成交价的原则为：

1. 可实现最大成交量的价格。

2. 高于该价格的买入申报与低于该价格的卖出申报全部成交的价格。

3. 与该价格相同的买方或卖方至少有一方全部成交的价格。

如有两个以上申报价格符合上述条件的，上海证券交易所规定使未成交量最小的申报价格为成交价格，若仍有两个以上使未成交量最小的申报价格符合上述条件的，其中间价为成交价格。深圳证券交易所则取在该价格以上的买入申报累计数量与在该价格以下的卖出申报累计数量之差最小的价格为成交价；买卖申报累计数量之差仍存在相等情况的，开盘集合竞价时取最接近即时行情显示的前收盘价为成交价，盘中、收盘集合竞价时取最接近最近成交价的价格为成交价。

集合竞价的所有交易以同一价格成交。然后进行集中撮合处理。所有买方有效委托按委托限价由高到低的顺序排列，限价相同者按照进入证券交易所交易系统电脑主机的时间先后排列。所有卖方有效委托按照委托限价由低到高的顺序排列，限价相同者也按照进入交易系统电脑主机的时间先后排列。依序逐笔将排在前面的买方委托与卖方委托配对成交。也就是说，按照价格优先、同等价格下时间优先的成交顺序依次成交，直至成交条件不满足为止，即所有买入委托的限价均低于卖出委托的限价，所有成交都以同一成交价成交。集合竞价中未能成交的委托，自动进入连续竞价。

例 2 - 2： 某股票当日在集合竞价时买卖申报价格和数量情况如表 2 -4所示，该股票上日收盘价为 10.13 元。该股票在上海证券交易所的当日开盘价及成交量分别是多少？如果是在深圳证券交易所，当日开盘价及成交量分别是多少？

表 2 - 4　　　某股票某日在集合竞价时买卖申报价格和数量

买入数量（手）	价格（元）	卖出数量（手）
—	10.50	100
—	10.40	200
150	10.30	600
150	10.20	200
200	10.10	200
300	10.00	100
500	9.90	—
600	9.80	—
300	9.70	—

根据表2-4分析各价位的累计买卖数量及最大可成交量可见表2-5。

表2-5　　　　　各价位累计买卖数量及最大可成交量

累计买入数量（手）	价格（元）	累计卖出数量（手）	最大可成交量（手）
0	10.50	1 400	0
0	10.40	1 300	0
150	10.30	1 100	150
300	10.20	800	300
500	10.10	300	300
800	10.00	100	100
1 300	9.90	0	0
1 900	9.80	0	0
2 200	9.70	0	0

由表2-4和表2-5可见，符合上述集合竞价确定成交价原则的价格有两个：10.20元和10.10元。上海证券交易所的开盘价为这两个价格的中间价10.15元，深圳证券交易所的开盘价取离上日收盘价（10.13元）最近的价位10.10元。成交量均为300手。

（二）连续竞价

连续竞价是指对买卖申报逐笔连续撮合的竞价方式。连续竞价阶段的特点是，每一笔买卖委托输入交易自动撮合系统后，当即判断并进行不同的处理：能成交者予以成交；不能成交者等待机会成交；部分成交者则让剩余部分继续等待。

按照上海证券交易所和深圳证券交易所的有关规定，在无撤单的情况下，委托当日有效。另外，开盘集合竞价期间未成交的买卖申报，自动进入连续竞价。深圳证券交易所还规定，连续竞价期间未成交的买卖申报，自动进入收盘集合竞价。

连续竞价时，成交价格的确定原则为：

1. 最高买入申报与最低卖出申报价位相同，以该价格为成交价。

2. 买入申报价格高于即时揭示的最低卖出申报价格时，以即时揭示的最低卖出申报价格为成交价。

3. 卖出申报价格低于即时揭示的最高买入申报价格时，以即时揭示的最高买入申报价格为成交价。

例2-3：某股票即时揭示的卖出申报价格和数量及买入申报价格和数量如表2-6所示。若此时该股票有一笔买入申报进入交易系统，价格为15.37元，数量为600股，则应以15.35元成交100股、以15.36元成交500股。

表2-6　　某股票某日交易时即时揭示的买卖申报价格和数量

买卖方向	价格（元）	数量（股）
卖出申报	15.37	1 000
	15.36	800
	15.35	100
买入申报	15.34	500
	15.33	1 000
	15.32	800

三、竞价申报时的有效申报价格范围

（一）实行涨跌幅限制的证券的有效申报价格范围

竞价申报时还涉及证券价格的有效申报范围。根据现行制度规定，无论买入或卖出，股票（含A、B股）、基金类证券在1个交易日内的交易价格相对上一交易日收市价格的涨跌幅度不得超过10%，其中ST股票和＊ST股票价格涨跌幅度不得超过5%。涨跌幅价格的计算公式为（计算结果四舍五入至价格最小变动单位）：

涨跌幅价格＝前收盘价×（1±涨跌幅比例）

例2-4：X股票的收盘价为12.38元，Y股票的交易特别处理，属于ST股票，收盘价为9.66元。则次一交易日X股票交易的价格上限为13.62元〔＝12.38×（1＋10%）〕，价格下限为11.14元〔＝12.38×（1－10%）〕；Y股票交易的价格上限为10.14元〔＝9.66×（1＋5%）〕，价格下限为9.18元〔＝9.66×（1－5%）〕。

另外，如果涨跌幅限制价格与前收盘价之差的绝对值低于价格最小变动单位的，以前收盘价增减一个价格最小变动单位为涨跌幅限制价格。

买卖有价格涨跌幅限制的证券，在价格涨跌幅限制内的申报为有效申报，超过涨跌幅限制的申报为无效申报。

在深圳证券交易所，买卖有价格涨跌幅限制的中小企业板股票，连续竞价期间超过有效竞价范围的有效申报不能即时参加竞价，暂存于交易主机；当成交价格波动使其进入有效竞价范围时，交易主机自动取出申报，参加竞价。中小企业板股票连续竞价期间有效竞价范围为最近成交价的上下3%。开盘集合竞价期间没有产生成交的，连续竞价开始时有效竞价范围调整为前收盘价的上下3%。

（二）不实行涨跌幅限制的证券的有效申报价格范围

对于无价格涨跌幅限制的证券，我国上海证券交易所和深圳证券交易所都规定了其发生的情形和有效申报价格范围。

1. 上海证券交易所规定，属于下列情形之一的，首个交易日不实行价格涨跌幅限制：

（1）首次公开发行上市的股票和封闭式基金。

（2）增发上市的股票。

（3）暂停上市后恢复上市的股票。

（4）证券交易所认定的其他情形。

2. 深圳证券交易所规定，属于下列情形之一的，首个交易日不实行价格涨跌幅限制：

（1）首次公开发行股票上市的。

（2）暂停上市后恢复上市的。

（3）中国证监会或证券交易所认定的其他情形。

3. 根据上海证券交易所的规定，买卖无价格涨跌幅限制的证券，集合竞价阶段的有效申报价格应符合下列规定：

（1）股票交易申报价格不高于前收盘价格的900%，并且不低于前收盘价格的50%。

（2）基金、债券交易申报价格最高不高于前收盘价格的150%，并且不低于前收盘价格的70%。

集合竞价阶段的债券回购交易申报无价格限制。

4. 在上海证券交易所买卖无价格涨跌幅限制的证券，连续竞价阶段的有效申报价格应符合下列规定：

（1）申报价格不高于即时揭示的最低卖出价格的110%且不低于即时揭示的最高买入价格的90%；同时不高于上述最高申报价与最低申报价平均数的130%且不低于该平均数的70%。

（2）即时揭示中无买入申报价格的，即时揭示的最低卖出价格、最新成交价格中较低者视为前项最高买入价格。

（3）即时揭示中无卖出申报价格的，即时揭示的最高买入价格、最新成交价格中较高者视为前项最低卖出价格。

当日无交易的，前收盘价格视为最新成交价格。

5. 深圳证券交易所无涨跌幅限制证券的交易按下列方法确定有效竞价范围：

（1）股票开盘集合竞价的有效竞价范围为即时行情显示的前收盘价的900%以内，连续竞价、盘中临时停牌复牌集合竞价、收盘集合竞价的有效竞价范围为最近成交价的上下10%。

（2）债券上市首日开盘集合竞价的有效竞价范围为发行价的上下30%，连续竞价、收盘集合竞价的有效竞价范围为最近成交价的上下10%；非上市首日开盘集合竞价的有效竞价范围为前收盘价的上下10%，连续竞价、收盘集合竞价的有效竞价范围为最近成交价的上下10%。

（3）债券质押式回购非上市首日开盘集合竞价的有效竞价范围为前收盘价的上下100%，连续竞价、收盘集合竞价的有效竞价范围为最近成交价的上下100%。

6. 无价格涨跌幅限制的证券在开盘集合竞价期间没有产生成交的，连续竞价开始时，按下列方式调整有效竞价范围：

（1）有效竞价范围内的最高买入申报价高于即时行情显示的前收盘价或最近成交价的，以最高买入申报价为基准调整有效竞价范围。

（2）有效竞价范围内的最低卖出申报价低于即时行情显示的前收盘价或最近成交价的，以最低卖出申报价为基准调整有效竞价范围。

另外，买卖深圳证券交易所无价格涨跌幅限制的证券，超过有效竞价范围的申报不能即时参加竞价，可暂存于交易主机；当成交价格波动使其进入有效竞价范围时，交易主机自动取出申报，参加竞价。

四、竞价结果

竞价的结果有三种可能：全部成交、部分成交、不成交。

（一）全部成交

委托买卖全部成交，证券经纪商应及时通知客户按规定的时间办理交收手续。

（二）部分成交

客户的委托如果未能全部成交，证券经纪商在委托有效期内可继续执行，直到有效期结束。

（三）不成交

客户的委托如果未能成交，证券经纪商在委托有效期内可继续执行，等待机会成交，直到有效期结束。对客户失效的委托，证券经纪商须及时将冻结的资金或证券解冻。

五、交易费用

投资者在委托买卖证券时，需支付多项费用和税收，如佣金、过户费、印花税等。

（一）佣金

佣金是投资者在委托买卖证券成交后按成交金额一定比例支付的费用，是证券经纪商为客户提供证券代理买卖服务收取的费用。此项费用由证券公司经纪佣金、证券交易所手续费及证券交易监管费等组成。

佣金的收费标准因交易品种、交易场所的不同而有所差异。根据中国证监会、原国家计划和发展委员会（现为国家发展和改革委员会）、国家税务总局联合发出的《关于调整证券交易佣金收取标准的通知》，从 2002 年 5 月 1 日开始，A 股、B 股、证券投资基金的交易佣金实行最高上限向下浮动制度。证券经纪商向客户收取的佣金（包括代收的证券交易监管费和证券交易所手续费等）不得高于证券交易金额的 3‰，也不得低于代收的证券交易监管费和证券交易所手续费等。A 股、证券投资基金每笔交易佣金不足 5 元的，按 5 元收取；B 股每笔交易佣金不足 1 美元或 5 港元的，按 1 美元或 5 港元收取。国债现券、企业债（含可转换债券）、国债回购以及以后出现的新的交易品种，其交易佣金标准由证券交易所制定并报中国证监会和原国家计划和发展委员会（现为国家发展和改革委员会）备案，备案 15 天内无异议后实施。

（二）过户费

过户费是委托买卖的股票、基金成交后，买卖双方为变更证券登记所支付的费用。这笔收入属于中国结算公司的收入，由证券经纪商在同投资者清算交收时代为扣收。

上海证券交易所和深圳证券交易所在过户费的收取上略有不同。在上海证券交易所，A 股的过户费为成交面额的 1‰，起点为 1 元；深圳证券交易所的过户费包含在交易经手费中，不向投资者单独收取。

对于 B 股，虽然没有过户费，但中国结算公司要收取结算费。在上海证券交易所，结算费是成交金额的 0.5‰；在深圳证券交易所，称为"结算登记费"，是成交金额的 0.5‰，但最高不超过 500 港元。

基金交易目前不收过户费。

（三）印花税

印花税是根据国家税法规定，在 A 股和 B 股成交后对买卖双方投资者按照规定的税率分别征收的税金。我国税收制度规定，股票成交后，国家税务机关应向成交双方分别收取印花税。为保证税源，简化缴款手续，现行的做法是由证券经纪商在同投资者办理交收过程中代为扣收；然后，在证券经纪商同中国结算公司的清算、交收中集中结算；最后，由中国结算公司统一向征税机关缴纳。

我国证券交易的印花税税率标准曾多次调整。21 世纪以来的调整情况为：2001 年 11 月 16 日，A 股、B 股交易印花税税率统一下调为 2‰；2005 年 1 月 24 日，证券交易印花税税率从 2‰ 再下调到 1‰；2007 年 5 月 30 日，证券交易印花税税率由 1‰ 上调为 3‰；2008 年 4 月 24 日，证券交易印花税税率再由 3‰ 下调为 1‰；2008 年 9 月 19 日，证券交易印花税只对出让方按 1‰ 税率征收，对受让方不再征收。

下面举例说明投资者的交易盈亏。

例 2 - 5：某投资者于某年 10 月 17 日在沪市买入 2 手 X 国债（该国债的起息日是 6 月 14 日，按年付息，票面利率为 11.83%），成交价 132.75 元；次年 1 月 6 日卖出，成交价 130.26 元。然后，于 2 月 2 日在深市买入 Y 股票（属于 A 股）500 股，成交价 10.92；2 月 18 日卖出，成交价 11.52。假设证券经纪商不收委托手续费，对国债交易佣金的收费为成交金额的 0.2‰，对股票交易佣金的收费为成交金额的 2.8‰，则盈亏计算如下：

1. 买入国债的实际付出。2 手成交价为 132.75 元的 X 国债净价交易额为 2 655 元；因买入交易日是 10 月 17 日，所以已计息天数为 126 天。根据净价交易应计利息额计算公式，2 手国债的应计利息总额为 81.68 元。本次买入国债的成交金额是应计利息总额和净价交易额的合计数，为 2 736.68 元。由于 2 736.68 元与 0.2‰ 的乘积小于 1 元，所以实际佣金应为起点 1 元。于是，买入 X 国债的实际付出为 2 737.68 元。

2. 卖出国债的实际收入。2 手成交价为 130.26 元的 X 国债净价交易额为 2 605.20 元；因卖出交易日是次年 1 月 6 日，所以已计息天数为 207 天，计算得应计利息总额为 134.18 元。本次卖出国债的成交金额是上面两项的合计数，为 2 739.38 元。同样，按 0.2‰ 计算佣金不足起点标准，故实际佣金为 1 元。于是，卖出 X 国债的实际收入为 2 738.38 元。

3. 买入股票的实际付出。500 股成交价为 10.92 元的 Y 股票成交金额是 5 460 元。深圳证券交易所免收 A 股过户费，按成交金额 2.8‰ 计算的佣金为 15.29 元，按税制规定对受让方不征收印花税。于是，买入 Y 股票的实际付出为 5 475.29 元。

4. 卖出股票的实际收入。500 股成交价为 11.52 元的 Y 股票成交金额是 5 760 元，佣金按成交金额 2.8‰ 计算为 16.13 元，印花税对出让方按成交金额 1‰税率征收，计算为 5.76 元。于是，卖出 Y 股票的实际收入为 5 738.11 元。

该投资者国债买卖盈利 0.70 元，股票买卖盈利 262.82 元。

下面，再举例说明投资者股票买卖盈亏平衡价格的计算。

例 2-6：某投资者在上海证券交易所以每股 12 元的价格买入 ×× 股票（A 股）10 000 股，那么，该投资者最低需要以什么价格全部卖出该股票才能保本（佣金按 2‰计收，印花税、过户费按规定计收，不收委托手续费）。

设卖出价格为每股 P 元。

则：卖出收入 = 10 000P - 10 000 ×（0.002 + 0.001）P - 10 000
　　　　　　　×0.001

　　　　　　= （9 970P - 10）（元）

买入支出 = 10 000 × 12 + 10 000 × 12 × 0.002 + 10 000 × 0.001

　　　　　= 120 250（元）

保本即为：卖出收入 - 买入支出 ≥0

那么：9 970P - 10 - 120 250 ≥0

则：P≥12.0622 元

即：该投资者要最低以每股 12.07 元的价格全部卖出该股票才能保本。

表 2-7 至表 2-11 是上海证券交易所网站和深圳证券交易所网站所公布的证券交易及相关业务费用表。

表 2-7　　上海证券交易所 A 股、基金、权证、债券交易费用一览表
（2008 年 9 月 19 日）

业务类别			费用项目	费用标准
开户	A 股	个人	开户费	40 元/户
		机构	开户费	400 元/户
	基金		开户费	5 元/户

续表

业务类别			费用项目	费用标准
交易	A 股		佣金	不超过成交金额的 0.3%，起点 5 元
			过户费	成交面额的 0.1%，起点 1 元
			印花税	成交金额的 0.1%（出让方单边缴纳）
	证券投资基金（封闭式基金、ETF）		佣金	不超过成交金额的 0.3%，起点 5 元
	权证		佣金	不超过成交金额的 0.3%，起点 5 元
	债券（国债、企业债、可转换公司债券、分离交易的可转换公司债券、公司债、专项资产管理计划等）		佣金	不超过成交金额的 0.02%，起点 1 元
	新质押式回购	1 天	佣金	成交金额的 0.001%
		2 天	佣金	成交金额的 0.002%
		3 天	佣金	成交金额的 0.003%
		4 天	佣金	成交金额的 0.004%
		7 天	佣金	成交金额的 0.005%
		14 天	佣金	成交金额的 0.010%
		28 天	佣金	成交金额的 0.020%
		28 天以上	佣金	成交金额的 0.030%
	国债买断式回购	7 天	佣金	成交金额的 0.0125%
		28 天	佣金	成交金额的 0.05%
		91 天	佣金	成交金额的 0.075%
	大宗交易			佣金、过户费、印花税同品种竞价交易
	ETF 申购、赎回		佣金	≤申购、赎回份额的 0.5%
			组合证券过户费	股票过户面额的 0.05%，前三年减半
	权证行权		标的股票过户费	股票过户面额的 0.05%

表 2-8   **上海证券交易所 B 股交易费用一览表**

（2008 年 9 月 19 日）

业务类别		费用项目	费用标准
开户	个人	开户费	19 美元
	机构	开户费	85 美元
	更换结算会员	开户费	2 美元
交易		佣金	不超过成交金额的 0.3%，起点 1 美元
		结算费	成交金额的 0.05%
		印花税	成交金额的 0.1%（出让方单边缴纳）
修改错误交易的非交易过户		手续费	30 美元/笔
修改结算会员代码		手续费	10 美元/笔，每个 ORDER 最高不超过 50 美元
大宗交易			佣金、结算费、印花税同竞价交易

表 2-9   **上海证券交易所非交易类业务费用一览表**

（2008 年 9 月 19 日）

业务类别			费用项目	费用标准
质押登记	A 股、基金、国债、企业债券		手续费	面额的 0.1%，超过 500 万元的部分按 0.01%，起点 100 元
	ETF		手续费	面额的 0.005%，起点 100 元
转托管	企业债席位间		手续费	30 元/笔
	国债市场间		手续费	面值 0.005%，单笔（单只）最低费用 10 元，最高费用 10 000 元
账户挂失补办	A 股	补原号	补办费	10 元/户
		补开新户	补办费	同新开户
	基金	补原号	补办费	10 元/户
	B 股	补原号	补办费	10 元/户
		补开新户	补办费	同新开户
销户（A 股、基金）			销户费	5 元/户
合并账户（A 股、基金）			手续费	10 元/户
开户资料查询（A 股、基金）			查询费	5 元/户

续表

业务类别		费用项目	费用标准
查询	证券过户记录	查询费	20 元/年/户/次，磁盘 100 元/张，光盘 500 元/张
	账户余额	查询费	机构 50 元/户/次、个人 20 元/户/次
其他业务			费用项目、标准、收取方式按照相关业务规定执行

表 2－10　　　　　**深圳证券交易所佣金标准**

（2008 年 9 月 19 日）

收费标的	收费标准	备注
A 股	不得高于成交金额的 0.3%，也不得低于代收的证券交易监管费和证券交易经手费，起点 5 元（要约收购费用参照 A 股收费标准）	
B 股	不得高于成交金额的 0.3%，也不得低于代收的证券交易监管费和证券交易经手费，起点 5 港元	
基金、权证	不得高于成交金额的 0.3%，也不得低于代收的证券交易监管费和证券交易经手费，起点 5 元	
国债现货、企业债（公司债）现货	不超过成交金额的 0.02%	
国债回购	1 天　不超过成交金额的 0.001%	投资者交给证券公司
	2 天　不超过成交金额的 0.002%	
	3 天　不超过成交金额的 0.003%	
	4 天　不超过成交金额的 0.004%	
	7 天　不超过成交金额的 0.005%	
	14 天　不超过成交金额的 0.01%	
	28 天　不超过成交金额的 0.02%	
	28 天以上　不超过成交金额的 0.03%	
其他债券回购	1 天　不超过成交金额的 0.001%	
	2 天　不超过成交金额的 0.002%	
	3 天　不超过成交金额的 0.003%	
	7 天　不超过成交金额的 0.005%	
可转债	不超过成交金额的 0.1%	
专项资产管理计划	不超过转让金额的 0.02%	
代办 A 股	按成交金额收取 0.3%	
代办 B 股	按成交金额收取 0.4%	

表 2 - 11 深圳证券交易所证券交易经手费、监管费、印花税

(2008 年 9 月 19 日)

收费项目	收费标的	收费标准	备 注
证券交易经手费	A 股	按成交额双边收取 0.1475‰	1. 由深圳证券交易所收取（证券交易所风险基金由交易所自行计提，不另外收取） 2. 大宗交易收费：A 股大宗交易按标准费率下浮 30% 收取，B 股、基金大宗交易按标准费率下浮 50% 收取，债券、债券回购大宗交易费率标准维持不变 3. 此项费用包含在佣金之中
	B 股	按成交额双边收取 0.301‰	
	基金	按成交额双边收取 0.0975‰	
	权证	按成交额双边收取 0.045‰	
	国债现货、企业债（公司债）现货	成交金额在 100 万元以下（含）每笔收 0.1 元	
		成交金额在 100 万元以上每笔收 10 元	
	国债回购、其他债券回购	成交金额在 100 万元以下（含）每笔收 0.1 元，反向交易不再收取	
		成交金额在 100 万元以上每笔收 1 元，反向交易不再收取	
	可转债	按成交金额双边收取 0.04‰	
	专项资产管理计划	成交金额在 100 万元以下（含）每笔收 0.1 元	
		成交金额在 100 万元以上每笔收 10 元	
	代办 A 股	按成交金额双边收取 0.1‰	
	代办 B 股	按成交金额双边收取 0.13‰	
证券交易监管费	A 股、B 股、基金、权证	按成交额双边收取 0.04‰	1. 代中国证监会收取 2. 此项费用包含在佣金之中
	企业债（公司债）现货、可转债	按成交额双边收取 0.01‰	
	专项资产管理计划	按转让金额双边收取 0.01‰	
	国债现货	按成交额双边收取 0.01‰（从交易经手费中扣除，不另收）	
	代办 A 股	按成交金额双边收取 0.5‰	1. 代证券业协会收取 2. 此项费用包含在佣金之中
	代办 B 股	按成交金额双边收取 0.67‰	
证券交易印花税	A 股、B 股、代办 A 股、代办 B 股	对出让方按成本金额的 1‰ 征收，对受让方不再征税	代国家税务局扣缴

第五节 交易结算

每日交易结束后，证券公司要为客户办理证券和资金的清算与交收。目前我国证券市场采用的是法人结算模式。法人结算是指由证券公司以法人名义在证券登记结算机构开立证券交收账户和资金交收账户，其接受客户委托代理的证券交易的清算交收均通过此账户办理。证券公司与其客户之间的资金清算交收由证券公司自行负责完成。证券公司作为结算参与人与客户之间的清算交收，是整个结算过程不可缺少的环节。

一、证券公司与客户之间的证券清算交收

实践中，对于证券公司与客户之间的证券清算交收，是委托中国结算公司根据成交记录按照业务规则代为办理。证券交收结果等数据由中国结算公司每日传送至证券公司，供其对账和向客户提供余额查询等服务。证券公司根据中国结算公司数据，记录客户清算交收结果。

二、证券公司与客户之间的资金清算交收

（一）证券公司和指定商业银行在资金清算交收中的职责

在"客户交易结算资金第三方存管"制度框架下，证券公司与客户之间的资金清算交收，需要由证券公司与指定商业银行（即与证券公司及其客户建立客户交易结算资金三方存管关系、签订客户交易结算资金存管合同的商业银行。简称"指定商业银行"）配合完成：

1. 证券公司负责根据中国结算公司发送的结算数据和指定商业银行发送的客户资金存取数据完成客户资金的清算，更新客户资金账户的余额，并向指定商业银行发送客户证券交易清算数据及资金账户余额。

2. 指定商业银行负责根据客户资金的存取数据和证券公司向其发送的证券交易清算数据完成客户管理账户余额的更新，并进行客户资金账户余额与客户管理账户余额的核对，将核对结果发送证券公司。

3. 证券公司根据核对无误的清算结果向指定商业银行发送资金划付指令，指定商业银行根据证券公司的资金划付指令及时办理资金划付，完成客户证券交易的资金交收。

（二）资金存取及结算流程

在客户交易结算资金第三方存管模式下，证券公司与客户之间的资金存取、清算与交收过程可简要概括如下：

1. 客户从其银行结算账户向资金账户存入交易结算资金，可以通过指定商业银行提供的电话银行、网上银行、柜面服务、多媒体自助终端等方式发出转账指令，也可以通过证券公司提供的电话委托、网上交易、自助委托等方式发出转账指令；指定商业银行系统根据客户转账指令启动客户资金转账交易。该交易启动后，银行将减少客户银行结算账户余额，相应增加客户管理账户余额和证券公司客户交易结算资金汇总账户余额，证券公司同步更新客户管理账户对应的资金账户余额。

2. 客户证券交易由证券公司单方发起。客户通过证券公司的资金账户及密码，采用证券公司提供的委托手段进行交易。

3. 证券公司接到客户委托买卖指令后对客户账户内资金和证券进行校验。校验通过后证券公司向交易所报送交易指令。

4. 中国结算公司根据交易所当日成交数据生成清算交收文件，并将清算交收文件发给证券公司。

5. 证券公司根据中国结算公司提供的清算交收数据及指定商业银行提供的客户交易结算资金存取数据，完成客户资金的清算，更新客户资金账户的余额。并向指定商业银行发送客户证券交易清算数据及资金账户余额。

6. 指定商业银行根据客户资金的存取数据和证券公司向其发送的证券交易清算数据完成客户管理账户余额的更新，并进行客户资金账户余额与客户管理账户余额的核对，将核对结果发送证券公司。

7. 证券公司根据核对无误的清算结果制作资金划付指令发送给指定商业银行。

8. 指定商业银行根据证券公司的资金划付指令办理交收资金划付。

9. 客户证券交易结算资金的取出，只能通过转账的方式转入其在指定商业银行开立的同名银行结算账户，再通过银行结算账户办理资金的提取或划转。指定商业银行系统根据客户转账指令启动客户资金转账交易，通过指定商业银行与证券公司联网系统获取证券公司对客户取出资金的校验结果。如双方校验通过，指定商业银行将减少客户管理账户余额和证券公司客户交易结算资金汇总账户余额，相应增加客户银行结算账户余额，证券公司同步更新客户管理账户对应的资金账户余额。

上述资金存取及结算流程见图 2 - 2。

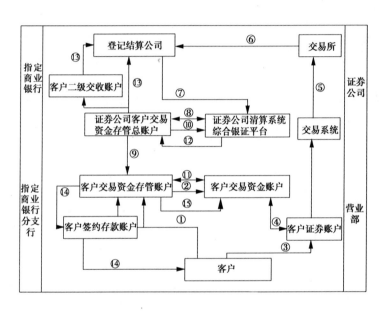

图 2 - 2　客户交易结算资金第三方存管模式下的资金存取及结算流程图

说明：

①客户（含个人和机构）凭签约存款账户存折到指定商业银行营业网点的柜台办理现金存款。指定商业银行营业网点柜员在银行终端中启动客户资金存款交易。指定商业银行增加存管账户余额和存管总账户余额。客户也可通过转账方式到指定商业银行营业网点的柜台办理，或通过指定商业银行和证券公司的电话委托系统、网上交易系统等自行办理资金存入。指定商业银行营业网点的柜员在终端中启动，或指定商业银行系统自动启动客户资金转入交易。该交易启动后，银行减少客户签约存款账户余额，相应增加存管账户余额和存管总账户余额。

②存款或转入交易业务完成后，通过指定商业银行与证券公司的联网系统将账户变动信息传送给证券公司，同步实时更新客户在证券公司的对应资金账户余额。

③客户场内证券交易由证券公司单端发起。客户通过证券公司的资金账户及密码，利用证

券公司提供的委托手段进行交易。

④证券公司接到客户委托买卖指令后对客户资金和证券账户进行资金和股份校验。

⑤向交易所报送交易指令。

⑥登记结算公司根据交易所当日成交数据生成清算交收文件。

⑦登记结算公司将清算交收文件发给证券公司。

⑧证券公司根据登记结算公司提供的清算交收数据及指定商业银行日间存取款和转账数据，对资金账户进行资金清算和交收，并通过指定商业银行与证券公司的联网系统将交易数据生成清算文件和交收文件发送到指定商业银行。

⑨指定商业银行核对日间发送至证券公司的客户资金存取数据，对证券公司发送的清算文件和交收文件进行相应调整后，对存管账户进行簿记。

⑩指定商业银行清算后将发生变化的存管账户的资金余额发送到证券公司。

⑪证券公司将资金账户下的资金余额与指定商业银行存管账户余额进行对账。

⑫证券公司根据各类证券交易的清算结果，制作资金划付指令发送给指定商业银行。

⑬指定商业银行审核无误后，由指定商业银行通过客户资金交收账户完成与登记结算公司的资金交收。

⑭客户（含个人和机构）办理现金或转账取款时，不能直接从其存管账户中办理，而需先将其存管账户资金转入其签约存款账户后，从其签约存款账户办理现金或转账取款。办理现金或转账取款的方式与存款相同。客户资金从存管账户转入其签约存款账户的交易启动后，通过指定商业银行与证券公司联网系统自动比较证券公司系统中对应资金账户下的可取金额和在指定商业银行对应存管账户余额，取两边资金余额最低的数额作为最大转出资金限额。指定商业银行减少存管账户余额和存管总账户的余额，相应增加客户签约存款账户的余额。

⑮客户该交易完成后，通过指定商业银行与证券公司的联网系统将账户变动信息传送给证券公司，同步实时更新客户在证券公司对应资金账户余额。

第三章

特别交易事项及其监管

 ## 第一节　特别交易规定与交易事项

一、特别交易规定

在证券交易所的交易制度中，除了一般地对交易流程各环节进行规定外，还要对一些特别的交易作出安排，如大宗交易、回转交易等；也要对出现的某些特殊情况制定专门的规定，如股票交易特别处理、中小企业板股票暂停上市和终止上市的特别规定等。

（一）大宗交易

大宗交易是指单笔数额较大的证券买卖。我国现行有关交易制度规定，如果证券单笔买卖申报达到一定数额的，证券交易所可以采用大宗交易方式进行交易。按照规定，证券交易所可以根据市场情况调整大宗交易的最低限额。

1. 上海证券交易所大宗交易。《上海证券交易所交易规则》规定，在上海证券交易所进行的证券买卖符合以下条件的，可以采用大宗交易方式：

（1）A 股单笔买卖申报数量应当不低于 50 万股，或者交易金额不低于 300 万元人民币。

（2）B 股单笔买卖申报数量应当不低于 50 万股，或者交易金额不低于 30 万美元。

（3）基金大宗交易的单笔买卖申报数量应当不低于 300 万份，或者交易金额不低于 300 万元人民币。

（4）国债及债券回购大宗交易的单笔买卖申报数量应当不低于 1 万手，或者交易金额不低于 1 000 万元人民币。

（5）其他债券单笔买卖申报数量应当不低于 1 000 手，或者交易金额不低于 100 万元人民币。

上海证券交易所接受大宗交易的时间为每个交易日 9：30 ~ 11：30、13：00 ~ 15：30。但如果在交易日 15：00 前处于停牌状态的证券，则不受理其大宗交易的申报。每个交易日 15：00 ~ 15：30，交易所交易主机对买卖双方的成交申报进行成交确认。

大宗交易的申报包括意向申报和成交申报。意向申报包括的内容有：证券代码、证券账号、买卖方向、证券交易所规定的其他内容。意向申报中是否明确交易价格和交易数量，由申报方决定。申报方价格不明确的，将视为至少愿以规定的最低价格买入或最高价格卖出；申报方数量不明确的，将视为至少愿以大宗交易单笔买卖最低申报数量成交。当意向申报被其他参与者接受时，申报方应当至少与一个接受意向申报的参与者进行成交申报。

有涨跌幅限制证券的大宗交易成交价格，由买卖双方在当日涨跌幅价格限制范围内确定。无涨跌幅限制证券的大宗交易成交价格，由买卖双方在前收盘价的上下 30% 或当日已成交的最高、最低价之间自行协商确定。

买方和卖方就大宗交易达成一致后，买卖双方的成交申报分别通过各自委托会员的席位进行。成交申报应包括以下内容：证券代码、证券账号、成交价格、成交数量、买卖方向、交易所规定的其他内容。买卖双方输入交易系统的每笔大宗交易成交申报，其证券代码、成交价格和成交数量必须一致。

大宗交易的成交申报须经证券交易所确认。交易所确认后，买方和卖方不得撤销或变更成交申报，并必须承认交易结果、履行相关的清算交收义务。

大宗交易不纳入证券交易所即时行情和指数的计算，成交量在大宗交易结束后计入当日该证券成交总量。每个交易日大宗交易结束后，属于股票和基金大宗交易的，交易所公告证券名称、成交价、成交量及买卖双方所在会员营业部的名称等信息；属于债券和债券回购大宗交易的，交易所公告证券名称、成交价和成交量等信息。

2008年5月，上海证券交易所还推出了大宗交易系统专场业务。该业务是指：由股份持有者发起出售需求，或股份购买者发起购买需求，经委托为其提供公开发售、配售或购买等相关服务的会员向证券交易所提出申请，由证券交易所组织专场，相关会员和可直接参与专场业务的投资者（大宗交易系统实行准入制度）作为响应者参加，通过证券交易所大宗交易系统采取协商、询价、投标等方式确定成交，并由中国结算公司完成结算的业务。

2. 深圳证券交易所综合协议交易平台业务。深圳证券交易所为提高大宗交易市场效率，丰富交易服务手段，自2009年1月12日起，启用综合协议交易平台（简称"协议平台"），取代原有大宗交易系统。协议平台是指交易所为会员和合格投资者进行各类证券大宗交易或协议交易提供的交易系统。

（1）根据《深圳证券交易所综合协议交易平台业务实施细则》的规定，下列交易可以通过协议平台进行：

①权益类证券大宗交易，包括A股、B股、基金等。

②债券大宗交易，包括国债、企业债券、公司债券、分离交易的可转换公司债券、可转换公司债券和债券质押式回购等。

③专项资产管理计划收益权份额协议交易（简称"专项资产管理计划协议交易"）。

④交易所规定的其他交易。

（2）根据《深圳证券交易所交易规则》的规定，在深圳证券交易所进行的证券买卖符合以下条件的，可以采用大宗交易方式：

①A股单笔交易数量不低于50万股，或者交易金额不低于300万元人民币。

②B股单笔交易数量不低于5万股，或者交易金额不低于30万元港币。

③基金单笔交易数量不低于300万份，或者交易金额不低于300万元人民币。

④债券单笔现货交易数量不低于5 000张（以100元人民币面额为1张）或者交易金额不低于50万元人民币。

⑤债券单笔质押式回购交易数量不低于5 000张（以人民币100元面额为1张）或者交易金额不低于50万元人民币。

⑥多只A股合计单向买入或卖出的交易金额不低于500万元人民币，且其中单只A股的交易数量不低于20万股。

⑦多只基金合计单向买入或卖出的交易金额不低于500万元人民币，且其中单只基金的交易数量不低于100万份。

⑧多只债券合计单向买入或卖出的交易金额不低于100万元人民币，且其中单只债券的交易数量不低于2 000张。

深圳证券交易所会员可以申请成为协议平台交易用户（简称"交易用户"）。符合条件的合格投资者，经交易所批准也可以申请成为交易用户。

协议平台接受交易用户申报的时间为每个交易日9：15～11：30、13：00～15：30。申报当日有效。当天全天停牌的证券，协议平台不接受其有关申报。

协议平台接受交易用户申报的类型包括意向申报、定价申报、双边报价、成交申报和其他申报。

意向申报指令应当包括证券账号、证券代码、买卖方向和本方交易单元代码等内容。意向申报不承担成交义务，意向申报指令可以撤销。

定价申报指令应当包括证券账号、证券代码、买卖方向、交易价格、交易数量和本方交易单元代码等内容。市场所有参与者可以提交成交申报申请按指定的价格与定价申报全部或部分成交，交易主机按时间优先顺序配对成交。定价申报的未成交部分可以撤销。定价申报每笔成交的交易数量或交易金额，应当满足协议平台不同业务模块适用的最低标准。

双边报价分为双边意向申报和双边定价申报。双边意向申报等同于两条买卖方向相反的意向申报；双边定价申报等同于两条买卖方向相反的定价申报。

成交申报指令包括证券账号、证券代码、买卖方向、交易价格、交易数量和对手方交易单元代码等内容。成交申报要求明确指定价格和数量。成交申报指令在协议平台确认成交前可以撤销。

（3）协议平台按不同业务类型分别确认成交，具体确认成交的时间规定为：

①权益类证券大宗交易、债券大宗交易（除公司债券外），协议平台的成交确认时间为每个交易日15：00～15：30。

②公司债券的大宗交易、专项资产管理计划协议交易，协议平台的成交确认时间为每个交易日9：15～11：30、13：00～15：30。

（4）协议平台对申报价格和数量一致的成交申报和定价申报进行成交确认。用户对各交易品种申报的价格应当符合下列规定，交易方可成立：

①权益类证券大宗交易中，该证券有价格涨跌幅限制的，由买卖双方在其当日涨跌幅价格限制范围内确定；该证券无价格涨跌幅限制的，由买卖双方在前收盘价的上下30%之间自行协商确定。

②债券大宗交易价格，由买卖双方在前收盘价的上下30%之间自行协商确定。

③专项资产管理计划协议交易价格，由买卖双方自行协议确定。

符合《深圳证券交易所交易规则》并由协议平台确认的成交，买卖双方必须承认交易结果。协议平台用户应当保证其自身或投资者实际拥有与申报时相对应的足额资金或证券数量。因资金或证券数量不足造成交收失败的，协议平台用户应按照中国结算公司深圳分公司的规定承担由此引起的相关责任。

债券大宗交易以及专项资产管理计划协议交易实行当日回转交易。

（5）交易所每个交易日通过协议平台、交易所网站等方式对外发布协议平台交易信息。主要包括：

①权益类证券大宗交易以及债券大宗交易（除公司债券外），每个交易日结束后，通过交易所网站公布每笔大宗交易的成交信息。成交信息包括证券代码、证券名称、成交量、成交价以及买卖双方所在会员营

业部或交易单元的名称。

协议平台上进行的权益类证券大宗交易和双边交易债券的大宗交易，暂不纳入交易所即时行情和指数的计算，成交量在协议平台交易结束后计入当日该证券成交总量。

②公司债券大宗交易，交易所在协议平台交易时间内通过协议平台和交易所网站即时公布每笔协议交易的报价信息和成交信息。报价信息包括证券代码、证券名称、申报类型、买卖方向、买卖数量、买卖价格以及报价联系人和联系方式等。成交信息包括证券代码、证券名称、成交量、成交价以及买卖双方所在会员营业部或交易单元的名称。

仅在协议平台交易的公司债券大宗交易信息纳入交易所即时行情发布。即时行情发布的内容包括证券代码、证券简称、前收盘价、当日最高价、当日最低价、当日累计成交数量、当日累计成交金额以及实时最优5个买入或卖出价位定价申报的申报价格和数量等。

③专项资产管理计划协议交易，交易所在协议平台交易时间内通过协议平台和交易所网站即时公布每笔协议交易的报价信息和成交信息。报价信息包括证券代码、证券名称、申报类型、买卖方向、买卖数量、买卖价格以及报价联系人和联系方式等。成交信息包括证券代码、证券名称、成交量、成交价以及买卖双方所在会员营业部或交易单元的名称。

专项资产管理计划协议交易信息，纳入交易所即时行情发布。即时行情发布内容包括证券代码、证券简称、前收盘价、当日最高价、当日最低价、当日累计成交数量、当日累计成交金额以及实时最优5个买入或卖出价位定价申报的申报价格和数量等。

(二) 回转交易

证券的回转交易是指投资者买入的证券，经确认成交后，在交收完成前全部或部分卖出。根据我国现行有关交易制度规定，债券竞价交易和权证交易实行当日回转交易，即投资者可以在交易日的任何营业时间内反向卖出已买入但未完成交收的债券和权证；B股实行次交易日起回转交易。深圳证券交易所对专项资产管理计划收益权份额协议交易也实行当日回转交易。

（三）股票交易的特别处理

股票交易特别处理分为警示存在终止上市风险的特别处理和其他特别处理。

1. 警示存在终止上市风险的特别处理。2003 年 4 月 2 日和 4 月 3 日，上海证券交易所和深圳证券交易所分别发布了《关于对存在股票终止上市风险的公司加强风险警示等有关问题的通知》，并从 2003 年 5 月 8 日起实行退市风险警示制度。所谓退市风险警示制度，就是指由证券交易所对存在股票终止上市风险的公司股票交易实行"警示存在终止上市风险的特别处理"。

退市风险警示的处理措施包括：第一，在公司股票简称前冠以"＊ST"字样，以区别于其他股票；第二，股票报价的日涨跌幅限制为 5%。

（1）上市公司出现以下情形之一的，证券交易所对其股票交易实行退市风险警示：

①最近 2 年连续亏损（以最近 2 年年度报告披露的当年经审计净利润为依据）。

②因财务会计报告存在重大会计差错或虚假记载，公司主动改正或被中国证监会责令改正，对以前年度财务会计报告进行追溯调整，导致最近 2 年连续亏损。

③因财务会计报告存在重大会计差错或虚假记载，被中国证监会责令改正，在规定期限内未改正，且公司股票已停牌 2 个月。

④在法定期限内未披露年度报告或者中期报告，且公司股票已停牌 2 个月。

⑤因出现股权分布发生变化导致连续 20 个交易日不具备上市条件的情形，公司在规定期限内提出股权分布问题解决方案，经证券交易所同意其实施。

⑥出现可能导致公司解散的情形。

⑦法院受理公司破产案件，可能依法宣告公司破产。

⑧证券交易所认定的其他存在退市风险的情形。

（2）上市公司应当在股票交易实行退市风险警示之前 1 个交易日发

布公告。公告应当包括以下内容：

①股票的种类、简称、证券代码以及实行退市风险警示的起始日。

②实行退市风险警示的主要原因。

③公司董事会关于争取撤销退市风险警示的意见及具体措施。

④股票可能被暂停或终止上市的风险提示。

⑤实行退市风险警示期间公司接受投资者咨询的主要方式。

⑥中国证监会和证券交易所要求的其他内容。

当上市公司消除退市风险的情形后，证券交易所可撤销其退市风险警示；否则，公司将面临终止上市风险。

2. 其他特别处理。其他特别处理的处理措施包括：第一，在公司股票简称前冠以"ST"字样，以区别于其他股票；第二，股票报价的日涨跌幅限制为5%。

特别处理不是对上市公司的处罚，只是对上市公司目前状况的一种揭示，是要提示投资者注意风险。

上市公司出现以下情形之一的，证券交易所对其股票交易实行其他特别处理：

（1）最近一个会计年度的审计结果显示其股东权益为负。

（2）最近一个会计年度的财务会计报告被注册会计师出具无法表示意见或否定意见的审计报告。

（3）上市公司因2年连续亏损而实行退市风险警示，以后亏损情形消除，于是按规定申请撤销退市风险警示并获准，但其最近一个会计年度的审计结果显示主营业务未正常运营，或扣除非经常性损益后的净利润为负值。

（4）公司生产经营活动受到严重影响且预计在3个月以内不能恢复正常。

（5）公司主要银行账号被冻结。

（6）公司董事会无法正常召开会议并形成董事会决议。

（7）公司向控股股东或其关联方提供资金或违反规定程序对外提供担保且情形严重的。

（8）中国证监会或证券交易所认定的其他情形。

上市公司应当按照证券交易所的要求在其股票交易被实行其他特别

处理之前一交易日作出公告。

当上市公司消除属于其他特别处理的情形后，证券交易所可撤销对其实行的其他特别处理。

3. 中小企业板股票的退市风险警示处理。为了促进中小企业板上市公司规范发展，保护投资者合法权益，深圳证券交易所根据相关法律和规章制度，于2006年11月制定了《中小企业板股票暂停上市、终止上市特别规定》。该制度规定，中小企业板上市公司出现下列情形之一的，深圳证券交易所对其股票交易实行退市风险警示：

（1）最近一个会计年度的审计结果显示其股东权益为负值。

（2）最近一个会计年度被注册会计师出具否定意见的审计报告，或者被出具了无法表示意见的审计报告而且深圳证券交易所认为情形严重的。

（3）最近一个会计年度的审计结果显示公司对外担保余额（合并报表范围内的公司除外）超过1亿元且占净资产值的100%以上（主营业务为担保的公司除外）。

（4）最近一个会计年度的审计结果显示公司违法违规为其控股股东及其他关联方提供的资金余额超过2 000万元或者占净资产值的50%以上。

（5）公司受到深圳证券交易所公开谴责后，在24个月内再次受到深圳证券交易所公开谴责。

（6）连续20个交易日，公司股票每日收盘价均低于每股面值。

（7）连续120个交易日内，公司股票通过深圳证券交易所交易系统实现的累计成交量低于300万股。

在公司股票交易实行退市风险警示期间，公司应当至少在每月前5个交易日内披露公司为撤销退市风险警示所采取的措施及有关工作进展情况。

公司出现符合撤销退市风险警示的情形，可以向深圳证券交易所提出撤销退市风险警示的申请。深圳证券交易所决定撤销退市风险警示的，公司应当按照深圳证券交易所要求在撤销退市风险警示前一个交易日作出公告。

4. 创业板股票的退市风险警示和其他风险警示处理。深圳证券交易所创业板开市后，也实行了退市风险警示和其他风险警示处理的制度，不过具体的实施情形与主板稍有不同。

（1）创业板上市公司出现以下情形之一的，深圳证券交易所对其股票交易实行退市风险警示：

①最近2年连续亏损（以最近2年年度报告披露的当年经审计净利润为依据）。

②因财务会计报告存在重要的前期差错或者虚假记载，公司主动改正或者被中国证监会责令改正，对以前年度财务会计报告进行追溯调整，导致最近2年连续亏损。

③最近一个会计年度的财务会计报告显示当年经审计净资产为负。

④因财务会计报告存在重要的前期差错或者虚假记载，被中国证监会责令改正但未在规定期限内改正，且公司股票已停牌2个月。

⑤未在法定期限内披露年度报告或者中期报告。

⑥最近一个会计年度的财务会计报告被注册会计师出具否定意见或者无法表示意见的审计报告。

⑦出现可能导致公司解散的情形。

⑧因出现股权分布或股东人数发生变化导致连续20个交易日不具备上市条件的情形，公司在规定期限内提出股权分布或股东人数问题解决方案，经深圳证券交易所同意其实施。

⑨公司股票连续120个交易日通过深圳证券交易所交易系统实现的累计成交量低于100万股。

⑩法院依法受理公司重整、和解或者破产清算申请。

⑪深圳证券交易所认定的其他存在退市风险的情形。

创业板上市公司也应当在股票交易实行退市风险警示之前一个交易日发布公告。

（2）创业板上市公司出现以下情形之一的，深圳证券交易所有权对其股票交易实行其他风险警示处理：

①按照有关规定申请并获准撤销退市风险警示的公司或者按照规定申请并获准恢复上市的公司，其最近一个会计年度的审计结果显示主营业务未正常运营或者扣除非经常性损益后的净利润为负值。

②公司生产经营活动受到严重影响且预计在3个月以内不能恢复

正常。

③公司主要银行账号被冻结。

④公司董事会无法正常召开会议并形成董事会决议。

⑤中国证监会或者深圳证券交易所认定的其他情形。

二、特殊交易事项

特殊交易事项包括：开盘价与收盘价的确定，挂牌、摘牌、停牌与复牌，除权与除息，交易异常情况处理等。

（一）开盘价与收盘价

按照一般的意义，开盘价和收盘价分别是交易日证券的首、尾买卖价格。而在证券交易场所，往往还要通过制度予以规范。

根据我国现行的交易规则，证券交易所证券交易的开盘价为当日该证券的第一笔成交价。证券的开盘价通过集合竞价方式产生。不能产生开盘价的，以连续竞价方式产生。按集合竞价产生开盘价后，未成交的买卖申报仍然有效，并按原申报顺序自动进入连续竞价。

在收盘价的确定方面，上海证券交易所和深圳证券交易所有所不同。

上海证券交易所证券交易的收盘价为当日该证券最后一笔交易前1分钟所有交易的成交量加权平均价（含最后一笔交易）。当日无成交的，以前收盘价为当日收盘价。

深圳证券交易所证券的收盘价通过集合竞价的方式产生。收盘集合竞价不能产生收盘价或未进行收盘集合竞价的，以当日该证券最后一笔交易前1分钟所有交易的成交量加权平均价（含最后一笔交易）为收盘价。当日无成交的，也以前收盘价为当日收盘价。

（二）挂牌、摘牌、停牌与复牌

挂牌是指证券被列入证券牌价表，并允许进行交易。摘牌是指将证券从证券牌价表中剔除，不允许再进行交易。停牌是指证券仍然位于证券牌价表中，但停止进行交易。复牌是指处于停牌中的证券恢复进行交易。

在我国，证券交易所对上市证券实施挂牌交易。证券上市期届满或依法不再具备上市条件的，证券交易所要终止其上市交易，予以摘牌。

股票、封闭式基金交易出现异常波动的，证券交易所可以对相关证券实施停牌。证券交易所还可以对涉嫌违法违规交易的证券实施特别停牌并予以公告，相关当事人应按照证券交易所的要求提交书面报告。停牌及复牌的时间和方式由证券交易所决定。此外，证券交易所也可以按规定针对出现的特定的证券交易情形，实施盘中临时停牌措施。深圳证券交易所规定，无价格涨跌幅限制股票交易出现下列情形的，深圳证券交易所可以对其实施盘中临时停牌措施：盘中成交价较当日开盘价首次上涨或下跌达到或超过20%的，临时停牌时间为30分钟；盘中成交价较当日开盘价首次上涨或下跌达到或超过50%的，临时停牌时间为30分钟；盘中成交价较当日开盘价首次上涨或下跌达到或超过80%的，临时停牌至14：57。

证券停牌时，证券交易所发布的行情中包括该证券的信息；证券摘牌后，行情信息中无该证券的信息。

对于开市期间停牌的申报问题，我国证券交易所的规定是：证券开市期间停牌的，停牌前的申报参加当日该证券复牌后的交易；停牌期间，可以继续申报，也可以撤销申报；复牌时对已接受的申报实行集合竞价。集合竞价产生开盘价后，以连续竞价继续当日交易。

证券的挂牌、摘牌、停牌与复牌，证券交易所要予以公告。另外，根据有关规定，上市公司披露定期报告、临时公告，也要进行例行停牌。

（三）除权与除息

当上市公司实施送股、配股或派息时，每股股票所代表的企业实际价值（每股净资产）就可能减少，因此需要在发生该事实之后从股票市场价格中剔除这部分因素。因送股或配股而形成的剔除行为称为"除权"，因派息而引起的剔除行为称为"除息"。

我国证券交易所是在权益登记日（B股为最后交易日）的次一交易日对该证券作除权、除息处理。除权（息）日该证券的前收盘价改为除权（息）日除权（息）参考价。除权（息）参考价的计算公式为：

除权（息）参考价＝［（前收盘价－现金红利）＋配股价格×股份变动比例］÷（1＋股份变动比例）

例如，某上市公司每10股派发现金红利1.50元，同时按10配5的比例向现有股东配股，配股价格为 6.40 元。若该公司股票在除权除息日的前收盘价为 11.05 元，则除权（息）参考价应为 9.40 元。

另外，我国有关制度还规定，证券发行人认为有必要调整上述计算公式的，可以向证券交易所提出调整申请并说明理由。证券交易所认为必要时，可调整除权（息）参考价计算公式，并予以公布。

除权（息）日的证券买卖，除了证券交易所另有规定的以外，按除权（息）参考价作为计算涨跌幅度的基准。

另外，在权证业务中，标的证券除权、除息，对权证行权价格会有影响，因此需要调整。根据有关规定，标的证券除权、除息的，权证的发行人或保荐人应对权证的行权价格、行权比例作相应调整并及时提交证券交易所。

标的证券除权的，权证的行权价格和行权比例分别按下列公式进行调整：

$$新行权价格 = \frac{原行权价格 \times 标的证券除权日参考价}{除权前一日标的证券收盘价}$$

$$新行权比例 = \frac{原行权比例 \times 除权前一日标的证券收盘价}{标的证券除权日参考价}$$

标的证券除息的，行权比例不变，行权价格按下列公式调整：

$$新行权价格 = \frac{原行权价格 \times 标的证券除息日参考价}{除息前一日标的证券收盘价}$$

（四）交易异常情况的处理

证券交易所交易异常情况是指导致或可能导致证券交易所证券交易全部或者部分不能正常进行的情形。

引发交易异常情况的原因包括不可抗力、意外事件、技术故障问题等。这里的不可抗力是指证券交易所所在地或全国其他部分区域出现或据灾情预警可能出现严重自然灾害、重大公共卫生事件或社会安全事件等情形。意外事件是指证券交易所所在地发生火灾或电力供应出现故障等情形。技术故障是指证券交易所交易、通信系统中的网络、硬件设备、应用软件等无法正常运行；证券交易所交易、通信系统在运行、主备系统切换、软硬件系统及相关程序升级、上线时出现意外；证券交易所交易、通信系统被非法侵入或遭受其他人为破坏等情形。

证券交易所证券交易全部或者部分不能正常进行是指无法正常开始交易、无法连续交易、交易结果异常、交易无法正常结束等情形。其中，无法正常开始交易是指：证券交易所交易、通信系统在开市前无法正常启动；证券交易停牌、复牌、除权除息等重要操作在开市前未及时、准确处理完毕；前一交易日的日终清算交收处理未按时完成或虽已完成但清算交收数据出现重大差错而导致无法正确交易；10%以上的会员营业部因系统故障无法正常接入交易所交易系统等情形。无法连续交易是指：证券交易所交易、通信系统出现10分钟以上中断；证券交易所行情发布系统出现10分钟以上中断；10%以上会员营业部无法正常发送交易申报、接收实时行情或成交回报；10%以上的证券中断交易等情形。交易结果异常是指交易结果出现严重错误、行情发布出现错误、证券指数计算出现重大偏差等可能严重影响整个市场正常交易的情形。交易无法正常结束是指集合竞价异常、可能导致无法正常完成，收市处理无法正常结束等可能对市场造成重大影响的情形。

交易异常情况出现后，证券交易所将及时向市场公告，并可视情况需要单独或者同时采取技术性停牌、临时停市、暂缓进入交收等措施。证券交易所采取这些措施，要及时报告中国证监会。对技术性停牌或临时停市的决定，证券交易所要通过网站及相关媒体及时予以公告。技术性停牌或临时停市原因消除后，证券交易所可以决定恢复交易，并向市场公告。

三、固定收益证券综合电子平台

为了提高固定收益证券的交易效率，促进固定收益证券市场的发展，上海证券交易所在2007年开发了固定收益证券综合电子平台（简称"固定收益平台"），并制定了《上海证券交易所固定收益证券综合电子平台交易试行办法》（简称《试行办法》）。上海证券交易所固定收益平台的交易，自2007年7月25日起开始试行。

固定收益平台主要进行固定收益证券的交易，包括交易商之间的交易和交易商与客户之间的交易两种。交易商之间的交易是指交易商之间按照规定，通过报价或询价方式买卖在固定收益平台挂牌交易的固定收益证券。交易商与客户之间的交易则指具有经纪业务的交易商可与其客户协议交易在固定收益平台挂牌交易的固定收益证券。

（一）交易商

上海证券交易所固定收益平台的交易商有两种：一种称"交易商"，指经过上海证券交易所核准，取得固定收益平台交易参与资格的证券公司、基金管理公司、财务公司、保险资产管理公司及其他机构。另一种称"一级交易商"，指经过上海证券交易所核准，在固定收益平台交易中持续提供双边报价及对询价提供成交报价（简称"做市"）的交易商。显然，对一级交易商的要求会更高，必须具备做市能力。

根据规定，一级交易商对固定收益证券做市时，应选定做市品种，至少应对在固定收益平台上挂牌交易的各关键期限国债中的一只基准国债进行做市。一级交易商在固定收益平台交易期间，应当对选定做市的特定固定收益证券进行连续双边报价，每交易日双边报价中断时间累计不得超过60分钟。一级交易商对做市品种的双边报价，应当是确定报价，且双边报价对应收益率价差小于10个基点，单笔报价数量不得低于5 000手（1手为1 000元面值）。

（二）固定收益证券交易

固定收益平台的交易时间为9：30～11：30、13：00～14：00。交易商参加固定收益平台交易前，应通过固定收益平台注册可用于交易的证券账户。交易商为证券公司的，其注册的证券账户应为上海市场A股自营证券账户或交易所认可的其他证券账户。交易商在固定收益平台申报卖出固定收益证券的数量，不得超过其证券账户内可交易余额。一级交易商履行做市义务的，可在交易所规定的额度内申报卖出固定收益证券。交易商当日买入的固定收益证券，当日可以卖出。当日被待交收处理的固定收益证券，下一交易日可以卖出。

在固定收益平台进行的固定收益证券现券交易实行净价申报，申报价格变动单位为0.001元，申报数量单位为手（1手为1 000元面值）。交易价格实行涨跌幅限制，涨跌幅比例为10%。涨跌幅价格计算公式为：

涨跌幅价格＝前一交易日参考价格×（1±10%）

其中，前一交易日参考价格为该日全部交易的加权平均价，该日无成交的为上一交易日的加权平均价，依次类推。

固定收益平台交易采用报价交易和询价交易两种方式。报价交易中，交易商可以匿名或实名方式申报；询价交易中，交易商须以实名方式申报。

报价交易中，交易商的每笔买卖报价应标明采用确定报价或待定报价，固定收益平台对确定报价和待定报价按照价格高低顺序进行排列。买卖报价为确定报价的，其他交易商接受报价后，经固定收益平台验证通过后成交。买卖报价为待定报价的，其他交易商接受报价后，原报价的交易商于 20 分钟内确认的，经固定收益平台验证通过后成交；20 分钟内未确认的，原报价自动取消。报价交易中，交易商的每笔买卖报价数量为 5 000 手或其整数倍，报价按每 5 000 手逐一进行成交。

询价交易中，询价方每次可以向 5 家被询价方询价，被询价方接受询价时提出的报价采用确定报价。询价方对被询价方提出的报价，于询价发出后 20 分钟内予以接受的，固定收益平台即确认成交；20 分钟内未接受的，询价、报价自动取消。在询价方接受前，被询价方可撤销其报价。

固定收益平台对外公开发布确定报价信息和成交行情。交易商采用匿名报价的，固定收益平台只对外揭示其报价价格和数量信息，不披露报价方名称。

第二节　交易信息和交易行为的监督与管理

一、交易信息

上海证券交易所和深圳证券交易所在每个交易日都要发布包括证券交易即时行情、证券指数、证券交易公开信息等交易信息。证券交易所还要编制反映市场成交情况的各类日报表、周报表、月报表和年报表，并及时向社会公布。

（一）即时行情

上海证券交易所规定，开盘集合竞价期间，即时行情内容包括证券代码、证券简称、前收盘价格、虚拟开盘参考价格、虚拟匹配量和虚拟未匹配量。其中，虚拟开盘参考价格指特定时点的所有有效申报按照集合竞价规则虚拟成交并予以即时揭示的价格；虚拟匹配量指特定时点按照虚拟开盘参考价格虚拟成交并予以即时揭示的申报数量；虚拟未匹配量指特定时点不能按照虚拟开盘参考价格虚拟成交并予以即时揭示的买方或卖方剩余申报数量。

深圳证券交易所规定，开盘、收盘集合竞价期间的即时行情内容包括证券代码、证券简称、集合竞价参考价格、匹配量和未匹配量等。其中，集合竞价参考价格指截至揭示时集中申报簿中所有申报按照集合竞价规则形成的虚拟开盘价格，匹配量指截至揭示时集中申报簿中所有申报按照集合竞价规则形成的虚拟成交数量，未匹配量指截至揭示时集中申报簿中在集合竞价参考价位上的不能按照集合竞价参考价虚拟成交的买方或卖方申报剩余量。

连续竞价期间，上海证券交易所和深圳证券交易所的即时行情内容包括证券代码、证券简称、前收盘价格、最新成交价格、当日最高成交价格、当日最低成交价格、当日累计成交数量、当日累计成交金额、实时最高5个买入申报价格和数量、实时最低5个卖出申报价格和数量。

对于首次上市证券在上市首日的前收盘价格，上海证券交易所规定，首次上市证券上市首日，其即时行情显示的前收盘价格为其发行价（证券交易所另有规定的除外）；深圳证券交易所则规定，首次上市股票、债券上市首日，其即时行情显示的前收盘价为其发行价，基金为其前一日基金份额净值（四舍五入至 0.001 元）。

根据市场发展需要，上海证券交易所和深圳证券交易所都可以调整即时行情发布的方式和内容。未经证券交易所许可，任何单位和个人不得发布证券交易即时行情。

（二）证券指数

上海证券交易所和深圳证券交易所都编制综合指数、成分指数、分类指数等证券指数，以反映证券交易总体价格或某类证券价格的变动和走势，随即时行情发布。

证券指数的编制遵循公开透明的原则。证券指数设置和编制的具体方法由证券交易所规定。

上海证券交易所目前公布的股票价格指数有样本指数类、综合指数类和分类指数类三大类。样本指数类包括上证成分股指数、上证 50 指数、上证红利指数等；综合指数类包括上证综合指数、新上证综合指数；分类指数类包括 A 股指数、B 股指数及工业类指数、商业类指数、地产类指数、公用事业类指数、综合类指数。公布的债券价格指数和基金价格指数有上证国债指数、上证企业债指数、上证基金指数等。

深圳证券交易所目前公布的股票价格指数也有样本指数类、综合指数类和分类指数类三大类。样本指数类包括深证成分股指数、深证 A 股指数、深证 B 股指数、深证 100 指数；综合指数类包括深证综合指数、深证新指数、中小企业板指数；分类指数类包括农林牧渔指数、采掘业指数、制造业指数、水电煤气指数、建筑业指数、运输仓储指数、信息技术指数、批发零售指数、金融保险指数、房地产指数、社会服务指数、传播文化指数、综合类指数。公布的基金价格指数有深证基金指数。

另外，由上海证券交易所和深圳证券交易所共同出资发起设立的中证指数有限公司，是一家专业从事证券指数及指数衍生产品开发服务的公司。该公司针对交易所的证券交易，发布沪深 300 指数、中证规模指数、沪深 300 行业指数、沪深 300 风格指数系列等。

（三）证券交易公开信息

根据现行有关制度的规定，上海证券交易所和深圳证券交易所针对几种交易情况，将公布相关信息，以利于证券市场的风险防范。

1. 对于有价格涨跌幅限制的证券。对于有价格涨跌幅限制的股票、封闭式基金竞价交易出现下列情形之一的，证券交易所分别公布相关证券当日买入、卖出金额最大的 5 家会员营业部（深圳证券交易所是营业部或交易单元）的名称及其买入、卖出金额：

（1）日收盘价格涨跌幅偏离值达到 ±7% 的各前 3 只证券（深圳证券交易所为前 5 只证券）。

（2）日价格振幅达到 15% 的前 3 只证券（深圳证券交易所为前 5 只证券）。

（3）日换手率达到 20% 的前 3 只证券（深圳证券交易所为前 5 只证券）。

其中，收盘价格涨跌幅偏离值的计算公式为：

收盘价格涨跌幅偏离值 = 单只股票（基金）涨跌幅 − 对应分类指数涨跌幅

价格振幅的计算公式为：

$$价格振幅 = \frac{当日最高价格 − 当日最低价格}{当日最低价格} \times 100\%$$

换手率的计算公式为：

$$换手率 = \frac{成交股数（份额）}{流通股数（份额）} \times 100\%$$

收盘价格涨跌幅偏离值、价格振幅或换手率相同的，依次按成交金额和成交量选取。

在上海证券交易所，对应分类指数包括上海证券交易所编制的上证 A 股指数、上证 B 股指数和上证基金指数等。在深圳证券交易所，对应分类指数是指深圳证券交易所编制的深证 A 股指数、中小企业板指数、创业板综合指数、深证 B 股指数和深证基金指数。

2. 对于无价格涨跌幅限制的证券。对于不实行价格涨跌幅限制的证券，证券交易所公布其当日买入、卖出金额最大的 5 家会员营业部（深圳证券交易所是营业部或交易单元）的名称及其买入、卖出金额。

3. 对于证券交易异常波动。股票、封闭式基金竞价交易出现下列情形之一的，属于异常波动，证券交易所分别公告该股票、封闭式基金交易异常波动期间累计买入、卖出金额最大 5 家会员营业部（深圳证券交易所是营业部或交易单元）的名称及其累计买入、卖出金额：

（1）连续 3 个交易日内日收盘价格涨跌幅偏离值累计达到 ±20% 的。

（2）ST 股票和 * ST 股票连续 3 个交易日内日收盘价格涨跌幅偏离值累计达到 ±15% 的（深圳证券交易所为 ±12%）。

（3）连续 3 个交易日内日均换手率与前 5 个交易日的日均换手率的比值达到 30 倍，并且该股票、封闭式基金连续 3 个交易日内的累计换手率达到20%的。

（4）证券交易所或中国证监会认定属于异常波动的其他情形。

异常波动指标自复牌之日起重新计算。对于不实行价格涨跌幅限制的证券，不纳入异常波动指标的计算。

4. 对于证券实施特别停牌。上海证券交易所对涉嫌违法违规交易的证券实施特别停牌的，根据需要可以公布以下信息：

（1）成交金额最大的5家会员营业部的名称及其买入、卖出数量和买入、卖出金额。

（2）股份统计信息。

（3）上海证券交易所认为应披露的其他信息。

证券交易公开信息涉及机构的，公布名称为"机构专用"。另外，根据市场发展需要，证券交易所可以调整证券交易公开信息的内容。

二、交易行为监督

（一）证券交易所对证券交易实时监控事项

我国《证券法》规定："证券交易所对证券交易实行实时监控。"按照法律的这一要求，上海证券交易所和深圳证券交易所在相关的交易规则中，进一步明确了对交易行为进行监督的责任。

1. 《上海证券交易所交易规则》规定，上海证券交易所对下列可能影响证券交易价格或者证券交易量的异常交易行为，予以重点监控：

（1）可能对证券交易价格产生重大影响的信息披露前，大量买入或者卖出相关证券。

（2）以同一身份证明文件、营业执照或其他有效证明文件开立的证券账户之间，大量或者频繁进行互为对手方的交易。

（3）委托、授权给同一机构或者同一个人代为从事交易的证券账户之间，大量或者频繁进行互为对手方的交易。

（4）两个或两个以上固定的或涉嫌关联的证券账户之间，大量或者频繁进行互为对手方的交易。

（5）大笔申报、连续申报或者密集申报，以影响证券交易价格。

（6）频繁申报或频繁撤销申报，以影响证券交易价格或其他投资者的投资决定。

（7）巨额申报，且申报价格明显偏离申报时的证券市场成交价格。

（8）一段时期内进行大量且连续的交易。

（9）在同一价位或者相近价位大量或者频繁进行回转交易。

（10）大量或者频繁进行高买低卖交易。

（11）进行与自身公开发布的投资分析、预测或建议相背离的证券交易。

（12）在大宗交易中进行虚假或其他扰乱市场秩序的申报。

（13）证券交易所认为需要重点监控的其他异常交易。

2.《深圳证券交易所交易规则》则规定，深圳证券交易所对证券交易中的下列事项，予以重点监控：

（1）涉嫌内幕交易、操纵市场等违法违规行为。

（2）证券买卖的时间、数量、方式等受到法律、行政法规、部门规章和规范性文件及深圳证券交易所业务规则等相关规定限制的行为。

（3）可能影响证券交易价格或者证券交易量的异常交易行为。

（4）证券交易价格或者证券交易量明显异常的情形。

（5）深圳证券交易所认为需要重点监控的其他事项。

其中，可能影响证券交易价格或者证券交易量的异常交易行为包括：可能对证券交易价格产生重大影响的信息披露前，大量或持续买入或卖出相关证券；单个或两个以上固定的或涉嫌关联的证券账户之间，大量或频繁进行反向交易；单个或两个以上固定的或涉嫌关联的证券账户，大笔申报、连续申报、密集申报或申报价格明显偏离该证券行情揭示的最新成交价；单独或合谋，以涨幅或跌幅限制的价格大额申报或连续申报，致使该证券交易价格达到或维持涨幅或跌幅限制；频繁申报和撤销申报，或大额申报后撤销申报，以影响证券交易价格或误导其他投资者；集合竞价期间以明显高于前收盘价的价格申报买入后又撤销申报，随后申报卖出该证券，或以明显低于前收盘价的价格申报卖出后又撤销申报，随后申报买入该证券；对单一证券品种在一段时期内进行大量且连续交易；同一证券账户、同一会员或同一证券营业部的客户大量或频繁进行日内回转交易；大量或者频繁进行高买低卖交易；在证券价格敏感期内，通过异常申报，影响相关证券或其衍生品的交易价格、结算价格或参考价值；单独或合谋，在公开发布投资分析、预测或建议前买入或卖出有关证券，或进行与自身公开发布的投资分析、预测或建议相背离的证券交易；在综合协议交易平台进行虚假或其他扰乱市场秩序的申报；深圳证券交易所认为需要重点监控的其他异常交易行为。

证券交易价格或证券交易量明显异常的情形包括：同一证券营业部或同一地区的证券营业部集中买入或卖出同一证券且数量较大；证券交易价格连续大幅上涨或下跌，明显偏离同期相关指数的涨幅或跌幅，且上市公司无重大事项公告；深圳证券交易所认为需要重点监控的其他异常交易情形。

（二）出现异常交易行为需采取的措施

证券交易所会员如果发现投资者的证券交易出现上述所列的异常交易行为之一，且可能严重影响证券交易秩序的，应当予以提醒，并及时向证券交易所报告。

证券交易所可以针对证券交易中重点监控事项进行现场或非现场调查，会员及其证券营业部、投资者应当予以配合。证券交易所在现场或非现场调查中，可以根据需要要求相关会员及其证券营业部、投资者及时、准确、完整地提供下列文件和资料：投资者的开户资料、授权委托书、资金账户情况和相关证券账户的交易情况等；相关证券账户或资金账户的实际控制人和操作人情况、资金来源以及相关账户间是否存在关联的说明等；对证券交易中重点监控事项的解释；其他与证券交易所重点监控事项有关的资料。

对情节严重的异常交易行为，证券交易所可以视情况采取下列措施：

1. 口头或书面警示。
2. 约见谈话。
3. 要求提交书面承诺。
4. 限制相关证券账户交易。
5. 报请中国证监会冻结相关证券账户或资金账户。
6. 上报中国证监会查处。

如果相关人对其中第 4 项措施有异议的，可以向证券交易所提出复核申请。复核期间不停止相关措施的执行。

限制证券账户交易的措施包括：限制买入指定证券或全部交易品种

（但允许卖出）；限制卖出指定证券或全部交易品种（但允许买入）；限制买入和卖出指定证券或全部交易品种。

三、合格境外机构投资者证券交易管理

在我国，合格境外机构投资者（简称"合格投资者"）境内证券投资制度启动于 2002 年年底。2006 年 8 月，中国证监会、中国人民银行和国家外汇管理局又重新发布了《合格境外机构投资者境内证券投资管理办法》；同时，为了贯彻这一办法，中国证监会发出了《关于实施〈合格境外机构投资者境内证券投资管理办法〉有关问题的通知》。

（一）投资运作的一般规定

合格投资者应当委托境内商业银行作为托管人托管资产（每个合格投资者只能委托 1 个托管人，并可以更换托管人），委托境内证券公司办理在境内的证券交易活动（每个合格投资者可分别在上海、深圳证券交易所委托 3 家境内证券公司进行证券交易）。中国证监会依法对合格投资者的境内证券投资实施监督管理，国家外汇管理局依法对合格投资者境内证券投资有关的投资额度、资金汇出入等实施外汇管理。

合格投资者可以委托在境内设立的证券公司等投资管理机构，进行境内证券投资管理。合格投资者应当委托托管人向中国结算公司申请开立多个证券账户，申请开立的证券账户应当与国家外汇管理局批准的人民币特殊账户一一对应。合格投资者应当以自身名义申请开立证券账户。为客户提供资产管理服务的，应当开立名义持有人账户。

合格投资者在经批准的投资额度内，可以投资于中国证监会批准的人民币金融工具，包括在证券交易所挂牌交易的股票、在证券交易所挂牌交易的债券、证券投资基金、在证券交易所挂牌交易的权证、中国证监会允许的其他金融工具。合格投资者可以参与新股发行、可转换债券发行、股票增发和配股的申购。

合格投资者的境内股票投资，应当遵守中国证监会规定的持股比例限制和国家其他有关规定。如《关于实施〈合格境外机构投资者境内证券投资管理办法〉有关问题的通知》规定，境外投资者的境内证券投资，应当遵循下列持股比例限制：

1. 单个境外投资者通过合格投资者持有一家上市公司股票的，持股比例不得超过该公司股份总数的 10%。

2. 所有境外投资者对单个上市公司 A 股的持股比例总和，不超过该上市公司股份总数的 20%。但境外投资者根据《外国投资者对上市公司战略投资管理办法》对上市公司战略投资的，其战略投资的持股不受上述比例限制。

(二) 交易管理

上海证券交易所和深圳证券交易所对合格投资者证券交易管理的规则基本相同。为便于叙述，仅以上海证券交易所的《合格境外机构投资者证券交易实施细则》为例介绍相关情况。

所有合格投资者持有同一上市公司挂牌交易 A 股数额，合计达到该公司总股本的 16% 及其后每增加 2% 时，证券交易所于该交易日结束后通过交易所网站，公布合格投资者已持有该公司挂牌交易 A 股的总数及其占公司总股本的比例。

当日交易结束后，如遇单个合格投资者持有单个上市公司挂牌交易 A 股数额超过限定比例的，证券交易所将向其委托的证券公司及托管人发出通知。合格投资者自接到减持通知之日起的 5 个交易日内予以平仓，以满足持股限定比例要求。

当日交易结束后，如遇所有合格投资者持有同一上市公司挂牌交易 A 股数额合计超过限定比例的，证券交易所将按照后买先卖的原则确定平仓顺序，并向其委托的证券公司及托管人发出通知。合格投资者自接到通知之日起的 5 个交易日内作出相应处理，以满足持股限定比例要求。

5 个交易日内，如遇其他合格投资者自行减持导致上述持股总数降至限定比例以下的，被通知减持的合格投资者可向证券交易所申请继续持有原股份。

合格投资者对超过持股限定比例的股份未按规定进行处理的，证券交易所及中国结算公司有权通知受托的证券公司及托管人实施平仓，并可对该合格投资者予以警告、公开谴责等处分。情节严重的，报中国证监会查处。

第四章

证券经纪业务

 ## 第一节　证券经纪业务概述

一、证券经纪业务的含义

证券经纪业务是指证券公司通过其设立的证券营业部，接受客户委托，按照客户的要求代理客户买卖证券的业务。在证券经纪业务中，证券公司不赚取买卖差价，只收取一定比例的佣金作为业务收入。证券经纪业务可分为柜台代理买卖和证券交易所代理买卖两种。从我国证券经纪业务的实际内容来看，柜台代理买卖比较少。因此，证券经纪业务目前主要是指证券公司按照客户的委托，代理其在证券交易所买卖证券的有关业务。

在证券经纪业务中，包含的要素有：委托人、证券经纪商、证券交易所和证券交易对象。由于第一章已经阐明委托人、证券交易所和证券交易对象的主要内容，所以这里仅对证券经纪商及其作用再作些说明。

所谓证券经纪商，是指接受客户委托、代客买卖证券并以此收取佣金的中间人。证券经纪商以代理人的身份从事证券交易，与客户是委托代理关系。证券经纪商必须遵照客户发出的委托指令进行证券买卖，并尽可能以最有利的价格使委托指令得以执行，但证券经纪商并不承担交易中的价格风险。证券经纪商向客户提供服务以收取佣金作为报酬。

目前，我国具有法人资格的证券经纪商是指在证券交易中代理买卖证券，从事经纪业务的证券公司。

在证券代理买卖业务中，证券公司作为证券经纪商发挥着重要作用。由于证券交易方式的特殊性、交易规则的严密性和操作程序的复杂性，决定了广大投资者不能直接进入证券交易所买卖证券，而只能由经过批准并具备一定条件的证券经纪商进入交易所进行交易，投资者则需委托证券经纪商代理买卖来完成交易过程。因此，证券经纪商是证券市场的中坚力量，其作用主要表现在：

第一，充当证券买卖的媒介。证券经纪商充当证券买方和卖方的经纪人，发挥着沟通买卖双方并按一定要求迅速、准确地执行指令和代办手续的媒介作用，提高了证券市场的流动性和效率。

第二，提供信息服务。证券经纪商和客户建立了买卖委托关系后，客户往往希望证券经纪商能够提供及时、准确的信息服务。这些信息服务包括：上市公司的详细资料、公司和行业的研究报告、经济前景的预测分析和展望研究、有关股票市场变动态势的商情报告等。

二、证券经纪业务的特点

（一）业务对象的广泛性

所有上市交易的股票和债券都是证券经纪业务的对象，因此，证券经纪业务的对象具有广泛性。同时，由于证券经纪业务的具体对象是特定价格的证券，而证券价格受宏观经济运行状况、上市公司经营业绩、市场供求情况、社会政治变化、投资者心理、主管部门的政策及调控措施等多种因素的影响，经常涨跌变化。同一种证券在不同时点上会有不同的价格，因此，证券经纪业务的对象还具有价格变动性的特点。

（二）证券经纪商的中介性

证券经纪业务是一种代理活动，证券经纪商不以自己的资金进行证券买卖，也不承担交易中证券价格涨跌的风险，而是充当证券买方和卖方的代理人。证券经纪商发挥着沟通买卖双方和按一定的要求和规则迅速、准确地执行指令并代办手续，同时尽量使买卖双方按自己意愿成交的媒介作用，因此具有中介性的特点。

（三）客户指令的权威性

在证券经纪业务中，客户是委托人，证券经纪商是受托人。证券经纪商要严格按照委托人的要求办理委托事务，这是证券经纪商对委托人的首要义务。委托人的指令具有权威性，证券经纪商必须严格地按照委托人指定的证券、数量、价格和有效时间买卖证券，不能自作主张，擅自改变委托人的意愿。即便情况发生了变化，为了维护委托人的权益不得不变更委托指令，也必须事先征得委托人的同意。如果证券经纪商无故违反委托人的指令，在处理委托事务时使委托人遭受损失，证券经纪商应承担赔偿责任。

（四）客户资料的保密性

在证券经纪业务中，委托人的资料关系到其资产安全和投资决策的实施，证券经纪商有义务为客户保密，但法律另有约定的除外。保密的资料包括：客户开户的基本情况，如股东账户和资金账户的账号和密码；客户委托的有关事项，如买卖哪种证券、买卖证券的数量和价格等；客户股东账户中的库存证券种类和数量、资金账户中的资金余额等。如因证券经纪商泄露客户资料而造成客户损失，证券经纪商应承担赔偿责任。

三、证券经纪关系的建立

证券经纪商是证券交易的中介，是独立于买卖双方的第三者，与客户之间不存在从属或依附的关系。但是，要开展经纪业务，证券经纪商首先必须与客户建立具体的委托代理关系。

（一）证券经纪关系的确立

按我国现行的做法，投资者入市应事先到中国结算公司上海分公司或中国结算公司深圳分公司及其代理点开立证券账户。在具备了证券账户的基础上，投资者就可以与证券经纪商建立特定的经纪关系，成为该经纪商的客户。这一关系的建立过程包括：证券经纪商向客户讲解有关业务规则、协议内容和揭示风险，并请客户签署《风险揭示书》和《客户须知》；客户与证券经纪商签订《证券交易委托代理协议书》，与其的选择指定商业银行、证券经纪商签订《客户交易结算资金第三方存管协议书》；客户在证券营业部开立证券交易资金账户等。

1. 讲解业务规则、协议内容和揭示风险，签署《风险揭示书》和《客户须知》。这一环节实际上起到了投资者教育的作用。有关证券法规规定，证券经纪商在与客户建立经纪关系、签订《证券交易委托代理协议书》时，应当事先指定专人向客户讲解有关业务规则和协议内容，向客户揭示证券交易可能会获得较高的投资收益，但同时也存在着较大的投资风险。为了使客户更好地了解其中的风险，证券经纪商要向客户提供《风险揭示书》，请客户认真详细阅读，然后由客户签署。客户一旦签名，就表明了其已阅读并完全理解和愿意承担证券市场的各种风险。一般来说，《风险揭示书》会告知客户从事证券投资将包括但不限于如下风险：宏观经济风险、政策风险、上市公司经营风险、技术风险、不可抗力因素导致的风险和其他风险。

客户从事证券交易，除了要知道存在风险之外，还要了解有关证券公司、投资品种等其他信息内容。因此，证券经纪商还要向客户提供一份《客户须知》，以便投资者了解诸如股市的风险、合法的证券公司及证券营业部、投资品种与委托买卖方式的选择、客户与代理人的关系、个人证券账户与资金账户实名制、严禁全权委托投资、公司客户投诉电话等事项。客户也要在《客户须知》上签名，表明其已经详细阅读并理解了其中的各项内容。

2. 签订《证券交易委托代理协议》和《客户交易结算资金第三方存管协议》。《证券交易委托代理协议》是客户与证券经纪商之间在委托买卖过程中有关权利、义务、业务规则和责任的基本约定，也是保障客户与证券经纪商双方权益的基本法律文书。

2007 年 11 月 7 日，中国证券业协会发布了有关证券交易委托代理协议的指引，要求证券公司应根据《证券交易委托代理协议（范本）》修订与客户签订的相关证券经纪业务合同文本。《证券交易委托代理协议（范本）》的内容包括：双方声明及承诺、协议标的、资金账户、交易代理、网上委托、变更和撤销、甲方授权代理人委托、甲乙双方的责任及免赔条款、争议的解决、机构客户、附则。

在《证券交易委托代理协议》中，甲方（客户）要向乙方（证券公司营业部）作如下声明和承诺：甲方具有合法的证券投资资格，不存在法律、法规、规章、证券登记结算机构业务规则以及证券交易所交易规则禁止或限制其投资证券市场的情形；甲方保证在其与乙方委托代理关系存续期内向乙方提供的所有证件、资料均真实、准确、完整、合法，并保证其资金来源合法；甲方已阅读并充分理解乙方向其提供的《风险提示书》、《客户须知》，清楚认识并愿意承担证券市场投资风险；甲方已详细阅读本协议所有条款，并准确理解其含义，特别是其中有关乙方的免责条款；甲方同意遵守证券市场有关法律、法规、规章以及证券登记结算机构业务规则及证券交易所交易规则；甲方承诺遵守本协议，并承诺遵守乙方的相关管理制度。

同样，在《证券交易委托代理协议》中，乙方（证券公司营业部）要向甲方（客户）作如下声明和承诺：乙方是依法设立的证券经营机构，具有相应的证券经纪业务资格，且已实施客户交易结算资金第三方存管；乙方具有开展证券经纪业务的必要条件，能够为甲方的证券交易提供相应的服务；乙方承诺遵守有关法律、法规、规章、证券登记结算机构业务规则以及证券交易所交易规则；乙方的经营范围以证券监督管理机关批准的经营内容为限，不接受客户的全权交易委托，不对客户的投资收益或亏损进行任何形式的保证，不编造或传播虚假信息误导投资者，不诱使客户进行不必要的证券买卖；乙方承诺遵守本协议，按本协议为甲方提供证券交易委托代理服务。

同时，我国《证券法》第139条规定："证券公司客户的交易结算资金应当存放在商业银行，以每个客户的名义单独立户管理。"根据此规定，证券公司已全面实施"客户交易结算资金第三方存管"。在该管理模式下，客户开立资金账户时，还需在与证券公司合作的指定商业银行中选择其交易结算资金存管的商业银行，并与其选择的商业银行、证券公司三方共同签署《客户交易结算资金第三方存管协议书》。

3. 开立资金账户与建立第三方存管关系。这里的资金账户是指客户在证券公司开立的专门用于证券交易结算的账户，即《客户交易结算资金第三方存管协议书》所指的"客户证券资金台账。"证券公司通过该账户对客户的证券买卖交易、证券交易资金支取进行前端控制，对客户证券交易结算资金进行清算交收和计付利息等。

证券营业部为客户开立资金账户应严格遵守"实名制"原则。客户须持有效身份证明文件或法人合法证件，以客户本人名义开立；资金账户应与客户开立的各类证券账户、在指定商业银行开立的结算账户名称一致、名实相符。

客户开立资金账户须本人到证券营业部柜台办理。办理时客户须按证券营业部要求如实填写开户申请表，提交身份证明、证券账户、银行结算账户等资料并签署相关协议、风险提示书、授权委托书等法律文件。

客户开立资金账户时，应同时自行设置交易密码和资金密码（统称"密码"）。客户在正常的交易时间内可以修改密码。证券公司、指定商业银行根据与客户签订的《客户交易结算资金第三方存管协议书》，为客户建立其交易结算资金的第三方存管关系。

（二）客户交易结算资金第三方存管

在我国证券市场发展过程中，客户的证券交易结算资金在早期是由其经纪商即证券公司负责管理。在这种管理方式下，客户存取证券交易结算资金主要是通过证券营业部在其营业场所设立的资金柜台办理，或者委托银行代理。随着信息技术和业务的发展又普遍实现了银证转账，即将证券营业部交易系统与银行网点的储蓄系统进行对接，客户凭本人的账号和密码，通过电话、互联网等方式自行完成资金转账。目前按照《证券法》的规定，证券公司客户的交易结算资金应当存放在商业银行，以每个客户的名义单独立户管理。中国证监会也明确要求证券公司在 2007 年全面实施"客户交易结算资金第三方存管"。

客户交易结算资金第三方存管是指证券公司将客户的交易结算资金存放在指定的商业银行，以每个客户的名义单独立户管理。指定商业银行与证券公司及其客户签订客户的交易结算资金存管合同，约定客户的交易结算资金存取、划转、查询等事项，并按照证券交易净额结算、货银对付的要求，为证券公司开立客户的交易结算资金汇总账户。客户交易结算资金的存取通过指定商业银行办理，指定商业银行为客户提供交易结算资金余额及变动情况的查询服务。

客户交易结算资金第三方存管制度与以往的客户交易结算资金管理

模式相比，发生了根本性的变化。主要体现在以下几个方面：

1. 证券公司客户的交易结算资金只能存放在指定的商业银行，不能存入其他任何机构。

2. 指定商业银行须为每个客户建立管理账户，用以记录客户资金的明细变动及余额。指定商业银行须为证券公司开立客户交易结算资金汇总账户，用以客户证券交易交收资金的划付。该账户以证券公司名义开立，但其资金全部为客户所有。"管理账户"为"客户交易结算资金汇总账户"的二级明细记录账户。

3. 客户、证券公司和指定商业银行通过签订合同的形式，明确具体的客户交易结算资金存取、划转、查询等事项。

4. 客户交易结算资金的存取，全部通过指定商业银行办理。

5. 指定商业银行须保证客户能够随时查询其交易结算资金的余额及变动情况。

通过这些变化可以看出，客户交易结算资金第三方存管是一种从制度上保证客户资金安全、维护投资者利益、控制证券行业风险、维护市场稳定的全新的客户交易结算资金管理制度。

（三）委托人和经纪商的权利与义务

经纪关系的建立只是确立了客户与证券经纪商之间的代理关系，而并没有形成实质上的委托关系。当客户办理了具体的委托手续，包括客户填写委托单（柜台委托）或自助委托（包括电话委托、磁卡委托、网上委托等）及证券经纪商受理委托，则客户和证券经纪商之间就建立了受法律约束和保护的委托关系。证券交易中的委托单，如经客户和证券经纪商双方签字和盖章，性质上就相当于委托合同。委托合同是指委托人委托受托人以自己的名义和资金在委托权限内办理委托事务而达成的协议。委托单不仅具备委托合同应具备的主要内容，而且明确了证券经纪商作为受托人以委托人（客户）的名义、在委托人授权范围内办理证券投资事务权限的义务，明确了证券经纪商是委托人进行证券交易代理人的法律身份。这种委托关系表现为：客户是授权人、委托人，证券经纪商是代理人、受托人。

1. 委托人的权利与义务。

（1）在委托买卖证券的过程中，客户作为委托人，享有一定的权利。主要有：

①选择经纪商的权利，即客户可以自由选择经纪商作为代理自己买卖证券的受托人。

②要求经纪商忠实地为自己办理受托业务的权利，即经纪商应根据交易规则，按客户委托的条件买卖证券。如果受托人没有根据委托合同限定的证券种类、数量、价格、期限执行，委托人可拒绝接受，并有权要求赔偿。在发出委托指令后、未成交之前，委托人有权变更或撤销原来的委托指令。

③对自己购买的证券享有持有权和处置权，即客户可以自由买卖、赠与或质押自己名下的证券。

④证券交易过程的知情权，即客户有权知晓委托、交易、清算交割等方面的信息。

⑤寻求司法保护权，即客户的合法权益受到经纪商或其他证券中介机构侵害时，可以通过司法途径寻求保护。

⑥享受经纪商按规定提供其他服务的权利，如交割单的打印、证券和资金结余的查询等。

（2）客户作为委托合同的委托人，在享受权利时也必须承担下列相应的义务：

①认真阅读证券经纪商提供的《风险揭示书》和《证券交易委托代理协议》，了解从事证券投资存在的风险，按要求签署有关协议和文件，并严格遵守协议约定。

②按要求如实提供有关证件，填写开户书，并接受证券经纪商的审核。如果开户登记的事项发生变化，委托人应立即通知受托的证券经纪商予以更正。

③了解交易风险，明确买卖方式。在提出买卖委托之前，委托人应对自己准备买入或卖出的证券价格变化情况有较充分的了解，正确选择委托买卖价格、委托方式和委托期限等。

④按规定缴存交易结算资金。如果发生违规的委托人账户透支情况，委托人不仅有责任立即补足交易资金，而且必须接受罚款的处罚。

⑤确定委托手段。委托人采用柜台委托时，应当如实填写委托单；采

用自助委托时，应当按证券交易所及证券经纪商规定的程序操作。

⑥接受交易结果。委托指令一旦发出，在有效期限内，不管市场行情有何变化，只要受托人是按委托内容代理买卖的，委托人必须接受交易结果，不得反悔。委托人变更或撤销委托，应尽快传达受托人。受托人接到通知后，变更委托的，按变更后的委托内容代理买卖；撤销委托的，应停止执行原委托。但是，如果在有效期限内，受托人已经按原委托指令的内容买卖成交了，委托人就必须承认交易结果，办理交割清算。

⑦履行交割清算义务。委托人在受托人按其委托要求成交后，必须如期履行交割手续，否则即为违约。

2. 证券经纪商的权利与义务。

（1）在委托买卖证券的过程中，证券经纪商作为受托人，享有一定的权利。主要有：

①有拒绝接受不符合规定的委托要求的权利，即客户的委托要求应符合有关法律和规章制度的规定。

②有按规定收取服务费用的权利，如收取交易佣金等。

③对违约或损害经纪商自身权益的客户，经纪商有通过留置其资金、证券或司法途径要求其履约或赔偿的权利。

证券经纪商必须承担一定的义务。这些义务主要体现了为委托人服务和公平买卖的原则。例如，坚持信誉为本、客户至上；坚持客户优先、委托优先；坚持为客户负责，但不代替客户进行决策；坚持公平交易，不得以非正当手段牟取私利。

（2）具体地说，证券经纪商应承担下列义务：

①在客户办理开户手续时，证券经纪商应指定专人向客户讲解有关业务规则和合同内容，并以书面方式向其揭示投资风险，提醒客户了解并注意从事证券投资存在的风险。向客户提供中国证券业协会统一制定的《风险揭示书》，提醒客户认真、详细地阅读。

②按规定与客户签订载入中国证券业协会统一制定的必备条款的《证券交易委托代理协议》，并严格遵守协议约定。

③坚持客户适当性管理原则。证券经纪商应认真要了解客户的身份、财产与收入状况、证券投资经验和风险偏好；向客户推荐的产品或者服务与所了解的客户情况应相适应；对不符合法律规定的客户，不接受其委

托。

④必须忠实办理受托业务。证券经纪商应当置备统一制定的《证券买卖委托书》供委托人使用；采取其他委托方式的，必须有委托记录。客户的证券买卖委托，不论是否成交，其委托记录应当按规定的期限予以保存。在接受委托人的买卖委托后，须按委托人的指令立即以一定的方式传至证券交易所的电脑主机，尽力以对客户最有利的价格成交。证券经纪商必须忠实地按照委托人所委托的交易种类、证券名称、买入或卖出、买卖数量、限价或市价等条件，在委托有效时间内买卖有价证券，不得以任何方式损害委托人的权益。委托人的委托如未成交或未能全部成交，在委托有效期内可继续执行，直至有效期结束。如委托人变更或撤销委托，证券经纪商也应立即将变更指令传至证券交易所的交易系统电脑主机。委托人撤销或未能成交的委托，证券经纪商应退还其缴纳的资金或证券。买卖成交后，证券经纪商应当按规定制作买卖成交报告单交付客户，并代为办理清算、交收，将款项和证券及时交付给客户签收。

⑤坚持为客户保密制度。证券经纪商对委托人的一切委托事项负有保密义务，未经委托人许可严禁泄露。但监管、司法机关与证券交易所等查询不在此限。

⑥如实记录客户资金和证券的变化。证券经纪商对委托人的委托买卖内容及交易结算资金存取和证券库存的变化，必须有真实的凭证和翔实的记录。

⑦不接受全权委托。我国现行的法规规定，证券经纪商不得接受代替客户决定买卖证券数量、种类、价格及买入或卖出的全权委托，也不得将营业场所延伸到规定场所以外。同一证券公司在同时接受两个以上委托人就相同种类、相同数量的证券按相同价格分别作委托买入和委托卖出时，不得自行对冲成交，必须分别进场申报竞价成交。

证券经纪商在证券代理买卖中如不履行或不适当履行委托合同，应承担违约责任。因证券公司过失造成委托人损失的，必须负赔偿责任。委托人如遇证券经纪商违约造成损失而又不履行赔偿责任时，可依据证券买卖代理协议的约定申请仲裁，或者直接向法院提起诉讼。

第二节　证券经纪业务的营运管理

证券营业部日常经营管理的主要内容就是经纪业务的营运管理。营业部经纪业务的营运管理主要是通过制定标准化的经纪业务操作规程，规范经纪业务操作程序，并合理、有效地组织实施来实现的。经纪业务操作规程是确保营业部经纪业务各环节顺利运转及规范运作、减少业务差错、提高工作效率和服务质量的重要制度。

经纪业务运营管理的主要内容包括账户管理（包括证券账户和资金账户管理）、证券委托买卖、清算交割、投资者教育与适当性管理、证券投资顾问服务等。以下主要介绍这些业务内容的管理要求和基本操作规范。

一、账户管理

经纪业务客户账户主要包括：客户在证券公司开立的资金账户（包括普通资金账户和信用资金账户）、代理中国结算公司开立的各市场证券账户（包括普通证券账户和信用证券账户）、代理基金注册登记机构开立的开放式基金账户、经核准允许受理的其他金融产品账户等（本节主要介绍客户普通资金账户和代理中国结算公司开立的普通证券账户的有关管理要求）。

账户管理主要包括：账户的开立、信息变更、注销；证券账户的合并、挂失补办；不合格账户、休眠账户及风险处置休眠账户的管理；账户信息比对与报送；客户账户档案管理等。

账户管理要在合法合规的前提下、坚持管理操作规范化，标准化，客户资料真实、有效、完整、一致的原则。要确保客户身份真实、系统信息与书面资料及业务凭证真实、有效、完整、一致；严格执行客户身份识别、身份重新识别和身份持续识别制度，发现、甄别大额交易和可疑交易并及时报告；建立投诉受理、处理与反馈机制；杜绝虚假账户及违规行为的发生。

（一）客户身份识别

1. 客户账户管理业务的客户身份识别。证券公司营业部为客户办理账户业务时，应严格坚持账户实名制度，严格审核客户身份信息。在办理下列账户业务时，应当进行客户身份识别。

（1）资金账户的开立、注销；

（2）代理证券账户的开立、指定交易及撤销指定交易、转托管、挂失补办、合并和注销；

（3）代理开放式基金账户的开立、注销；

（4）信用账户的开立、注销；

（5）客户资料修改；

（6）指定商业银行签约、变更，修改银行账户资料；

（7）交易密码、资金密码、通讯密码清空重置；

（8）开通非柜面交易委托方式；

（9）增加服务品种；

（10）不合格账户、休眠账户的规范；

（11）其他与账户管理有关的重要业务。

营业部在进行客户身份识别时，应审查、核对下列文件：

（1）个人客户本人办理的，应核查客户出示的本人有效身份证明文件；个人客户的继承人办理被继承人的账户业务的，应按《中华人民共和国继承法》（简称《继承法》）办理。

（2）机构客户办理的，应核查客户出示的有效身份证明文件和资料、法定代表人（执行事务合伙人）证明书、有效授权委托书、委托人和代理人的有效身份证明文件。

营业部应留存客户有效身份证明文件或其他身份证明文件的复印件，留存客户办理业务现场的头部正面照片。

个人客户及机构客户的代理人的二代公民身份证须通过二代身份证读卡器检验证件真伪；无法用二代身份证读卡器读取的，营业部须通过核查公安部全国公民身份信息或查验客户其他身份证明文件等方式检验证件真伪。其他身份证明文件须通过核查公安部全国公民身份信息或查验客户其他身份证明文件等方式检验证件真伪；无法证实身份证明文件真伪的，营业部应拒绝为其办理业务。

2. 账户身份信息变更时客户身份的重新识别。营业部在办理账户身份信息变更业务时，应当重新识别客户身份。重新识别客户身份应审查、核对下列文件：

（1）个人客户本人办理的，应核查客户出示的本人有效身份证明文件；个人客户的继承人办理被继承人的账户业务的，应按《继承法》办理。

（2）机构客户办理的，应核查客户出示的有效身份证明文件和资料、法定代表人（执行事务合伙人）证明书、有效授权委托书、委托人和代理人的有效身份证明文件。

3. 客户身份持续识别与账户客户信息维护。账户存续期间，证券公司营业部应每三年一次对个人客户信息进行全面核查，每年对机构客户信息进行全面核查，核查内容包括：

（1）客户姓名、名称或证件号码、证件有效期、机构年检有效期等客户重要身份信息。如有发生变化，应督促客户及时办理账户信息变更手续。

（2）客户重要身份信息、联系地址、联系电话等发生变化的，应同步变更客户各类账户的信息。

（二）证券账户的管理及操作规范

证券账户管理包括证券账户的开立、证券账户挂失补办、证券账户注册资料查询与变更、证券账户合并与注销、非交易过户等。

1. 证券账户的开立。证券公司营业部在为客户开户时须根据中国结算公司《证券账户管理规则》确认客户证券账户的开户资格及各类证券品种的交易权限。须针对客户拟投资的高风险证券品种进行客户适当性评估与管理，向客户揭示风险。按照中国结算公司《证券账户管理规则》和账户开立的基本要求在经纪业务账户管理系统中开立证券账户。

（1）境内自然人申请开立证券账户：由客户本人填写"自然人证券账户注册申请表"，并提交本人有效身份证明文件及复印件。委托他人代办的，还需提供经公证的委托代办书、代办人的有效身份证明文件及复印件。

境内自然人申请开立 B 股账户，需先开立 B 股资金账户。即境内居民个人需凭本人有效的身份证明文件到其原外汇存款银行，将其可投资 B 股的外汇资金转入本人欲委托买卖 B 股的证券公司的 B 股保证金账户，然后凭本人有效身份证明和本人进账凭证到该证券公司开立 B 股资金账户，最后凭 B 股资金账户开户证明开立 B 股证券账户。

（2）境内法人申请开立证券账户：客户填写"机构证券账户注册申请表"，并提交有效身份证明文件（企业法人营业执照或注册登记证书）及复印件或加盖发证机关确认章的复印件、经办人有效身份证明文件及复印件。

境内法人还需提供加盖公章的法定代表人证明书、经法定代表人签章并加盖公章的法定代表人开立机构证券账户授权委托书、法定代表人的有效身份证明文件复印件。

境外法人还需提供董事会或董事、主要股东授权委托书，以及授权人的有效身份证明文件复印件。

（3）境内合伙企业、创业投资企业申请开立证券账户：客户填写"合伙企业等非法人组织证券账户注册申请表"；提交工商管理部门颁发的营业执照（或其他国家有权机关颁发的合伙组织成立证书）及复印件，组织机构代码证及复印件，合伙协议或投资各方签署的创业投资企业合同及章程（须加盖企业公章），全体合伙人或投资者名单、有效身份证明文件及复印件，经办人有效身份证明文件及复印件，执行事务合伙人或负责人证明书（须加盖企业公章），执行事务合伙人或负责人有效身份证明文件及复印件，加盖企业公章的执行事务合伙人或负责人对经办人的授权委托书（合伙企业执行事务合伙人以合伙企业营业执照上的记载为准，有多名合伙企业执行事务合伙人的，由其中一名在授权书上签字；执行事务合伙人是法人或者其他组织的，由其委派代表在授权书上签字）。

创业投资企业还须提交商务部颁发的"外商投资企业批准证书"或省级（含副省级城市）以上创业投资管理部门出具的创业投资企业备案文件。

（4）经办人查验申请人所提供资料的真实性、有效性、完整性及一致性，在申请表单上签章后，将所有资料交复核员实时复核。

（5）复核员实时复核，确认合格后在注册申请表上注明"已审核"并签名，同时加盖开户业务专用章后，将资料交还经办人；经办人将有效身份证明原件交还客户，其余资料留存。

（6）按规定数据格式实时向中国结算公司传送开户数据，内容包括自然人姓名及有效身份证明文件号码或法人名称及有效身份证明文件号码、通讯地址、联系电话、开户机构、申请日期等。

实时接收中国结算公司返回的确认结果，按规定格式打印证券账户卡或 B 股账户确认书（统称"证券账户卡"），加盖开户代理机构"证券账户开户业务专用章"后交申请人。

（7）收市后经办人将客户留存资料归入客户资料档案留存。

2. 证券账户卡挂失补办。

（1）自然人申请挂失补办：客户本人填写挂失补办证券账户卡申请表，并提供本人有效身份证明文件及复印件，或本人户口本、户口所在地公安机关出具的贴本人照片并压盖公安机关印章的身份证遗失证明及复印件。补办新号码上海证券账户卡时，还应提供其指定交易证券营业部（或 B 股托管机构）出具的原证券账户冻结证明。客户委托他人代办的，还应提交经公证的代理委托书、代办人的有效身份证明文件及复印件。

（2）法人申请挂失补办：法人客户经办人（被授权人）填写挂失补办证券账户卡申请表。

补办原号码证券账户卡：提交法人有效身份证明文件及复印件或加盖发证机关确认章的复印件、经办人有效身份证明文件及复印件。

补办新号码证券账户卡：境内法人提交法定代表人证明书、法定代表人授权委托书和法定代表人有效身份证明文件复印件。境外法人还需提供董事会或董事、主要股东授权委托书，以及授权人的有效身份证明文件复印件。

对于未办理指定交易的上海证券账户持有人，申请补办证券账户卡之前，应先办理指定交易手续。

补办新号码上海证券账户卡还应当提供托管证券公司（或 B 股托管机构）出具的原证券账户冻结证明。

（3）经办人查验申请人所提供资料的真实性、有效性、完整性及一致性，在申请表单上签章后将所有资料交复核员实时复核。

（4）复核员实时复核并在申请表单上签章后，将资料交还经办人；经办人将有效身份证明原件交还客户，其余资料留存。

补办原号码证券账户卡的，直接打印证券账户卡交客户（申请人）。

补办新号码证券账户卡的，按规定数据格式将有关资料传送中国结算公司，中国结算公司审核合格后即时予以配号，自动将新证券账户托管到原证券账户托管的证券公司（或 B 股托管机构），并将相关证券由原证券账户转到新的证券账户。

（5）收市后经办人将客户留存资料归入客户资料档案留存。

3. 证券账户注册资料的查询。

（1）自然人申请查询：客户本人填写"证券账户注册资料查询申请表"，并提交本人有效身份证明文件及复印件，或本人户口本、户口所在地公安机关出具的贴有本人照片并压盖公安机关印章的身份证遗失证明及复印件。委托他人代办的，还需提供经公证的委托代办书、代办人的有效身份证明文件及复印件。

（2）法人申请查询：客户填写"证券账户注册资料查询申请表"，并提交有效身份证明文件及复印件或加盖发证机关确认章的复印件，或发证机关出具的注明注册号的遗失证明及复印件，以及经办人有效身份证明文件及复印件。

境内法人还需提供法定代表人证明书、法定代表人授权委托书和法定代表人的有效身份证明文件复印件；境外法人还需提供董事会或董事、主要股东授权委托书以及授权人的有效身份证明文件复印件。

（3）经办人查验申请人所提供资料的真实性、有效性、完整性及一致性，在申请表单上签章后，将所有资料交复核员实时复核。

（4）复核员实时复核并在申请表单上签章后，将资料交还经办人；经办人将有效身份证明原件交还客户，其余资料留存。

（5）经办人向中国结算公司实时办理查询，并将查询结果交客户经办人。

4. 证券账户注册资料的变更。当证券账户注册资料中的自然人姓名或机构名称、有效身份证明文件号码或中国结算公司要求的其他情形之一发生变化时，账户持有人应及时办理注册资料变更手续。

（1）自然人申请变更：客户本人填写"证券账户注册资料变更申请

表"，并提交客户本人证券账户卡及复印件、本人有效身份证明文件及复印件、发证机关出具的有关变更证明及复印件（变更证明包括原姓名、原身份证号码及新姓名、新身份证号码）、中国结算公司要求提供的其他资料。客户委托他人代办的，还需提供经公证的委托代办书、代办人有效身份证明文件及复印件。

（2）法人申请变更：客户填写"证券账户注册资料变更申请表"，并提交证券账户卡及复印件、法人有效身份证明文件及复印件或加盖发证机关确认章的复印件、发证机关出具的有关变更证明及复印件、经办人有效身份证明文件及复印件、中国结算公司要求提供的其他资料。

境内法人还需提供法定代表人证明书、法定代表人授权委托书和法定代表人的有效身份证明文件复印件；境外法人还需提供董事会或董事、主要股东授权委托书以及授权人的有效身份证明文件复印件。

（3）合伙企业、创业投资企业申请变更：企业名称、有效身份证明文件号码、企业类型、营业期限、执行事务合伙人（或委派代表）或负责人、其他合伙人或投资者发生变更的，企业应及时申请办理账户注册信息变更手续。客户填写"合伙企业等非法人组织证券账户注册资料变更申请表"，提交：工商管理部门颁发的营业执照（或其他国家有关机关颁发的合伙组织成立证书）及复印件；变更后的合伙协议或创业投资企业合同及章程（须加盖企业公章）；发证机关出具的有关变更证明文件及复印件；变更后执行事务合伙人或负责人有效身份证明文件及复印件；执行事务合伙人是法人或者其他组织的，还需提供委派代表有效身份证明文件及复印件（执行事务合伙人或负责人变更时提供）；继任代表的有效身份证明文件及复印件、继任委派书（法人、其他组织委派的执行合伙事务的代表发生变化时提供）；变更后的全体合伙人或投资者名录、涉及变更的合伙人或投资者的有效身份证明文件及复印件（合伙人或投资者变更时提供）；经办人有效身份证明文件及复印件、执行事务合伙人或负责人证明书（须加盖企业公章）、执行事务合伙人或负责人有效身份证明文件及复印件、加盖企业公章的执行事务合伙人或负责人对经办人的授权委托书（合伙企业执行事务合伙人以合伙企业营业执照上的记载为准；有多名合伙企业执行事务合伙人的，由其中一名在授权书上签字；执行事务合伙人是法人或者其他组织的，由其委派代表在授权书上签字）。对于合伙企业、创业投资企业等非法人组织，委托交易的证券公司应每年核实其营业执照是否有效、是否通过年检。如营业执照过期或未通过年检，证券公司应督促其及时更正。

对于合伙企业、创业投资企业等非法人组织名称、有效身份证明文件号码、执行事务合伙人（或委派代表）或负责人、其他合伙人或投资者、企业类型、营业期限发生变更的，证券公司应督促合伙企业、创业投资企业等非法人组织及时按规定办理变更手续。对于联系地址、联系电话等信息发生变化的，证券公司核实后，应在柜面系统以及登记结算系统中予以修改。

（4）经办人查验申请人所提供资料的真实性、有效性、完整性及一致性，在申请表单上签章后将所有资料交复核员实时复核。

（5）复核员实时复核并在申请表单上签章后，将资料交还经办人；经办人将有效身份证明原件交还客户，其余资料留存。

（6）收市后经办人将客户留存资料归入客户资料档案留存。

（7）将客户证券账户卡、授权委托书、发证机关出具的变更证明等原件及有效身份证明复印件寄送中国结算公司审核。审核通过后，中国结算公司于 5 个工作日内更改相应注册资料，经办人在 5 个工作日后打印新的证券账户卡交申请人。获得中国结算公司授权的开户代理机构可直接办理证券账户注册资料变更手续。

5. 证券账户合并。

（1）自然人申请合并：客户填写"合并证券账户申请表"，并提交有效身份证明文件及复印件、拟合并的证券账户卡及复印件。客户委托他人代办的，还需提供经公证的委托代办书、代办人的有效身份证明文件及复印件。

（2）法人申请合并：客户填写"合并证券账户申请表"，并提交拟合并的证券账户卡及复印件、法人有效身份证明文件及复印件或加盖发证机关确认章的复印件、经办人有效身份证明文件及复印件。

境内法人还需提交加盖公章的法定代表人证明书、法定代表人签章并加盖公章的法定代表人有效身份证明文件复印件、法定代表人授权合并证券账户委托书。境外法人还需提供董事会或董事、主要股东授权委托书以及授权人的有效身份证明文件复印件。

（3）经办人查验申请人所提供资料的真实性、有效性、完整性及一致性，在申请表单上签章后交复核员实时复核。

（4）复核员实时复核并在申请表单上签章后，将资料交还经办人；经办人将有效身份证明原件交还客户，其余资料留存。

（5）收市后经办人将客户留存资料归入客户资料档案留存。

（6）将被合并的证券账户卡收缴存档，并按规定的数据格式将合并的证券账户的资料报送中国结算公司。中国结算公司审核合格后，实时办理合并手续，并将被合并的账户予以注销。

6. 证券账户注销。

（1）自然人申请注销：客户填写"注销证券账户申请表"，并提交没有证券余额的证券账户卡、有效身份证明文件及复印件。客户委托他人代办的，还需提供经公证的委托代办书、代办人的有效身份证明文件及复印件。

（2）法人申请注销：客户填写"注销证券账户申请表"，并提交没有证券余额的证券账户卡、法人有效身份证明文件及复印件或加盖发证机关确认章的复印件、经办人有效身份证明文件及复印件。境内法人需提交加盖公章的法定代表人证明书、法定代表人签章并加盖公章的法定代表人授权注销证券账户委托书、法定代表人有效身份证明文件复印件。境外法人还需提供董事会或董事、主要股东授权委托书以及授权人的有效身份证明文件复印件。

（3）合伙企业、创业投资企业申请注销：企业依法解散的，清算人应当自清算结束之日起15日内申请注销。经办人填写"注销证券账户申请表"；提交证券账户卡、企业有效身份证明文件及复印件、经办人有效身份证明文件及复印件、清算人对经办人的授权委托书。

（4）经办人查验申请人所提供资料的真实性、有效性、完整性及一致性，在申请表单上签章后交复核员实时复核。

（5）复核员实时复核并在申请表单上签章后，将资料交还经办人；经办人将有效身份证明原件交还客户，其余资料留存。

（6）收市后经办人将客户留存资料归入客户资料档案留存。

（7）将拟注销的证券账户卡收缴存档，并按规定的数据格式将注销证券账户的资料报送中国结算公司。中国结算公司审核合格后实时办理注销手续。

7. 非交易过户。

（1）自然人因遗产继承办理公众股非交易过户：申请人填写"股份非交易过户申请表"，并提交继承公证书、证明被继承人死亡的有效法律文件及复印件、继承人身份证原件及复印件、证券账户卡原件及复印件、股份托管证券营业部出具的所涉流通股份冻结证明。申请人委托他人代办的，还应提供经公证的代理委托书、代办人有效身份证明文件及复印件。

（2）自然人因出国定居向受赠人赠与公司职工股办理非交易过户：申请人填写"股份非交易过户申请表"，并提交赠与公证书、赠与方原户口所在地公安机关出具的身份证注销证明及复印件、受赠方身份证及复印件、当事人双方证券账户卡及复印件、上市公司出具的确认受赠人为该公司职工的证明。申请人委托他人代办的，还应提供经公证的代理委托书、代办人有效身份证明文件及复印件。

（3）经办人查验申请人所提供资料的真实性、有效性、完整性及一致性，在申请表单上签章后交复核员实时复核。

（4）复核员实时复核并在申请表单上签章后，将申请表及资料交营业部分管负责人审核；营业部分管负责人在"股份非交易过户申请表"上实时审核签字后交还经办人；经办人将有效身份证明原件交还申请人，其余资料留存。

（5）经办人向申请人预收取非交易过户的一切费用并出示相应凭证。

（6）按照中国结算公司上海分公司或中国结算公司深圳分公司的要求，将股份非交易过户申请材料以特快专递方式寄送（中国结算公司深圳分公司）或传真至公司经纪业务管理部门（上海证券的非交易过户）。公司经纪业务管理部门审核无误后再传真至中国结算公司。

（7）收市后经办人将客户留存资料归入客户资料档案留存。

（8）经办人于收到登记结算公司非交易过户确认单的下一工作日将该确认单交申请人，并扣除实际发生的费用。

（三）资金账户的管理及操作规范

资金账户（证券资金台账）管理包括资金账户的开户和销户、开通客户交易委托品种、交易委托方式及操作权限、选择客户资金存管的指定商业银行、开通或变更客户交易结算资金第三方存管、指定或撤销指定交易、证券转托管、资金账户挂失与解挂、客户资料修改、密码管理等。

1. 资金账户的开立。

（1）资金账户开立的一般要求。

①客户开立资金账户，应到证券公司营业部柜台提出书面申请，出示有效身份证明文件。

②客户开立资金账户时必须签署《证券交易委托代理协议书》、《风险揭示书》、《买者自负承诺函》（均一式两份），以及《客户资金第三方存管协议书》（一式三份）等文件。一份交客户保存，一份由营业部存档，《客户资金第三方存管协议书》一份交指定商业银行。

③证券营业部在为客户开户前须对客户进行投资者入市风险教育，并进行客户身份识别，审核客户的开户资格，查验客户申请资料的真实性、有效性、完整性、一致性，留存客户申请资料。查验无误后在经纪业务账户管理系统中予以登记，各账户客户信息应保持一致。

④证券营业部为申请人开立资金账户时，须依据客户的书面申请设置资金账户的证券交易委托方式、服务品种、存管或银证转账银行，请客户自行设置密码。

⑤营业部必须对客户的证券账户复印件、有效身份证明文件复印件、所签署的《证券交易委托代理协议书》等各类协议书、《风险揭示书》、买者自负承诺函、业务申请书（表）、代理人身份证复印件等要求留存的各类资料一并归档，按资金账号进行排序，妥善保管，要配备专库并由专人管理。

（2）资金账户开户的操作规范。

①开户申请。

第一，自然人客户：

Ⅰ. 客户本人办理开户：客户提交有效身份证明及复印件、证券账户卡及复印件、拟选择指定商业银行的借记卡，签署《证券交易委托代理协议书》等相关协议书、承诺函等必备文件。

Ⅱ. 委托他人代办开户：代办人提交经公证的委托开立资金账户代办书、委托人有效身份证明及复印件、委托人证券账户卡及复印件、代办人有效身份证明文件及复印件。

Ⅲ. 授权他人代理证券交易：委托人与代理人一起到营业部，同时提交委托人有效身份证明及复印件、委托人证券账户卡及复印件、代理人有效身份证明及复印件，由委托人本人提出授权委托申请，填写客户授权委托书。如委托人无法到柜台办理授权委托手续，还应向营业部提交经国家公证机关公证或我国驻外使领馆认证的授权委托书。

第二，法人客户：要求法人客户指定合法的代理人，并提交法人营业执照正本（或副本）或注册登记证书及加盖公章的复印件、加盖公章的法定代表人证明书原件及法定代表人身份证复印件、法人同名证券账户卡及复印件、由法定代表人签署的法人授权开立资金账户委托书、由法定代表人签章并加盖公章的客户授权委托书、银行结算账户证明文件原件、代理人身份证原件及复印件，签署《证券交易委托代理协议书》（一式两份）。境外法人还需提供董事会或董事、主要股东授权委托书以及授权人的有效身份证明文件复印件。授权委托书应详细写明授权权限、授权期限等内容。

②查验和复核。

Ⅰ. 经办人查验自然人客户开户资料的真实性、有效性、完整性及一致性。

申请人提交的有效身份证明和复印件与申请人是否一致、真实，证券账户卡和其复印件上的姓名与本人是否一致，《证券交易委托代理协议书》上所填写的客户信息是否与提交的资料一致、完整。发现客户身份存疑的，应当要求客户补充提供居民户口簿或者有效期内的护照或者户籍所在地公安机关出具的身份证明文件原件等足以证明其身份的其他证明材料；无法证实的，应当拒绝为客户开立账户。

Ⅱ. 查验法人客户开户条件是否符合《证券法》规定，应以企业真实名称开立资金账户，不得以他人名义开立资金账户进行证券交易。客户所提交的材料是否完整齐全，是否在有效期内，是否办理过年检等；证券账户卡及其复印件机构的名称是否与企业法人营业执照或注册登记证书上的机构名称一致；法定代表人证明书和法定代表人身份证复印件是否一致；《证券交易委托代理协议书》上所填写的客户信息是否与提交的资料一致、完整；《证券交易委托代理协议书》上加盖的公章是否与提交的原始资料上的公章一致。

Ⅲ. 查验客户授权委托书的真实性、有效性、完整性。授权委托书上的代理人姓名和实际代理人本人身份证及其复印件是否一致、真实。

Ⅳ. 通过登记结算系统查验客户提交证券账户的状态，并核对该账户在登记结算系统登记的账户信息。客户名称、有效身份证明文件号码与登记结算系统登记的账户信息一致，且不属于在登记结算系统作单独管理的休眠账户或不合格账户的，营业部方可为客户办理新开资金账户手续。如客户名称、有效身份证明文件号码与登记结算系统登记的账户信息不一致，或者属于在登记结算系统作单独管理的休眠账户、不合格账户的，营业部应要求客户按规定更正登记结算系统登记的账户信息、办理休眠账户激活或不合格账户规范手续后，方可为其办理新开资金账户手续。

③电脑开户。为客户在柜台交易系统开设资金账户并办理上海证券账户的指定交易，同时要求客户设定资金密码和交易密码（开通网上交易的客户还需设定通讯密码），并告诫客户注意密码的自我保密。

将客户选择的指定商业银行及提交的银行借记卡号输入柜台交易系统。

将代理人姓名、代理期限及代理权限输入柜台交易系统（账户操作权限必须与代理人操作权限一致）。

将客户选择的委托方式及交易品种等输入柜台交易系统（有的交易品种须单独签署相关协议，输入时如涉及这些品种应核对是否签署相关协议等）。

④打印柜台交易系统"客户账户基本信息表"（一式两联），交由客户签名确认。

⑤经办人将客户递交的所有资料、客户签署的《证券交易委托代理协议书》等文件、系统打印的柜台交易系统"客户账户基本信息表"交复核员通过系统实时复核，复核内容与经办人查验要求相同。

⑥经办人在《证券交易委托代理协议书》的乙方栏内填写营业部信息，经办人与复核人分别签名或盖章。

⑦将经打印的柜台交易系统"客户账户基本信息表"一联和《证券交易委托代理协议书》（客户留存文本）交客户保存。给客户发放资金账户卡，酌情收取服务费或开户工本费。

⑧收市后，经办人将经打印的柜台交易系统"客户账户基本信息表"

（营业部留存联）和客户其他必须留存的资料归入客户资料档案留存，并在"客户证件/资料原件（复印件）清单"上做好收件记录。

应留存归档的自然人客户资料包括：客户本人有效身份证明或其他证明客户本人身份的有效证件复印件、同名证券账户卡复印件，指定代理人的还必须留存代理人身份证复印件、客户授权委托书原件，客户签署的《证券交易委托代理协议书》、《风险揭示书》、《买者自负承诺函》、《客户资金第三方存管协议书》等（营业部留存）所有协议书及各类业务表单，柜台系统打印的经客户签名确认的客户账户基本信息表，其他必须留存归档的资料。

应留存归档的法人客户资料包括：加盖公章的境内企业法人营业执照或注册登记证书复印件；加盖公章的法定代表人证明书原件；加盖公章的法定代表人有效身份证复印件；法人同名证券账户卡复印件；境外法人还需提供董事会或董事、主要股东授权委托书以及授权人的有效身份证明文件复印件；代理人身份证复印件、经法定代表人签章并加盖公章的法定代表人授权开立资金账户委托书和客户授权委托书原件；银行结算账户证明文件；客户签署的《证券交易委托代理协议书》、《风险揭示书》、《买者自负承诺函》、《客户资金第三方存管协议书》等（营业部留存）所有协议书及各类业务表单；柜台系统打印的经客户签名确认的"客户账户基本信息表"；其他必须留存归档的资料。

2. 客户申请开通网上交易委托方式（已开立资金账户但尚未申请开通网上交易的客户）。

（1）客户持有效身份证明和资金账户卡，到营业部柜台提出网上交易申请，签署《网上交易协议书》。

（2）经办人查验客户提交的身份证件、资金账户卡，查验协议书填写的准确性和完整性，与原留存身份证件核对确认系同一人后，交复核员通过系统实时复核（复核要求与经办人相同）。

（3）经办和复核人员分别在《网上交易协议书》上签名或盖章。

（4）经办人在柜台交易系统为客户开通网上交易权限。

（5）客户当场设置通讯密码，经办人提醒客户注意密码的保密。

（6）经办人将《网上交易协议书》归入客户资料档案留存。

3. 客户申请开通其他交易委托方式或其他交易品种。

（1）客户持本人有效身份证明文件和资金账户卡，提出××交易委托方式或××交易品种申请，填写"××交易委托方式（或××交易品种）申请书（表）"，签署"××交易委托方式（或××交易品种）协议书（风险提示书）"。新交易委托方式（或新交易品种）的协议书（风险揭示书）由公司按照相关规定适时统一制定并下发。

（2）经办人查验客户提交的资料，查验"申请书（表）"或"协议书（风险提示书）"填写的准确性与完整性，经与原留存身份证件核对确认系同一人后，交复核员通过系统实时复核（复核要求与经办人相同）。

（3）经办和复核人员分别在"申请书（表）"或"协议书（风险提示书）"上签名或盖章。

（4）经办人在柜台交易系统为客户开通××交易委托方式或××交易品种的交易权限。

（5）经办人将"申请书（表）"或"协议书（风险提示书）"归入客户资料档案留存。

4. 自然人客户申请开通创业板市场交易。

机构客户可按上述"3. 客户申请开通其他交易委托方式或其他交易品种"的有关手续，申请办理开通创业板市场交易。

（1）通过现场询问、问卷调查等方式，收集客户信息，包括客户身份、财产与收入状况、证券投资经验、风险偏好、投资目标等。根据所收集的客户信息，对客户风险认知与承受能力进行测评，并将测评结果告知客户，作为客户判断自身是否适合参与创业板市场交易的参考。

（2）根据了解的客户信息和测评情况，对客户有针对性地进行风险揭示、市场特性及交易规则等讲解，引导客户在充分了解创业板市场特性的基础上，客观评估自身的风险承受能力，审慎决定是否申请开通和参与创业板市场交易。

（3）经上述程序，客户决定申请开通创业板市场交易的，请客户在营业部现场书面签署《创业板市场投资风险揭示书》一式两份。对具有和尚未具有2年交易经验的自然人客户，分别按以下方式处理：

①对具有2年以上（含2年）股票交易经验的自然人客户（交易经验的起算时点为客户本人名下账户在深圳、上海证券交易所发生首笔股票交易之日），请其在《风险揭示书》上抄写"声明"："本人确认已阅读

并理解创业板市场相关规则和上述风险揭示的内容，具有相应的风险承受能力，自愿承担参与创业板市场投资的各种风险。"营业部经办人员见证客户抄写、签署并核对相关内容后再予签字确认，再交复核员复核并签名。

②对尚未具备 2 年交易经验的自然人客户，如要求开通创业板市场交易，在按照上述（3）的要求签署《创业板市场投资风险揭示书》时，应当就自愿承担市场风险抄录"特别声明"："本人尚未具备两年以上交易经验，确认已阅读并理解创业板市场相关规则和上述风险揭示的内容，具有相应的风险承受能力，自愿参与创业板市场，并愿意承担相关的各种风险。"营业部经办人员见证客户抄写、签署并核对相关内容后再予签字确认，复核员复核并签名。最后还必须交由营业部负责人签字确认。

（4）经办人将客户签署并经营业部确认的《创业板市场投资风险揭示书》一份交还客户，一份营业部留存。

（5）营业部经办人在 T + 2 交易日后，为具有 2 年以上股票交易经验的客户在交易系统中开通创业板交易业务（即在第 T + 3 交易日开通交易）；在 T + 5 交易日后，为尚未具备 2 年交易经验的客户在交易系统中开通创业板交易业务（即在第 T + 6 交易日开通交易）。复核员复核后生效。

（6）营业部经办人将客户填写、签署的问卷调查表、风险测评表、《创业板市场投资风险揭示书》等资料归入客户资料档案留存。

5. 客户委托方式或其他交易品种操作权限的终止。

（1）自然人客户必须持其本人有效身份证明、资金账户卡，法人客户还需持法人授权委托书原件、代理人身份证原件。

（2）客户填写"客户有关资料更改申请"。

（3）经办人查验所提供的相关资料及有效身份证明文件与申请人的一致性、真实性，有效身份证明文件与存档身份资料的一致性，并交复核员复核。

（4）复核员通过系统进行实时复核，复核要求与经办人相同。

（5）经办和复核分别在"客户有关资料更改申请"上签名或盖章。

（6）经办人将变更后的有关信息输入电脑。

（7）经办和复核在该客户的"客户账户类资料更改登记表"（通常作

为《证券交易委托代理协议书》附件）上写明的变更事项、变更时间，并签名或盖章。

（8）经办人将"客户有关资料更改申请"归入客户资料档案留存。

6. 开通或变更客户交易结算资金第三方存管（已开立资金账户但未开通三方存管的客户）。

（1）选择指定商业银行。

第一，证券公司营业部办理三方存管手续。客户本人持有效证件（个人客户：身份证件；机构客户：营业执照副本原件和加盖客户公章的复印件、法人授权委托书、法定代表人身份证复印件、授权代理人的有效身份证件）到证券公司开户营业部，在证券公司确定的指定商业银行范围内，选择拟建立第三方存管关系的银行，签署《××银行客户交易结算资金第三方存管协议书》（有的银行规定只能到银行方签署此协议）及"第三方存管开通申请表"，办理相关手续。

第二，指定商业银行确认。客户本人持有效证件和在营业部签署的《××银行客户交易结算资金第三方存管协议书》（银行留存联）到指定商业银行营业网点办理指定商业银行确认手续。按银行规定须在银行方签署第三方存管协议的，则提交加盖证券公司营业部业务章的"第三方存管开通申请表"客户回单到指定商业银行营业网点办理指定商业银行签约和确认手续。办理时客户需输入银行结算账户密码和证券资金账户密码。

（2）客户变更指定商业银行。

①客户撤销指定商业银行。客户持有效证件到证券公司开户营业部，填制第三方存管变更申请表。证券营业部经办人受理业务后须查验该客户资金账户当日是否发生过银证转账或证券交易。如发生过则不能为客户办理变更指定商业银行手续；如未发生过则为客户办理撤销指定商业银行手续，随即停止客户银证转账服务。

②客户选择新的指定商业银行（同"选择指定商业银行"）。

撤销指定商业银行成功后，客户应立即在证券营业部办理新的指定商业银行的指定手续。

（3）客户变更银行账户。客户本人持有效证件和新的同名银行借记卡到银行营业网点，申请变更银行结算账户。但如客户当日有银证转账交易的，不能办理银行账户变更手续。

（4）客户撤销资金账户。客户本人持有效证件到开户证券营业部，办理撤销指定、转托管。下一营业日，客户持有效证件到开户证券营业部，填制资金账户销户申请表。

证券营业部经办人按业务规定审核客户符合销户条件，校验客户身份、预留印鉴（机构客户）、资金账户和密码合法后，为客户办理资金账户结息手续，客户交易结算资金停止计息。证券公司应当在接受客户申请并完成其账户交易结算（包括但不限于交易、基金代销、新股申购等业务）后的2个交易日内办理完毕销户手续。

客户通过银证转账通道将客户资金账户的全部余额（含结息金额）转入客户银行结算账户。

下一营业日，证券营业部为客户办理撤销三方存管业务，撤销成功后为客户办理资金账户销户手续。

7. 账户挂失、补办。

（1）遗失资金账户卡或因卡破损无法使用的客户：自然人客户必须凭其本人有效身份证明、证券账户卡（或因破损而无法使用的资金账户卡）办理补卡（或换卡）事宜。法人客户还需持法人授权委托书原件、代理人身份证原件。

（2）遗失身份证及资金账户卡：自然人客户必须凭其本人有效身份证明，或户口本、户口所在地公安机关出具的身份证明。客户委托他人代办的，还应当提交经公证的委托代办书、代办人有效身份证明文件及复印件。

（3）客户填写"客户有关资料更改申请"交经办人。

（4）经办人查验客户所提供的相关资料、有效身份证明文件与本人的一致性、真实性，存档的身份证件复印件与客户本人的一致性，交复核员复核。

（5）复核员通过系统进行实时复核，复核要求与经办人查验要求相同。

（6）经办人根据申请人要求给予办理挂失或补办新卡，酌情收取服务费或工本费。

（7）经办和复核分别在"客户有关资料更改申请"上签名或盖章，与客户户口所在地公安机关出具的身份证明一并归入客户资料档案留存。

（8）经办和复核在该客户的"客户账户类资料更改登记表"上写明变更事项、变更时间，并签名或盖章。

8. 账户解挂。

（1）已办理挂失的自然人客户必须持其本人有效身份证明、证券账户卡。法人客户还需持法人授权委托书原件、代理人身份证原件。

（2）客户填写"客户有关资料更改申请"交经办人。

（3）经办人查验客户所提供的相关资料、有效身份证明文件与本人的一致性、真实性，以及存档的身份证件复印件与客户本人的一致性，并调阅存档资料的资料更改登记，交复核员复核。

（4）复核员通过系统进行实时复核，复核要求与经办人查验要求相同。

（5）经办和复核分别在"客户有关资料更改申请"上签名或盖章。

（6）将"客户有关资料更改申请"交营业部相关负责人实时审核签字。

（7）经办和复核在该客户的"客户账户类资料更改登记表"上写明变更事项、变更时间，并签名或盖章。

（8）经办人将"客户有关资料更改申请"归入客户资料档案留存。

9. 客户重要资料变更。自然人客户的姓名、身份证号码、证券账号、代理人姓名、代理人身份证号、授权委托权限及期限发生变化，法人客户的法人全称、注册号码、法定代表人姓名、法定代表人身份证号、代理人姓名、代理人身份证号、授权委托权限及期限、预留印鉴、银行账号发生变化，均需在柜台办理客户有关资料更改申请手续。

（1）自然人客户。

①客户（或代理人）姓名或身份证号发生变化：客户提交本人有效身份证明、资金账户卡和公安部门出具的变更证明及复印件。

②授权委托权限及期限发生变化：客户本人和代理人都必须同时到柜台提交双方有效身份证明及客户本人资金账户卡。

③证券账号发生变化：客户本人提交有效身份证明、资金账户卡、证券账户卡原件及复印件。

④变更代理人：客户本人和新代理人都必须同时到柜台提交双方有效身份证明原件、代理人身份证复印件和客户本人资金账户卡。

客户委托他人代办的，还应当提交经公证的委托代办书、代办人有效身份证明文件及复印件。

（2）法人客户。

①法人全称、注册号码发生变化：提交由法定代表人签章并加盖公章的法人全称、注册号变更委托书、工商管理部门或上级主管单位的批文、加盖公章的新的营业执照复印件、资金账户卡、代理人有效身份证件。

②代理人姓名、身份证号发生变化：提交由法定代表人签章并加盖公章的代理人姓名、身份证号变更委托书、代理人有效身份证明和公安部门出具的变更证明及复印件、资金账户卡。

③授权委托权限、期限发生变化：提交由法定代表人签章并加盖公章的法人变更授权权限委托书、资金账户卡、代理人有效身份证件。

④变更代理人：提交由法定代表人签章并加盖公章的法人变更代理人委托书、代理人身份证原件及复印件、资金账户卡。

营业部根据委托书的变更内容进行修改，须重新签订客户授权委托书，原客户授权委托终止。

（3）客户填写"客户有关资料更改申请"。

（4）变更代理人的操作程序与指定代理人相同。

（5）经办人查验所提供的相关资料及有效身份证明文件与申请人的一致性、真实性，有效身份证明文件与存档身份资料的一致性，交复核员复核。

（6）复核员通过系统进行实时复核，复核要求与经办人相同。

（7）经办和复核人员分别在"客户有关资料更改申请"上签名或盖章。

（8）将"客户有关资料更改申请"交营业部分管负责人实时审核签字。

（9）经办人将变更后的有关信息输入电脑。

（10）经办与复核人员在该客户的"客户账户类资料更改登记表"上写明变更事项、变更时间并签名或盖章。

经办人将按变更事项留存相应公安部门出具的变更证明复印件、变更的身份证复印件、经公证的委托代办书、代办人身份证复印件、工商管理部门或上级主管单位的批文、法人变更授权权限委托书、新证券账户卡复印件、新代理人身份证复印件、法人新印鉴及银行账号、"客户有关资料更改申请"等资料归入客户资料档案留存。

10. 密码修改、清密。客户密码遗忘或需柜台修改密码的，可给予清密，由客户本人重新设定密码。

（1）自然人客户持本人有效身份证明、资金账户卡。客户委托他人代办的，还应当提交经公证的委托代办书、代办人有效身份证明文件及复印件。法人客户持经法定代表人签章并加盖公章的法人授权修改密码/清密委托书、代理人身份证件、资金账户卡。

（2）客户填写"客户有关资料更改申请"。

（3）经办人查验所提供的相关资料及有效身份证明文件与申请人的一致性、真实性，有效身份证明文件与存档身份资料的一致性，交复核员复核。

（4）复核员通过系统进行实时复核，复核要求与经办人相同。

（5）经办和复核人员分别在"客户有关资料更改申请"上签名或盖章。

（6）将"客户有关资料更改申请"交营业部分管负责人实时审核签字。

（7）办理密码修改或清密，提醒客户注意新密码的保密。

（8）将"客户有关资料更改申请"、法人授权修改密码/清密委托书或经公证的委托代办书（自然人客户）等归入客户资料档案留存。

11. 撤销指定交易和转托管。

（1）自然人客户持本人有效身份证明、证券账户卡、资金账户卡。未经授权委托但代理办理的，还应当提交经公证的委托代办书、代办人身份证及复印件。法人客户持证券账户卡、代理人身份证、法人授权撤销指定交易/转托管委托书、资金账户卡、预留印鉴。

（2）如客户要求撤销指定交易的，申请人填写"撤销指定交易申请书"；如客户要求转托管的，申请人填写"证券转托管申请书"。

（3）经办人查验所提供的相关资料及有效身份证明文件与申请人的一致性、真实性，有效身份证明文件与存档身份资料的一致性。非本人办理及法人客户办理的，必须审核有无授权权限、授权有效期、预留印鉴，并确认客户已履行交易交收手续、不存在任何违约情形后，交复核员通系统实时复核，并在"撤销指定交易申请书"或"证券转托管申请书"上签名。

（4）当日单个证券账户累计撤销指定或转托管市值超过营业部及公司规定额度的，应将原始申请书交营业部主管领导实时审核签名或上报公司总部审批。

（5）开户资料不全的账户要求客户必须补全资料消除警示标志后才能撤销指定交易或转托管。

（6）经办人给予客户办理撤销指定交易或转托管，并打印证券余额对账单。

（7）经办人打印业务回单（一式两联）交客户签名确认后一联交客户，一联由营业部留存。

（8）将"撤销指定交易申请书"或"证券转托管申请书"、授权委托书、经客户签名的业务回单等归入客户资料档案留存。

（9）证券公司应当在接受客户申请并完成其账户交易结算（包括但不限于交易、基金代销、新股申购等业务）后的2个交易日内办理完毕。

12. 资金账户（证券账户）销户。

（1）申请此项业务前，申请人需先办理撤销指定交易手续和转托管手续。申购新股资金冻结期间、开放式基金尚有基金余额、银证关联尚未撤销、未完成交收、客户资料尚未补全、账户冻结等客户状态不正常的不能办理销户。

（2）自然人客户持本人有效身份证明、资金账户卡。客户委托他人代办的，还应当提交经公证的委托代办书、代办人身份证。法人客户持经法定代表人签章并加盖公章的法人授权资金账户销户委托书、代理人身份证、资金账户卡。

（3）申请人填写"客户有关资料更改申请"。

（4）经办人查验所提供的相关资料及有效身份证明文件与申请人的一致性、真实性，有效身份证明文件与存档身份资料的一致性，交复核员复核。

（5）复核员通过系统进行实时复核，复核要求与经办人相同，并在"客户有关资料更改申请"上签字。

（6）经办人办理资金账户（证券账户）销户。

（7）经办人打印业务回单（一式两联）交客户签名确认后一联交客户，一联由营业部留存。

（8）经办人将"客户有关资料更改申请"、经客户签名的业务回单等相关资料归入客户资料档案留存。经办和复核人员在该客户的"客户账户类资料更改登记表"上填写变更事项、变更时间并签名或盖章。

（9）客户要求办理资金账户销户手续的，办理完毕后，经办人在《证券交易委托代理协议书》的封面盖上"已销户"印章。资金账户已销户的客户资料按销户时间排序另库管理，建立销户登记簿。

（10）证券公司应当在接受客户申请并完成其账户交易结算（包括但不限于交易、基金代销、新股申购等业务）后的2个交易日内办理完毕。

二、证券委托买卖

（一）柜台委托

客户委托买卖时应使用营业部统一制作的证券买卖委托单，按照委托单标明的各项内容，完整、详细、正确地填写，且必须当面签署姓名。委托柜台应严格按照时间优先的原则，依次为客户办理委托业务，不得漏报或插报。

委托柜台在接受客户委托时，必须审核客户亲笔填写的委托单、资金卡、身份证，并与本人核对一致。非本人委托的，必须审核其有无授权权限。核对无误后，进一步核对委托单上的各项内容。若证券名称和证券代码不一致时，及时与客户取得联系；无法联系时，则以证券名称为准输入委托指令代理客户买卖股票。

输入委托指令时，若是买入委托，则电脑将自动查验该客户的资金账户中资金是否充足。资金不足者，应拒绝委托或视为无效委托，不得为客户提供融资交易。若是卖出委托，电脑将自动查验该客户的证券账户中证券数量是否充足。证券不足者，应拒绝委托或视为无效委托，不得为客户提供融券交易。

完成委托后，在委托单回单上盖委托员私章连同证件一并交还客户。

（二）非柜台委托

非柜台委托包括人工电话或传真委托、自助和电话自动委托、网上委托等。

1. 人工电话或传真委托。人工电话或传真委托客户应与营业部有事先约定（一般采取签订专项协议方式），并预留印鉴（签名）。无事先约定、未预留印鉴或签名的，营业部不受理人工电话或传真委托。客户采用人工电话或传真委托，必须拨打营业部指定的电话。

人工电话委托：接单员必须打开录音电话，要求客户报出资金账号（或股东账号）、证券买入或卖出、证券代码、委托买卖价格、委托买卖数量，同时报出委托客户姓名以便核对。然后，复述客户指令，经确认后及时输入电脑。

传真委托：客户必须写明客户姓名、资金账户、股票账户、委托买（卖）证券名称、证券代码、委托价格、委托数量并签名；接单员根据传真件仔细辨别客户身份，核对客户所预留的印鉴（签名）后，及时将委托内容输入电脑。

电话录音及传真件必须按规定保存，并要求客户及时到营业部补填委托单，将传真件附于委托单后存档。

接单员输入人工电话委托和传真委托指令的操作要求与柜台委托相同。客户通过人工电话或传真委托进行的交易不论成交与否，其委托记录应按规定期限保存于营业网点。

2. 自助及电话自动委托。客户根据自己账号和操作密码进入自助终端或电话自动委托系统，并按屏幕文字提示或电话语音提示自行进行委托或查询有关信息。客户对其委托承担一切责任。客户通过自助终端或电话自动委托进行的交易不论成交与否，其委托记录应按规定期限保存于营业网点。

3. 网上委托。客户进入网上委托系统并按提示输入密码、委托内容或查询有关信息。客户对其委托承担一切责任。客户通过网上委托进行的交易，不论成交与否，其委托记录应按规定期限保存于营业网点。

（三）撤单

营业部在接受客户撤销或修改通过委托柜台进行的委托时，客户须持身份证、资金卡填写撤单申请（委托单），并当面签署姓名。非本人办理的须审核有无委托权限。

营业部报单员接单后，审核证件及委托内容，确认无误后查找该笔委托是否成交。如果已成交，则告诉客户不能撤销或修改；如果没有成交或部分成交，则立即将该笔委托未成交部分撤销。

客户通过自助终端或电话自动委托系统委托的撤单，由客户按电脑屏幕或电话语音提示操作。

三、清算交割

清算交割包括根据成交单与委托单配对，为客户办理交割，打印交割单，应客户要求查询交易结果、证券及资金余额，打印对账单等。

每日交易结束后，由清算员根据交易所成交数据自动进账清算，并打印出股票、债券及回购等清算数据。

采用有形席位的营业部若无电脑自动核错配对系统（即与委托成交数据核对），则交割柜必须在清算后，根据成交单与客户委托单手工配对。若有不相符情况，应及时查明原因，并按照差错处理规定来办理。

营业部应在为投资者保密的前提下，及时公布新股认购配号及中签号。客户凭本人身份证、资金卡或授权权限，可以在柜台查询交易结果或证券及资金余额等。

客户如要求柜台在打印的对账单上加盖营业部业务用章的，柜台必须仔细核对客户身份，并认真核对对账单与电脑上的时点证券余额或资金余额是否一致，核对无误后方可加盖业务用章。

营业部为客户办理证券交割一般有自助交割和柜台人工交割两种交割方式。自助交割即客户凭资金卡、密码在自助交割机上自助进行交割，自行打印交割单。柜台人工交割即客户凭身份证、资金卡在柜台将前一次的委托单交给交割员。工作人员核对委托单与成交单是否相符。无误则打印交割单，并将交割单交客户；若不相符，则核对委托柜保存的委托单。确属营业部操作性差错，则需根据金额大小上报柜台主管或营业部负责人，并按照差错处理规定处理。

四、投资者教育与适当性管理

（一）投资者教育

投资者教育主要是对投资者进行证券法规宣传、证券知识普及、证券交易风险揭示和证券公司基本信息公示等。投资者教育的目的就是要提高投资者的风险意识、参与意识和风险识别能力，进而提高投资者理性投资、规避风险、自我保护的能力。投资者教育是推进市场稳定运行和健康发展的重要举措，是客户适当性管理、维护投资者合法权益的需要，也是证券公司提升客户服务水平、规范经营行为的需要。

投资者教育主要是通过营业部设立"投资者园地"、公司网站、交易委托系统、客服中心等多种渠道，并综合运用电视、报刊、网络、宣传材料、户外广告、培训讲座、电话语音提示、手机短信等多种方式进行。

(二) 适当性管理

证券公司应当建立健全客户适当性管理制度，为客户提供适当的产品和服务。证券公司应当根据客户财务与收入状况、证券专业知识、证券投资经验和风险偏好、年龄等情况，在与客户签订《证券交易委托代理协议书》时，对客户进行初次风险承受能力评估，以后至少每两年根据客户证券投资情况等进行一次后续评估，并对客户进行分类管理。分类结果应当以书面或者电子形式记载、留存。

证券公司应当事先明确告知客户所提供服务或者销售产品的风险特征，按照规定程序，提供与客户风险承受能力相适应的服务或产品。服务或产品风险特征及告知情况应当以书面或者电子形式记载、留存。证券公司认为某一服务或产品不适合某一客户或者无法判断适当性的，应当将该情形提示客户，由客户选择是否接受该项服务或产品。证券公司的提示和客户的选择应当以书面或者电子形式记载、留存。

证券公司应当建立健全投资者教育和适当性管理的工作机制和业务流程，要将投资者教育和适当性管理工作融入经纪业务流程，具体体现在客户服务体系的各个环节。重点突出在以下几个方面：

(1) 对有具体适当性管理要求、规定准入条件的交易业务，要切实按适当性管理的有关规定办理有关开户、开通交易权限等手续。

(2) 要从开户环节着手风险揭示，向客户讲解有关业务合同、协议的内容，明示证券投资的风险，并由客户在《风险揭示书》上签字确认。

(3) 要持续地采取各种有效方式让投资者充分理解"买者自负"的原则，真正明白"股市有风险，入市须谨慎"的警示。

（4）要了解自己的客户，要根据客户尤其是新入市中小客户的身份、财产与收入状况、证券投资经验等，对客户进行风险偏好和风险承受能力评估，向客户提供适当的产品和服务，引导客户从风险承受能力等自身实际情况出发，审慎投资，合理配置金融资产。

（5）证券公司在进行产品和业务推介时，应当清楚说明不同产品和业务的区别，使客户充分认识不同产品和业务的风险特征，使每一个客户了解自己要购买的是什么产品、有何特点和风险。

（6）证券公司应当向客户明确告知公司的法定业务范围，帮助投资者增强自我保护意识，提高识别能力，警惕和自觉抵制各种不受法律保护的非法证券活动。

（三）深圳证券交易所创业板市场投资者适当性管理

深圳证券交易所制定了《会员持续开展创业板市场投资者适当性管理业务指引》，要求会员公司持续做好创业板市场投资者适当性管理工作，引导投资者理性参与创业板市场交易，促进创业板市场的健康稳定发展。

1. 会员为客户开通创业板市场交易，应当通过严格的业务管理规范以及柜台系统前端控制等手段，保障参与创业板市场交易的客户符合创业板市场投资者适当性管理（简称"适当性管理"）的要求。包括按照适当性管理要求签署《创业板市场投资风险揭示书》，并采取技术手段控制客户开通创业板交易的期限。对未按照适当性管理要求签署《创业板市场投资风险揭示书》，或者虽已签署但未达开通期限的客户参与创业板市场交易的，应当采取以下处理措施：

（1）对发生买入申报但未成交的，及时限制其继续参与创业板市场交易，直至完全符合适当性管理的要求。

（2）对发生买入申报且已成交的，及时限制其创业板交易买入权限，并在买入申报发生日后的2个交易日内，根据客户意愿办理创业板市场交易开通相关手续，直至完全符合适当性管理要求后为其解除创业板买入限制，或者督促其卖出所持有股份。

客户在其原已开通创业板市场交易的相关证券账户被注销后开立新证券账户的，应当重新按照适当性管理的要求，为其新证券账户开通创业板市场交易。原证券账户的交易经验可以延续到新证券账户上。

客户申请信用证券账户开通创业板市场交易的，应当在确认其普通证券账户已按照适当性管理的要求开通创业板市场交易后，对其信用证券账户予以即时开通。

2. 在客户开通创业板市场交易后，利用电话、电子邮件、网络与营业部现场交流等方式，持续了解客户的身份、财产与收入状况、证券投资经验、风险偏好与投资目标等信息。

（1）对客户参与创业板市场交易的情况进行跟踪，并结合所了解的客户信息，至少每两年对所有已开通创业板市场交易的客户进行一次风险承受能力的后续评估。评估结果应当予以记录留存。

（2）参考客户评估结果，对不同类别的客户制定相应的服务方案和管理流程，在创业板证券投资咨询、资产管理、投资者教育等方面提供有针对性的服务。

（3）对评估结果显示风险承受能力较低的客户，应将该情形向其提示，提醒其审慎参与创业板市场交易。提示应当予以记录留存。

（4）应加强对创业板上市公司的分析与研究，客观、公正地向客户提供相关投资咨询信息，引导客户理性投资。

3. 健全创业板投资者教育工作制度，并根据客户的不同需求和特点，对创业板市场投资者教育工作的形式和内容作出具体安排。

（1）通过公司网站与营业场所，开设专门的创业板投资者教育专栏或园地，并持续利用交易系统、电子邮件、信函等有效方式，介绍创业板投资理财知识，宣传创业板法律、法规、规章与业务规则，解读创业板市场主要特点。

（2）应在其网站建立与深圳证券交易所投资者教育网页的链接，并根据需要或深圳证券交易所要求，及时向客户发布深圳证券交易所提供的有关创业板市场投资者教育的专栏文章、分析报告等信息。

（3）应将深圳证券交易所有关创业板市场的紧急通知、风险提示、盘中临时停牌公告等重要信息，通过行情系统、网上交易系统等有效方式及时向客户发布。

（4）应密切关注客户参与创业板新股上市首日的交易情况，对出现价量异常的新股，及时向客户提示交易风险，引导客户理性参与交易。

（5）应关注客户持有创业板股票的情况，对出现股价大幅波动、公司年度业绩预亏等情形的股票，及时向客户提示投资风险。

（6）应将创业板上市公司发布的退市风险提示信息公告，通过有效方式及时向持有该公司股票的客户传达。信息传达情况应当予以记录留存。

4. 切实履行创业板市场客户交易行为管理职责，加强客户交易行为的合法合规管理，完善监控系统功能，建立适应创业板交易特点的监控指标体系，对客户参与创业板市场交易的情况进行实时监控。

（1）应根据客户的资金规模、交易活跃程度、异常交易行为发生频率、收到深圳证券交易所警示次数以及是否为深圳证券交易所重点监控账户等情况，对客户进行分类管理。

（2）应要求涉及重点监控账户的客户出具合法、合规交易承诺，并将其纳入监控系统，指定专人对其交易行为进行重点监控，及时警示、纠正可能出现的异常交易行为。

重点监控账户是指出现严重异常交易行为或频繁发生异常交易行为的证券账户。重点监控账户名单由深圳证券交易所确定，同时根据定期评估重点监控账户参与重点股票交易、异常交易发生频率等情况进行调整，并通过书面函件、会员业务专区等方式通知会员。

（3）应及时向客户充分揭示重点监控股票交易风险，提醒、引导客户理性参与，并将重点监控股票纳入监控系统进行实时监控。

重点监控股票名单由深圳证券交易所根据监控情况、股价走势、公司基本面变化等情况确定，并通过书面函件、会员业务专区等方式通知会员。

（4）应建立客户异常交易处理业务流程和技术手段，对客户出现深圳证券交易所口头或书面警示、严重影响正常交易秩序的异常交易行为，应当依据《会员管理规则》的有关规定予以纠正，并可以拒绝接受委托。

（5）发现重点监控账户利用转托管、启用新账户等方式规避监管，应当及时向深圳证券交易所报告。

（6）应对与客户交易相关的管理、业务及技术人员和营业部负责人进行培训，建立相应的考核机制，督促落实客户交易行为管理的各项制度，提高配合协助深圳证券交易所自律监管的责任与意识。

五、证券投资顾问服务

2010年10月中国证监会发布〔2010〕27号公告，公布了《证券投资顾问业务暂行规定》（简称《规定》），自2011年1月1日起施行。

（一）证券投资顾问业务的含义

证券投资顾问业务，是证券投资咨询业务的一种基本形式，指证券公司、证券投资咨询机构（统称"证券公司"）接受客户委托，按照约定，向客户提供涉及证券及证券相关产品的投资建议服务，辅助客户作出投资决策，并直接或者间接获取经济利益的经营活动。投资建议服务内容包括投资的品种选择、投资组合以及理财规划建议等。

证券公司从事证券经纪业务，附带向客户提供证券及证券相关产品投资建议服务，不就该项服务与客户单独作出协议约定、单独收取证券投资顾问服务费用的，其投资建议服务行为参照执行《规定》的有关要求。

（二）证券投资顾问业务的基本原则

1. 依法合规。证券公司从事证券投资顾问业务，应当遵守法律、行政法规和《规定》，加强合规管理，健全内部控制，防范利益冲突，切实维护客户合法权益。

2. 诚实守信。证券公司及其人员应当遵循诚实信用原则，勤勉、审慎地为客户提供证券投资顾问服务。

3. 公平维护客户利益。证券公司及其人员提供证券投资顾问服务，应当忠实客户利益，不得为公司及其关联方的利益损害客户利益，不得为证券投资顾问人员及其利益相关者的利益损害客户利益，不得为特定客户利益损害其他客户利益。

（三）证券投资顾问业务管理的基本要求

1. 人员执业资格。向客户提供证券投资顾问服务的人员，应当具有证券投资咨询执业资格，并在中国证券业协会注册登记为证券投资顾问。证券投资顾问不得同时注册为证券分析师。

2. 管理制度建设。

（1）证券公司应当制定证券投资顾问人员管理制度，加强对证券投资顾问人员注册登记、岗位职责、执业行为的管理。

（2）证券公司应当建立健全证券投资顾问业务管理制度、合规管理和风险控制机制，覆盖业务推广、协议签订、服务提供、客户回访、投诉处理等业务环节。

（3）证券公司从事证券投资顾问业务，应当保证证券投资顾问人员数量、业务能力、合规管理和风险控制与服务方式、业务规模相适应。

3. 投资顾问业务的适当性管理。

（1）证券公司向客户提供证券投资顾问服务，应当按照公司制定的程序和要求，了解客户的身份、财产与收入状况、证券投资经验、投资需求与风险偏好，评估客户的风险承受能力，并以书面或者电子文件形式予以记载、保存。

（2）证券投资顾问应当根据了解的客户情况，在评估客户风险承受能力和服务需求的基础上，向客户提供适当的投资建议服务。

4. 证券投资建议、客户回访及投诉管理。

（1）证券投资顾问向客户提供投资建议，应当提示潜在的投资风险，禁止以任何方式向客户承诺或者保证投资收益。

鼓励证券投资顾问向客户说明与其投资建议不一致的观点，作为辅助客户评估投资风险的参考。

（2）证券投资顾问向客户提供投资建议，知悉客户作出具体投资决策计划的，不得向他人泄露该客户的投资决策计划信息。

（3）证券投资顾问不得通过广播、电视、网络、报刊等公众媒体，作出买入、卖出或者持有具体证券的投资建议。

（4）证券公司从事证券投资顾问业务，应当建立客户回访机制，明确客户回访的程序、内容和要求，并指定专门人员独立实施。

（5）证券公司从事证券投资顾问业务，应当建立客户投诉处理机制，及时、妥善处理客户投诉事项。

5. 对客户的告知义务。证券公司向客户提供证券投资顾问服务，应当告知客户下列基本信息：

（1）公司名称、地址、联系方式、投诉电话、证券投资咨询业务资格等；

（2）证券投资顾问的姓名及其证券投资咨询执业资格编码；

（3）证券投资顾问服务的内容和方式；

（4）投资决策由客户作出，投资风险由客户承担；

（5）证券投资顾问不得代客户作出投资决策。

证券公司应当通过营业场所、中国证券业协会和公司网站，公示第（1）、（2）项信息，方便投资者查询、监督。

6. 风险揭示。证券公司应当向客户提供风险揭示书，并由客户签收确认。风险揭示书内容与格式要求由中国证券业协会制定。

根据中国证券业协会制定的《证券投资顾问业务风险揭示书必备条款》，《证券投资顾问业务风险揭示书》至少应包含下列内容：

（1）提示投资者在接受证券投资顾问服务前，必须了解提供服务的证券公司是否具备证券投资咨询业务资格，证券公司提供服务的人员是否具备证券投资咨询执业资格并已经注册登记为证券投资顾问。

（2）提示投资者在接受证券投资顾问服务前，必须了解证券投资顾问业务的含义，理解投资者接受证券投资顾问服务后需自主作出投资决策并独立承担投资风险。

（3）提示投资者在接受证券投资顾问服务前，必须了解证券公司及其人员提供的证券投资顾问服务不能确保投资者获得盈利或本金不受损失。

（4）提示投资者在接受证券投资顾问服务前，必须了解证券公司及其人员提供的投资建议具有针对性和时效性，不能在任何市场环境下长期有效。

（5）提示投资者在接受证券投资顾问服务前，必须了解作为投资建议依据的证券研究报告和投资分析意见等，可能存在不准确、不全面或者被误读的风险，投资者可以向证券投资顾问了解证券研究报告的发布人和发布时间以及投资分析意见的来源，以便在进行投资决策时作出理性判断。

（6）提示投资者在接受证券投资顾问服务前，必须了解所在的证券公司证券投资顾问服务的收费标准和方式，按照公平、合理、自愿的原则与证券公司、证券投资咨询机构协商并书面约定收取证券投资顾问服务费用的安排。证券投资顾问服务收费应向公司账户支付，不得向证券投资顾问人员或其他个人账户支付。

（7）提示投资者在接受证券投资顾问服务前，必须了解证券公司及其人员可能存在道德风险。如投资者发现投资顾问存在违法违规行为或利益冲突情形，如泄露客户投资决策计划、传播虚假信息、进行关联交易等，投资者可以向证券公司投诉或向有关部门举报。

（8）提示投资者在接受证券投资顾问服务前，必须了解证券公司存在因停业、解散、撤销、破产，或者被中国证监会撤销相关业务许可、责令停业整顿等原因导致不能履行职责的风险。

（9）提示投资者在接受证券投资顾问服务前，必须了解证券公司的投资顾问人员存在因离职、离岗等原因导致更换投资顾问服务人员并影响服务连续性的风险。

（10）提示投资者在接受证券投资顾问服务前，应向证券公司说明自身资产与收入状况、投资经验、投资需求和风险偏好等情况并接受评估，以便于证券公司根据投资者的风险承受能力和服务需求，向投资者提供适当的证券投资顾问服务。

（11）提示投资者在接受证券投资顾问服务前，应向证券公司提供有效的联系方式和服务获取方式，如有变动须及时向所在的证券公司机构进行说明。如因投资者自身原因或不可抗力因素导致投资者未能及时获取证券投资顾问服务，责任将由投资者自行承担。

（12）提示投资者在接受证券投资顾问服务时，应保管好自己的证券账户、资金账户和相应的密码，不要委托证券投资顾问人员管理自己的证券账户、资金账户，代理买卖证券；否则由此导致的风险将由投资者自行承担。

（13）证券公司以软件工具、终端设备等为载体，向客户提供投资建议或者类似功能服务的，应提示投资者在接受该软件工具、终端设备等前，必须仔细阅读相关说明书，了解其实际功能、信息来源、固有缺陷和使用风险。由于投资者自身原因导致该软件工具、终端设备等使用不当或受到病毒入侵、黑客攻击等不良影响的，由此导致的风险将由投资者自行承担。如表示该软件工具、终端设备具有选择证券投资品种或者提示买卖时机功能的，应提示投资者了解其方法和局限。

（14）风险揭示书还应以醒目文字载明以下内容：

本风险揭示书的揭示事项仅为列举性质，未能详尽列明投资者接受证券投资顾问服务所面临的全部风险和可能导致投资者投资损失的所有因素。

投资者在接受证券投资顾问服务前，应认真阅读并理解相关业务规则、证券投资顾问服务协议及本风险揭示书的全部内容。

接受证券投资顾问服务的投资者，自行承担投资风险，证券公司不以任何方式向投资者作出不受损失或者取得最低收益的承诺。

特别提示：投资者应签署本风险揭示书，表明投资者已经理解并愿意自行承担接受证券投资顾问服务的风险和损失。

7. 投资顾问服务协议。

证券公司提供证券投资顾问服务，应当与客户签订证券投资顾问服务协议，并对协议实行编号管理。协议应当包括下列内容：

（1）当事人的权利和义务；

（2）证券投资顾问服务的内容和方式；

（3）证券投资顾问的职责和禁止行为；

（4）收费标准和支付方式；

（5）争议或者纠纷解决方式；

（6）终止或者解除协议的条件和方式。

证券投资顾问服务协议应当约定，自签订协议之日起5个工作日内，客户可以书面通知方式提出解除协议。证券公司收到客户解除协议书面通知时，证券投资顾问服务协议解除。

8. 投资顾问的研究支持。

（1）证券投资顾问向客户提供投资建议，应当具有合理的依据。投资建议的依据包括证券研究报告或者基于证券研究报告、理论模型以及分析方法形成的投资分析意见等。

（2）证券公司应当为证券投资顾问服务提供必要的研究支持。证券公司的证券研究不足以支持证券投资顾问服务需要的，应当向其他具有证券投资咨询业务资格的证券公司或者证券投资咨询机构购买证券研究报告，提升证券投资顾问服务能力。

（3）证券投资顾问依据本公司或者其他证券公司、证券投资咨询机构的证券研究报告作出投资建议的，应当向客户说明证券研究报告的发布人、发布日期。

9. 服务收费。证券公司应当按照公平、合理、自愿的原则，与客户协商并书面约定收取证券投资顾问服务费用的安排，可以按照服务期限、客户资产规模收取服务费用，也可以采用差别佣金等其他方式收取服务费用。

证券投资顾问服务费用应当以公司账户收取。禁止证券公司及其人员以个人名义向客户收取证券投资顾问服务费用。

10. 业务推广与宣传。

（1）证券公司应当规范证券投资顾问业务推广和客户招揽行为，禁止对服务能力和过往业绩进行虚假、不实、误导性的营销宣传，禁止以任何方式承诺或者保证投资收益。

（2）证券公司通过广播、电视、网络、报刊等公众媒体对证券投资顾问业务进行广告宣传，应当遵守《中华人民共和国广告法》和证券信息传播的有关规定，广告宣传内容不得存在虚假、不实、误导性信息以及其他违法违规情形。

（3）证券公司应当提前5个工作日将广告宣传方案和时间安排向公司住所地证监局、媒体所在地证监局报备。

（4）证券公司通过举办讲座、报告会、分析会等形式，进行证券投资顾问业务推广和客户招揽的，应当提前5个工作日向举办地证监局报备。

11. 以软件工具、终端设备为载体的投资顾问服务。以软件工具、终端设备等为载体，向客户提供投资建议或者类似功能服务的，应当执行本规定，并符合下列要求：

（1）客观说明软件工具、终端设备的功能，不得对其功能进行虚假、不实、误导性宣传。

（2）揭示软件工具、终端设备的固有缺陷和使用风险，不得隐瞒或者有重大遗漏。

（3）说明软件工具、终端设备所使用的数据信息来源。

（4）表示软件工具、终端设备具有选择证券投资品种或者提示买卖时机功能的，应当说明其方法和局限。

12. 留痕管理与记录保存。证券公司应当对证券投资顾问业务推广、协议签订、服务提供、客户回访、投诉处理等环节实行留痕管理。向客户提供投资建议的时间、内容、方式和依据等信息，应当以书面或者电子文件形式予以记录留存。

证券投资顾问业务档案的保存期限自协议终止之日起不得少于 5 年。

（四）证券投资顾问业务的监管

1. 中国证监会及其派出机构依法对证券公司从事证券投资顾问业务实行监督管理。

2. 中国证券业协会对证券公司从事证券投资顾问业务实行自律管理，并依据有关法律、行政法规和《规定》，制定相关执业规范和行为准则。

3. 证券公司及其人员从事证券投资顾问业务，违反法律、行政法规和《规定》的，中国证监会及其派出机构可以采取责令改正、监管谈话、出具警示函、责令增加内部合规检查次数并提交合规检查报告、责令清理违规业务、责令暂停新增客户、责令处分有关人员等监管措施；情节严重的，中国证监会依照法律、行政法规和有关规定作出行政处罚；涉嫌犯罪的，依法移送司法机关。

 ## 第三节　证券经纪业务的营销管理

一、证券经纪业务营销的主要内容

证券公司经纪业务的营销是市场营销管理与证券经纪业务相结合的产物。由证券经纪业务的性质和特点可知，在证券经纪业务营销过程中，证券公司提供的经纪业务服务和客户进行股票、债券、基金等证券类金融产品投资是不可分割的，因此，证券经纪业务营销是以证券类金融产品为载体的金融服务营销。

与一般企业营销类似，证券经纪业务营销的内容也包括产品设计、定价策略、品牌及广告策划及营销渠道选择等。具体而言，证券经纪业务营销活动主要包括客户招揽、产品及服务销售和客户服务 3 个方面。

（一）客户招揽

客户招揽即证券经纪业务营销人员通过营销渠道，采取多种促销方式，与客户建立关系并促成交易的过程。客户招揽包括目标市场选择、营销渠道选择、客户关系建立和客户促成等内容。

1. 目标市场与营销渠道选择是招揽客户的前提和基础。证券市场具有客户群体多元化、需求多样化和服务个性化的特征，一家证券公司不可能满足所有客户的所有需求。因此，证券经纪业务营销人员在开展营销活动时，需要采用目标市场策略，在市场调研的基础上对市场进行细分，正确选择目标市场，确立市场定位。证券经纪业务营销人员应当在充分考虑证券类金融产品及服务的特性、市场需求、目标客户自身条件等因素的基础上，合理选择营销渠道，力求采取有效的方式招揽客户。

2. 客户关系建立是客户招揽的保证。目标客户是证券经纪业务营销人员在市场细分的基础上确定的重点客户群。选定了目标客户，证券经纪业务营销人员就应当搜集客户信息，了解客户并与之建立关系。第一，证券经纪业务营销人员需搜集目标客户名单及其基本资料；第二，了解客户的身份、财产与收入状况、证券投资经验和风险偏好情况；第三，建立客户档案，整理分析客户资料，确定沟通方案，把握最佳的接触时机与方法，为促成客户关系的建立打下基础。

3. 客户促成是证券经纪业务营销的关键环节。客户促成即客户与证券经纪业务营销人员充分沟通后达成共识，认可并购买证券公司营销的产品和服务的过程，是证券经纪业务营销的关键环节。证券经纪业务营销人员在客户促成的过程中，应当熟悉产品及服务的特征、风险，根据客户的财产与收入状况、证券投资经验和风险偏好，向客户推荐适当的产品及服务，并向客户充分提示证券投资风险。

（二）证券类金融产品及服务销售

证券公司在开展证券经纪业务营销时，既可以营销本公司提供的经纪业务服务及与经纪业务相联结的其他服务产品，如本公司设计的经纪业务服务综合产品、集合理财产品、专项理财产品等资产管理业务类产品、投资咨询服务产品等，也可以受他人委托代销其他公司产品及服务。目前，按照我国相关证券市场法律法规的规定，证券公司在开展经纪业务的过程中，可以代销基金产品或开展期货中间介绍业务。

证券公司及其营销人员代销产品及提供其他业务服务应取得相应的代销业务资格和从业资格，且不得销售非法产品。营销人员应当在证券公司产品销售的业务范畴内，从事产品推介和销售活动。在推介产品时，营销人员应当熟悉产品的特征、风险、业务流程，向客户推介的产品应与客户的产品认知能力、风险承受能力相适应。

证券公司销售产品时，使用的产品推介材料应当符合相关业务规定，须有明确、醒目的风险提示和警示性文字，不得以任何方式预测收益，或者直接与其他同类产品进行比较。营销人员使用的宣传材料应当由证券公司统一制作，不得提供虚假信息，误导投资者。

在产品销售的过程中，证券公司和证券公司营销人员为了达到充分沟通和促销的目的，可以采取人员推销、广告促销、营业推广和公共关系等促销手段。

（三）客户服务

客户服务是证券公司营销的重要组成部分，贯穿于证券公司营销活动的始终。证券公司通过营销人员开发市场、招揽客户，仅仅是证券公司经纪业务拓展的第一步。证券公司及其营销人员只有通过提供优质的服务，才能与客户建立长期的关系，才能奠定有广度和深度的客户基础，才能达到业务拓展和提升市场占有率的目标。在证券经纪业务营销中，客户服务主要包括交易通道服务、有形服务和信息咨询服务等附加服务。其中，交易通道服务是证券经纪业务服务的核心。

在客户服务的过程中，证券公司及其营销人员除了应当始终坚持以客户需求为导向之外，鉴于证券投资的风险性特征，证券公司及其营销人员还需要按照法律法规的规定，承担投资者教育的义务和责任，包括对投资者进行风险教育，向投资者讲解证券市场基础知识，向投资者传达正确的投资理念和提高投资者自身的理财素质等。

二、证券经纪业务营销实务

（一）客户招揽

客户招揽是证券公司通过营销渠道，采取多种促销方式，与客户建立关系并促成交易的过程，是证券经纪业务营销活动的第一个环节。证券公司的客户招揽包括确定目标市场、选择营销渠道、建立客户关系和客户促成等环节。

1. 确定目标市场。确定目标市场首先要进行市场细分。运用市场细分理论的观点，我们可以把证券市场的投资者看作证券市场供求系统中的一个子系统。在相同的市场变化面前，投资者虽然都表现出趋利避害的倾向，但是不同的投资者可能会有不同的投资理念、不同的行为特征和不同的收益状况。因此，市场细分本质上是通过区分客户（投资者）群体及其需求来指导证券公司业务经营的一种手段。

进行市场细分，首先应对各种市场细分方法有一个比较充分的认识，并挑选出最佳的细分方法；然后要了解各类信息，如各细分市场的关键购买因素、客户偏好、经济效益和竞争态势等。市场细分的依据包括地理因素、人口因素等直接细分依据，也包括投资者行为因素和心理因素等间接细分依据。

（1）地理因素。地理因素是造成不同地区的客户具有不同需求的基本因素，按地理因素细分是指按照客户所处的地理位置、地理条件来确定细分市场。地理因素的具体变量主要有国家、地区、乡村城市规模、交通通信条件、不同气候、不同的地形地貌、人口密度等。客户所处的地理位置不同，其相应的经济水平、技术条件以及投资观念不尽相同，因而其需求和对证券市场的反应也会不同，证券经纪业务营销采用的方法和手段也就有很大的差别。例如，大中城市网络通信基础条件较好，家庭上网率较高，适合大力发展网上交易；而中小城市的网络普及率不高，投资者数量较少，故可以适当发展证券营业部来满足需求。

按照地理因素细分证券市场不仅对于识别不同地区投资者的特殊需求、需求总量以及变化趋势有一定的意义，还有利于市场分析和开拓，把有限的资源尽可能地投向能发挥优势的地区。地理因素是一种静态因素，能够使证券公司清楚地了解不同地区投资者的差异，但是对同一地区内的投资者差异应依据其他因素进行细分。

（2）人口因素。按照人口因素细分是指根据人口统计因素的具体变量来细分市场。主要的人口因素变量包括年龄、性别、家庭规模、家庭收入、职业、教育程度、国籍、家庭生命周期、宗教、民族、社会阶层等。例如，以年龄因素进行市场细分，虽然年轻人往往收入来源有限，缺乏证券投资的实力，但是其投资意愿普遍很强，随着他们的逐渐成长将可能成为证券经纪商未来市场的客户主体；中年人往往有稳定的收入来源和一定数额的闲置资金，是证券公司和证券经纪业务营销人员的现实客户主体；老年人普遍追求资金的安全与增值，对风险性证券投资比较保守，因此，证券公司和证券经纪业务营销人员应该考虑老年客户的这一特征，为他们提供适当的产品和服务。

以人口统计因素为依据细分市场，一般需要两个或两个以上的具体变量才能准确描述每个子市场的特征。

（3）心理因素。按照心理因素细分就是按投资者的心理特征对证券市场进行细分。由于社会阶层、生活方式、性格、投资动机、性别、年龄、收入的差异，投资者会有不同的投资需求和不同的投资心理。证券市场投资者心理因素变量通常包括生活格调、个性、投资动机、价值偏好等等。但是由于心理因素比较复杂，目前还没有一套公认有效的、相对固定的测定方式，而投资者的任何行为都会受到心理因素的影响。

以心理因素作为细分市场的依据，在实际操作过程中会遇到一些问题，如细分变量模糊、子市场价值难以衡量、子市场特征不够稳定等难题。为有效解决这些难题，就要做好以下两点：一是在选择细分变量时，应选择那些能够明显区别投资者的心理特征作为细分变量；二是采取恰当的市场调查方法。

（4）行为因素。按照行为因素细分就是根据投资者的投资动机、投资偏好、交易行为、持仓结构等行为特征来细分客户，然后根据不同的行为特征所对应的不同需求，为其提供差异化的服务。行为因素的具体变量包括投资者追求的利益、购买渠道、购买时机、使用状况、使用率、忠诚度等。例如，投资者在购买和选择某种证券产品和服务的时候各自追求的具体利益不同，有的投资者投资于债券以获得高于银行利率的稳定而安全的长期保证，有的投资者希望获得较高的投资风险收益而投资于股票等高风险、高收益的证券产品。

要使市场细分成为有效和可行的，必须具备以下几个条件：

①可度量性：细分的特征可以度量，如购买力、人口等。

②有价值：细分市场的规模要大到足以获得利润的程度。

③可接近性：在确定细分市场后，就可以有效接触市场人群并为之服务。

④差异性：细分市场在观念上要能够区别，并且对不同的营销组合因素和方案应有不同的反应。

⑤可行性：细分计划的可行性。

此外，还必须注意，确定细分市场的变量不是越细越好，而应当适可而止，同时要分清主要变量、次要变量，否则既不经济，又不实用。细分市场也不是越多越好。市场是动态的，所以要根据市场环境的变化，对市场细分的情况进行分析研究并作出相应调整。

2. 确定营销策略。证券公司在市场细分的基础上，对不同的细分市场进行评估，经过比较和筛选，选定一个或几个细分市场，在其中实施营销计划并获取利润的行为，就是公司的目标市场选择。目标市场的设定可以是一个细分市场，也可能是一系列细分市场。根据所选择的细分市场数目和范围，可以将目标市场选择策略分为无差异市场营销策略、集中性市场营销策略和差异性市场营销策略3种方式。

（1）无差异市场营销策略。无差异市场营销策略是指不考虑各细分市场的差异性，仅强调它们的共性，而将它们视为一个统一的整体市场。采用无差异市场营销策略针对的是所有投资者的共同需求，而不是各细分市场投资者群体的特殊需求。在无差异营销策略下，所有投资者接受的产品和服务是完全一致的。采用这种营销策略的主要优点在于成本低，操作简单。但在竞争激烈的证券经纪业务市场，这种策略的效益也是相对比较低的，寻找客户的随意性较大。

（2）集中性市场营销策略。集中性市场营销策略又称"密集性策略"，是指公司集中所有力量来满足一个或几个细分市场的需求。一般而言，运用这样的策略，追求的是在一个或几个较小的细分市场上取得较高的市场占有率。

在证券经纪业务营销中，证券公司集中性市场营销策略又可以分为以下几种：

①地区集中策略，即将营销重点放在某一个或某几个区域，追求该地区的高市场占有率。这类策略为大多数地方性证券公司采用。

②品种集中策略，即选择某几个证券品种作为重点，以投资这些证券品种的投资者作为服务对象。如以债券交易作为其服务重点的证券公司，主要服务于债券投资者等。

③客户集中策略。如有些证券公司只为资金量达到一定规模的客户提供经纪业务服务等。

采取这种策略可以让营销人员深入渗透某个或某几个细分市场，把有限的资源进行集中利用，进而在这个有限市场中建立专业知名度。但是集中性市场营销策略也有其风险和不足，因为营销人员把所有的资源都投入到该目标市场，而单一市场客户资源有限，整体业绩提升将受到很大的限制。

（3）差异性市场营销策略。差异性市场营销策略也称"多重细分市场策略"，是指公司根据不同的目标市场采用不同的营销策略，甚至设计不同的产品来满足不同目标市场上的不同需求。采用该种营销策略的公司往往是实力较强的证券公司，它们追求的是较高的市场占有率，并谋求地区间的布局平衡。采用这种策略的证券公司会把所有的投资者作为服务对象，并根据各类投资者的不同需求提供相应的服务。因此，对于公司而言，需要整合公司内部资源，主要是研究部门和资产管理部门，并对营业部的布局和管理进行全面的考虑。

证券公司采用这种策略时，营销人员会选择多个潜在的客户群作为目标市场，对每个细分市场设计独立的营销组合，并对不同的细分市场进行差异化的产品销售或服务，从而能够更好地满足客户的需求。因此，差异性市场营销策略比集中性市场营销策略能够更好地提升业绩。

3. 选择营销渠道。证券公司营销渠道是指证券类金融产品及证券服务从证券公司向客户（投资者）转移过程中所经过的途径。

证券公司营销渠道主要分为以下两种：

（1）直接营销渠道。直接营销渠道是指产品在供应商和客户之间的直接流通和销售，即由证券公司直接将产品和服务销售或提供给客户。如传统的证券公司营业部的直接销售、通过直接邮寄宣传单、证券公司的营销人员直接销售等。

分支机构是证券公司传统的营销渠道，它提供较为被动的分销方式，因为客户需要通过访问分支机构渠道来与证券公司打交道。而直接销售队伍积极接近客户，可以在不同的场合与客户面对面交流，因而更有针对性，缺点是成本较高。

（2）间接营销渠道。间接营销渠道是指产品通过中间商或中介机构来流通。中介机构是第三方团体，如经纪人和独立财务顾问等。与直接营销相比，经纪人或独立财务顾问了解不同公司产品之间的差别，因而可以向客户推荐更适合客户需求的产品。

境外成熟资本市场的证券经营机构一般综合使用上述直接和间接的营销渠道，特别是分支机构和证券经纪人等中介机构是较为有效的营销渠道。近年来，随着网络技术的发展和金融管制的放松，新的分销方式也开始发展，如网络证券服务等。

目前，我国证券公司的营销渠道基本上是直接销售渠道，包括证券公司营业部、网络证券营销和证券公司内部营销人员。根据《证券公司监督管理条例》，证券公司也可以委托证券经纪人开展证券经纪业务营销活动。《证券公司监督管理条例》规定，证券经纪人为自然人，且只能接受一家证券公司的委托开展经纪业务营销活动。因此，在我国，证券经纪人具有直接营销渠道的性质。

4. 建立客户关系。在确定了目标市场后，证券公司在具体客户招揽过程中，首先要与客户建立关系。证券公司与客户建立关系可以通过多种方式，如通过各种广告宣传等方式让潜在客户了解公司，从而主动与公司建立关系；也可以通过证券公司经纪业务营销人员主动接触客户，寻找潜在客户，运用专业知识与技能与潜在客户进行业务洽谈，建立与客户之间的信任，激发客户的兴趣和投资意愿，并最终促成交易。

（1）寻找潜在客户。根据客户与证券经纪业务营销人员的关系来划分，客户可分为3种主要类型：直接关系型、间接关系型和陌生关系型。针对3种不同类型的客户群，营销人员常用的寻找潜在客户的方法有缘故法、介绍法和陌生拜访法。

①缘故法（直接关系型）。缘故法就是利用营销人员个人的生活与工作经历所建立的人际关系进行客户开发。这些群体主要包括营销人员的亲

戚朋友、街坊邻居、师生、同事等。一般来说，一个人的缘故关系有两种：一是"五同"法，即同学、同乡、同事、同好、同邻。二是"五缘"法，即亲缘、地缘、业缘、神缘、物缘。"亲缘"指营销人员的亲戚；"地缘"指营销人员在出生地、变换居住地所认识的人；"业缘"指营销人员通过曾经的工作关系认识的人；"神缘"指通过宗教信仰认识的人；"物缘"通常指通过各种商业活动认识的人。

运用缘故法寻找客户比较容易成功，因为这些客户容易接近，交流方便。因此，缘故法是一个营销人员经常使用的方法，特别是对于新入行的营销人员。

②介绍法（间接关系型）。介绍法就是通过现有客户介绍新客户的方法。营销人员在开发客户的过程中，可与一部分客户建立良好的关系，再通过这些客户关系派生出新的客户关系，建立新的客户群。

③陌生拜访法（陌生关系型）。陌生拜访法是营销人员通过主动自我介绍的方式，与陌生人认识、交流，把陌生人发展成为潜在客户的方法，是营销人员在开发客户中运用最多的一种方法。由于营销人员自身资源有限，缘故法和介绍法往往不能满足其不断开发市场、寻找新的客户的需要。而开发陌生关系，潜在客户资源较多，营销人员可以逐步建立属于自己的营销网络。在采用陌生拜访法时，营销人员要大量拜访、接触客户，然后进行筛选，从而发现重点客户进行重点开发。证券经纪业务营销人员可以通过拜访特定群体或在特定区域开展营销活动，寻找潜在客户。特定群体一般包含企业群体（如公司或企业、机构等）、会员组织群体（如企业家协会、律师协会、会计师协会等）、社团群体（如义工联、慈善团体等）等；特定区域指其他行业固定的营业网点（如银行网点）、社区等。

（2）客户沟通。客户沟通是证券公司营销人员在招揽客户过程中的重要环节。客户沟通的过程中，营销人员是一个信息发送者，通过传播媒介将相关信息传递给客户。沟通的过程会引起客户的反馈或者回应，最终使客户购买产品或接受服务才是有效的沟通。

但是，购买行为是客户决策过程的最后阶段，而客户的购买决策分为认知阶段、情感阶段和最终行为阶段。在客户认知阶段，营销人员需要将公司及其产品和服务灌输到客户头脑中；在情感阶段，营销人员应当使得客户有一个态度的转变，如认可或支持该公司及其产品；在最终行为阶段，营销人员应当促使客户最终形成购买决策。因此，营销沟通的目标必须与客户购买决策过程的几个阶段紧密联系起来，并使客户尽量接近最后的购买行为决策阶段。

（3）了解客户及客户分析。

①了解客户及客户分析的目的与意义。了解客户并进行分析不但是证券经纪业务营销人员招揽客户的一个重要环节，也是证券监管部门的要求。由于证券投资具有风险性以及证券类金融产品的差异性和复杂性的特性，证券监管机构要求证券经营机构或证券产品的销售机构在进行证券类金融产品销售或开展证券经纪、融资融券等业务时，须了解客户并适用产品销售的"适应性"原则，即在了解客户的基础上，将适当的产品和服务提供给适当的客户。

对于证券公司和营销人员而言，了解客户、分析客户的特征，是市场细分的基础。只有针对不同的目标市场，采取有针对性的营销和服务策略，才能更有效地实现营销目标。同时，通过采用"了解客户原则"和"适应性原则"，有利于规范证券经营机构的营销行为，保护中小投资者的利益，对促进证券市场健康发展具有深远意义。

②了解客户的基本内容。按照《证券公司监督管理条例》的规定，证券公司及其营销人员应当了解的客户信息包括客户的身份、财产和收入状况、证券投资经验和风险偏好等。

③客户分析的主要内容。客户分析主要包括：客户基本情况分析，如客户的年龄、身份、职业等基本情况；资产状况分析，包括家庭固定资产状况、家庭存款状况、家庭年收入、其他支出和投资情况；投资风险收益特征分析等。其中，投资风险收益特征分析是重点。

根据对待风险的不同态度，可以把客户的风险偏好分为风险偏好型、风险厌恶型、风险中性型。一般，风险厌恶型的客户不愿意承担风险，风险偏好型的客户追逐风险，而风险中性型的客户不关心风险。证券公司及其营销人员应当通过各种方式对客户的风险承受能力进行调查，并以此作为参考依据，为客户提供建议和服务，在保证客户利益最大化的同时更有效地降低营销风险。

根据客户的风险偏好，结合客户的资产状况，可将客户类型分为保守型、稳健型和积极型。

·保守型。此类客户的首要目标是保护本金不受损失和保持资产流动性。他们对投资的态度是希望投资收益稳定，不愿意承担高风险以换取高收益，通常不太在意资金是否有较大的增值，不愿意承受投资波动对心理的煎熬，追求稳定。

·稳健型。此类客户的投资目的主要是在风险较小的情况下获得一定的收益。他们虽然愿意承受一定的风险，但在作出投资决定时，会对将要面临的风险进行认真分析。

·积极型。此类客户通常专注于投资的长期增值，并愿意为此承受较大的风险。短期的投资波动并不会对其造成大的影响，追求较高的回报是其关注的目标。此类客户一般有较高的风险承受能力。

5. 客户促成。客户促成是客户招揽的最后一个环节。促成即指营销人员与客户进行充分沟通后达成共识，认同并购买营销人员推介所在证券公司的证券类金融产品及服务的过程。在经纪业务营销中，客户促成的表现形式为：客户选择该证券公司作为其证券交易的经纪商并接受证券公司的服务。

(二) 客户服务

1. 客户服务的主要内容。证券公司提供的客户服务是以客户需求为导向的，是能够满足客户或目标市场需要的一系列服务的组合，涉及的范围广，形式复杂。但比照一般产品的层次，证券公司经纪业务的服务也可以分为核心服务、有形服务和附加服务 3 个主要层次。

(1) 核心服务。证券公司在开展经纪业务时，为客户提供的核心服务是证券交易通道服务，满足的是客户完成证券交易的核心需求。目前证券交易通道包括证券营业网点柜台服务、网上交易通道和电话委托自助式交易通道服务等。

(2) 有形服务。有形商品以物质形态存在，可以自我展示，而服务产品以行为方式存在。客户对于证券公司所提供的有形服务产品，可以通过服务工具、设备、员工、信息资料等感知到。就证券公司经纪业务服务而言，有形服务主要表现为公司的证券交易设备、设施和公司营业网点的选址、环境布置、网络、电话等自助式委托终端的便利性和快捷性等方面。

（3）附加服务。附加服务是证券公司为了提高竞争力，根据客户的需求提供的有形或无形服务。附加服务可以为核心服务提高附加值，从而可以更清楚地突出证券公司的特色。证券公司提供的附加服务内容愈多，给核心服务增加的价值愈大，就愈有利于创造证券公司的服务品牌。

对于证券经纪业务而言，其附加服务主要包括证券投资咨询服务、理财顾问服务等。

①证券投资咨询服务。证券投资咨询服务是指证券公司依托本公司或其他证券公司、证券研究机构的研究分析成果，利用公司网络平台、电子邮件、手机短信、电话咨询及投资刊物等方式向客户提供研究报告及投资咨询服务。

②理财顾问服务。理财顾问服务是指证券公司向客户提供财务分析与规划、投资建议、个人投资产品推介等综合性理财专业化服务。主要是通过设置专属投资顾问，根据客户的资信状况、投资偏好、风险偏好等，帮助客户寻找最适合自己的投资组合，为客户提供针对性投资建议，是一种综合性的高附加值的服务。

理财顾问服务具有顾问性、专业性、综合性和长期性的特点。

Ⅰ.顾问性。在理财顾问服务中，证券公司只提供投资建议，最终决策权在客户。如果客户接受建议并实施，由此产生的所有证券投资的风险由客户承担，当然由此产生的收益也属于客户。

Ⅱ.专业性。理财顾问服务是一项专业性很强的服务，要求提供服务的人员有扎实的金融证券知识基础，对相关金融市场及其交易机制、相关金融产品的风险和收益性有清晰的认识，在此基础上提供专业性的判断。

Ⅲ.综合性。理财顾问服务涉及的内容非常广泛，要求能够兼顾客户各个方面的投资需求，不但涵盖金融产品等投资顾问服务，还要包括财务规划、税务规划、艺术品投资等领域。

Ⅳ.长期性。证券公司提供理财顾问服务寻求的是和客户建立长期的关系，不能只追求短期收益。

在境外成熟的资本市场，大部分证券公司的客户服务是有偿提供的，客户查看行情、咨询信息、接受专业理财建议等，都须向证券公司缴纳一定的费用。

2. 证券经纪业务营销人员的服务。从营销包括的主要环节来分，营销人员的客户服务可以分为售前服务、售中服务和售后服务。

（1）售前服务。售前服务指营销人员在客户招揽过程中提供的各项服务，主要包括向客户介绍证券基础知识、证券投资信息和投资者风险教育等证券专业资讯服务。

（2）售中服务。售中服务指客户形成购买决策、实施购买行为时营销人员提供的服务。在开展证券经纪业务营销时，营销人员的售中服务主要体现在客户办理开户手续或购买证券产品、签订投资协议过程中为客户提供的服务。如对客户进行开户指导、提示相关的注意事项、向客户提示投资产品风险、分析和解释产品投资协议条款的内容等。

（3）售后服务。售后服务指客户在证券公司开立证券账户（或购买证券产品、签订投资协议）后，营销人员为客户提供的服务，如客户的关系维护等。

3. 证券公司客户服务的方式。证券公司向客户提供服务的方式有多种，目前通常使用的客户服务方式有以下几种：

（1）电话服务中心。电话服务中心通常以电脑软、硬件设备为后援，同时开辟人工坐席和自动语音系统。一些标准化的答案如投资操作步骤、证券基础知识、证券法律法规、证券风险提示等均可通过自动语音系统来提供。当然，客户（投资者）也可选择人工服务。客户服务人员将根据不同的投资者类别进入相应的投资者管理系统中，并以最短时间提供投资者所需要的查询、咨询、投诉、建议和其他个性化服务。与此同时，在不影响服务质量的基础上，客户服务人员会在提供服务的同时，适当记录谈话资料，建立相应的投资者档案，作为以后服务该投资者时的参考，也作为证券公司对投资者群体进行统计分析和管理的依据之一。

（2）邮寄服务。向客户邮寄交易对账单、季度对账单、投资策略报告、理财月刊等定期和不定期材料，使投资者尽快了解其投资变动情况，理性对待市场行情的波动。

（3）自动传真、电子信箱与手机短信服务。自动传真、电子信箱与手机短信服务具有一定的市场需求。前两者特别适用于传递行文较长的信息资料；而手机短信最重要的功能则在于发送字节较短的信息，包括证券行情和其他动态新闻。当然，这些功能的实现在很大程度上依赖于强有力的系统支持。

（4）"一对一"专人服务。专人服务是为投资额较大的个人投资者和机构投资者提供的最具个性化的服务。这类大额投资者大部分具有相当丰富的专业知识和投资理财经验，尤其是机构投资者，多数设有专门的投资部门或聘用专人跟踪自己的投资。他们需要与证券公司营销人员和提供投资咨询及理财服务的专业人员进行充分沟通，并保持密切的联系，需要持续的专业化服务。由于配有专人，这部分投资者通常能够得到更充分、更及时的有效信息，享受到更便捷、更完善的服务。

（5）互联网的应用。通过互联网可以向投资者提供容量更大、范围更广的信息查询（包括投资常识、股市行情、开放式基金的净值、投资者账户信息等）、证券交易、证券资讯、自动回邮或下载的服务，并接受投诉和建议。另外，通过互联网的友情网站链接，投资者可以方便地检索和查阅更多信息。

（6）媒体和宣传手册的应用。通过电视、电台、报刊等媒体定期或不定期地向投资者传达专业信息，传输正确的投资理念。当市场出现较大波动时，及时利用媒体的影响力来消除投资者的紧张情绪，让大众更理性、更深刻地了解市场，可以减少非理性行为的发生。宣传手册则可以作为一种广告资料运用于销售过程中。对公司形象的宣传和对新产品的介绍是客户服务不可缺少的部分。

（7）讲座、推介会和座谈会。讲座、推介会和座谈会等都能为投资者提供一个面对面交流的机会。证券公司也可以从这些活动中获取有价值的投资者需求信息，有效地推介证券产品，并分析投资者的反馈信息，进一步改善客户服务。

4. 客户投诉管理。

（1）客户投诉的目的和原因。一般客户投诉的目的是希望他们的问题得到重视和解决、损失得到补偿或得到更好的服务等。客户投诉最根本的原因是客户没有得到预期的服务，即实际情况与客户期望有差距。即使证券公司提供的产品达到标准，服务已达到良好水平，但只要与客户的期望有距离，投诉就有可能产生。客户投诉的常见原因有：客户认为自己被公司或营销人员忽视、营销人员的服务承诺未兑现、营销人员不愿意承担错误及责任、营销人员的违规行为使客户蒙受经济损失、客户的问题或需求得不到解决等。

（2）客户投诉的分类。一般客户投诉可以分为有效投诉和无效投诉两类。

①有效投诉。有效投诉指由于证券公司及其营销人员的原因，导致客户利益受损或客户对证券公司产品及服务不满而引起的客户投诉，证券公司或证券公司营销人员负有一定的责任。

②无效投诉。无效投诉指由于客户自身原因导致客户利益受损或客户对证券公司产品及服务的误解而投诉，证券公司或证券公司营销人员没有任何责任。

证券公司或证券公司营销人员必须对有效投诉负责，并按照相关法律法规承担相应的责任。对于无效投诉，证券公司和证券公司营销人员也必须对客户解释，加强对客户的风险教育。

正确处理客户投诉，及时作出回应和调整，是证券公司与客户保持长久关系的必然选择。证券公司相关人员在处理客户投诉时，应当做到在了解客户投诉真正原因的基础上，采取有效的方法，解决客户的问题。对于无效投诉，也应当通过解释、沟通，让客户了解相应的情况，化解客户的抱怨情绪。

三、证券经纪业务营销的监督管理

根据《证券法》、《证券公司监督管理条例》以及《证券经纪人管理暂行规定》等法律法规的规定，我国对证券经纪业务营销的监督管理主要体现在对开展证券经纪人制度的证券公司的管理及对证券经纪人及证券经纪业务营销人员的管理。

（一）证券公司开展经纪人制度的管理规定

按照《证券公司监督管理条例》及《证券经纪人管理暂行规定》的要求，证券公司委托证券经纪人开展证券经纪业务营销的，应当做到以下几点要求：

1. 证券公司建立健全证券经纪人管理制度，采取有效措施，对证券经纪人及其执业行为实施集中统一管理，保障证券经纪人具备基本的职业道德和业务素质，防止证券经纪人在执业过程中从事违法违规或者超越代理权限、损害客户合法权益的行为。

2. 证券公司应当与接受委托的证券经纪人签订委托合同，确认证券经纪人的授权范围，并对经纪人的执业行为进行监督。

3. 证券公司应当对证券经纪人进行不少于 60 个小时的执业前培训，其中法律法规和职业道德的培训时间不少于 20 个小时。证券公司应当对证券经纪人执业前培训的效果进行测试。此外，证券公司还应当按照协会的规定，组织对证券经纪人的后续职业培训。

4. 证券公司应当建立健全信息查询制度、客户回访制度、异常交易和操作监控制度、客户投诉和纠纷处理机制、科学合理的证券经纪人绩效考核制度以及证券经纪人档案，加强对证券经纪人的日常管理。

目前，证券公司采用证券经纪人制度的，应当将与证券经纪人有关的管理制度、证券经纪人制度启动实施方案报公司住所地证监会派出机构备案。经住所地证监会派出机构现场核查，确认其相关管理制度、内部控制机制和技术系统已经建立并能有效运行，证券经纪人制度启动实施方案合理可行，证券经纪业务已经满足合规要求后，证券公司方可委托证券经纪人从事客户招揽和客户服务等活动。证券营业部在启动实施证券经纪人制度前，应当将证券公司与证券经纪人有关的管理制度和证券经纪人制度启动实施方案报所在地证监局备案，并接受所在地地方证监局的监管。

（二）对证券经纪人及证券经纪业务营销人员的监督管理

《证券经纪人管理暂行规定》以及由中国证券业协会发布的《证券经纪人执业规范（试行）》，对证券经纪人的定义、执业范围、禁止性行为作了明确规定。按照《证券经纪人管理暂行规定》，证券公司员工从事证券经纪业务营销活动的，也要参照该规定执行。

1. 证券经纪人的定义。按照《证券经纪人管理暂行规定》，证券经纪人是指接受证券公司的委托，代理其从事客户招揽和客户服务等活动的证券公司以外的自然人。证券经纪人是证券从业人员，在开展相关业务前应当取得证券从业资格，并进行执业注册。

2. 证券经纪人的执业范围。按照《证券经纪人管理暂行规定》，证券经纪人在执业过程中，可以根据证券公司的授权，从事下列部分或者全部活动：

（1）向客户介绍证券公司和证券市场的基本情况。

（2）向客户介绍证券投资的基本知识及开户、交易、资金存取等业务流程。

（3）向客户介绍与证券交易有关的法律、行政法规、中国证监会规定、自律规则和证券公司的有关规定。

（4）向客户传递由证券公司统一提供的研究报告及与证券投资有关的信息。

（5）向客户传递由证券公司统一提供的证券类金融产品宣传推介材料及有关信息。

（6）法律、行政法规和中国证监会规定证券经纪人可以从事的其他活动。

3. 证券经纪人及证券营销人员的禁止性行为。按照《证券经纪人管理暂行规定》，证券经纪人及证券营销人员不得有下列禁止性行为：

（1）替客户办理账户开立、注销、转移，证券认购、交易或者资金存取、划转、查询等事宜。

（2）提供、传播虚假或者误导客户的信息，或者诱使客户进行不必要的证券买卖。

（3）与客户约定分享投资收益，对客户证券买卖的收益或者赔偿证券买卖的损失作出承诺。

（4）采取贬低竞争对手、进入竞争对手营业场所劝导客户等不正当手段招揽客户。

（5）泄漏客户的商业秘密或者个人隐私。

（6）为客户之间的融资提供中介、担保或者其他便利。

（7）为客户提供非法的服务场所或者交易设施，或者通过互联网络、新闻媒体从事客户招揽和客户服务等活动。

（8）委托他人代理其从事客户招揽和客户服务等活动。

（9）损害客户合法权益或者扰乱市场秩序的其他行为。

除上述 9 项禁止性规定之外，中国证券业协会颁布的《证券经纪人执业规范（试行）》又进一步规定了以下 5 项禁止性行为：

（1）以所服务证券公司或证券营业部的名义，与客户或他人签订任何合同、协议。

（2）代客户在相关合同、协议、文件等资料上签字。

（3）在执业过程中索取或收受客户款项和财物。

（4）向客户提供非由所服务证券公司统一提供的研究报告及与证券投资有关的信息、证券类金融产品宣传推介材料及有关信息。

（5）违背职业道德的其他行为。

 ## 第四节　证券经纪业务的风险及其防范

一、证券经纪业务的主要风险

证券经纪业务的风险是指证券公司在开展证券经纪业务过程中因种种原因而导致其自身利益遭受损失的可能性。按风险起因不同，经纪业务的风险主要包括合规风险、管理风险和技术风险等。

（一）合规风险

证券经纪业务的合规风险主要是指证券公司在经纪业务活动中违反法律、行政法规和监管部门规章及规范性文件、行业规范和自律规则、公司内部规章制度、行业公认并普遍遵守的职业道德和行为准则等行为，可能使证券公司受到法律制裁、被采取监管措施、遭受财产损失或声誉损失的风险。

（二）管理风险

管理风险主要是指证券公司在经纪业务经营中由于管理制度不健全、内部控制不严，或工作人员有章不循、违规操作等而导致客户账户管理差错或违规、侵害客户权益、造成客户资产损失、引发客户纠纷，而使证券公司受到监管处罚或因承担赔偿责任遭受财产损失或声誉损失的风险。

（三）技术风险

技术风险是指证券公司信息技术系统（包括电脑设备、供电、通讯设施等）发生技术故障，导致行情中断、交易停滞、银证转账不畅，或在容量、运作等方面不能保障交易业务正常、有序、高效、顺利进行，从而可能给客户造成损失，证券公司因承担赔偿责任而带来经济或声誉损失的风险。

技术风险主要来自于硬件设备和软件两个方面。硬件设备方面主要是由于硬件设备（场地、设施、电脑、通讯设备等）的机型、容量、数量、运营状况及在业务高峰时的处理能力等方面不能适应正常行情传送、证券交易和银证转账需要，不能有效及时地应付突发事件。软件方面主要是软件的运行效率、行情传送和业务处理速度及精度不能满足业务需要，可能造成行情中断、交易停滞、银证转账不畅等。

二、证券经纪业务风险的防范

（一）合规风险的防范

1. 证券公司要加强合规文化建设，从高级管理人员到普通员工都要增强法治观念和合规意识。要从指导思想上牢固树立依法、合规、诚信、公平的经营理念，进而转化成全体员工在业务经营中的自觉行为。

2. 要建立健全各项规章制度，严格按经纪业务内部控制的要求完善内部控制机制和制度。制定统一、完善、标准化的经纪业务操作规程，做到各项业务都有章可循，业务操作标准化、规范化。证券公司应设立合规总监。合规总监是公司的合规负责人，对公司及其工作人员的经营管理和执业行为的合规性进行审查、监督和检查。

3. 对客户交易结算资金实行第三方存管，对经纪业务账户管理、交易、清算、核算、操作权限、风险控制等实行集中统一管理；对风险程度和重要性不同的业务，实行实时复核、分级审批。加强对经纪业务主要环节和风险点的控制。

4. 强化岗位制约和监督，对经纪业务主要部门和岗位实行相互分离的管理制度。经纪业务营销、账户管理、信息系统管理、会计核算等部门或岗位应严格分开，不得兼职或混合操作。严格限定不同岗位人员的操作权限。

（二）管理风险的防范

1. 要加强经纪业务营销管理。证券公司应对全公司所属营业部、全部营销人员的营销活动进行有序组织、合理分工、统筹管理；要明确营销人员的授权范围、业务职责、组织控制、绩效考核及禁止行为。要确保营销人员了解授权范围和所承担的责任，规范开展客户招揽、资讯传递、风险提示、投资者教育等业务活动；要对营销人员的执业行为实施有效监控，及时发现并严肃处理证券经纪活动中的违法违规行为。

2. 严格执行经纪业务操作规程。营业部在办理业务时，不论是否繁忙、客户是谁，每一笔业务都必须严格按规定的程序操作。特别是对《证券交易委托代理协议书》及《风险揭示书》的签署、证券及资金账户的开立、重要客户资料的变更、客户资产的转移等重要业务要实行经办、复核、审批机制并强制留痕，以防止发生违规操作和业务差错。

同时，要明确业务差错的处理办法与程序，提高差错的处理效率。防止因业务差错损害客户权益和引发客户纠纷。对发生违规操作或差错应按性质、数额和责任大小追究有关责任人的责任。

3. 建立经纪业务营销和账户管理操作信息管理系统，防范从业人员执业行为引发的风险，保护客户合法权益。一是记录营销和账户管理人员的个人基本信息、执业资格状态、职业培训、工作权限及业务状况、绩效考核、客户投诉、违法违规行为及处理等情况，并通过现场、电话、互联网络等方式为客户提供查询。二是对客户的交易行为进行监控分析，通过发现异常操作、异常交易、异常资金流动等情况，及时发现和纠正营销或账户管理人员的不当行为。三是提供证券公司统一的证券资讯和咨询信息，建立公司、员工与客户三者之间信息传递和反馈的有效渠道。四是通过面谈、电话、网站、信函或其他方式对客户进行定期访问，了解营销和账户管理人员执业情况，并对回访记录强制留痕。

4. 加强员工培训，提高员工素质。对经纪业务从业人员要进行专业知识、业务规则、业务技能、法律法规和职业道德等方面的执业前培训和后续执业培训。全面提高员工的知识水平、专业技能，增强其守法合规意识和职业道德修养，促进其自觉遵守法律法规、规章制度，合规、规范执业。

5. 建立客户投诉处理及责任追究机制。应明确客户投诉和纠纷处理流程，并以适当形式向客户公示。公司总部和营业网点至少在营业时间内投诉电话有人值守，投诉事项有人受理并及时反馈客户。对公司从业人员在执业过程中的违法违规行为，按照有关法律法规和公司有关制度的规定，追究其责任。

6. 建立经纪业务检查稽核制度。公司应对营业部经纪业务开展情况及操作过程进行定期或不定期检查或稽核，发现问题及时督促整改。对违法违规行为应按公司有关制度规定追究有关责任人的责任。

(三) 技术风险的防范

1. 证券营业部的信息系统建设和管理，包括基础环境、网络通信、应用系统、管理制度、系统运行维护、安全保障等方面应符合中国证券业协会制定的《证券营业部信息技术指引》的有关要求。这是防范技术风险的重要基础和根本保障。

2. 应根据业务需求建立完善的信息技术系统及相应的容错备份系统和灾难备份系统。一是信息系统机房要符合规定的安全标准要求；二是配备先进、可靠、高效的软硬件设施。设施的配备要能保障业务正常运行、满足业务发展需要、符合容错备份和灾难备份的要求。

3. 制定并严格执行信息系统运行管理制度和备份方案、系统故障及业务应急处理预案；做好信息系统的日常管理和维护保养，定期按应急处理预案进行演练。一方面，要确保信息系统正常运行；另一方面，即使信息系统发生故障，也能最大限度地保证交易正常进行，将系统故障导致的风险降到最低程度。

 第五节　证券经纪业务的监管和法律责任

一、证券经纪业务监管的一般要求

为了加强证券公司经纪业务的监管，规范证券经纪业务活动，保护投资者的合法权益，中国证监会于 2010 年 4 月发布了《关于加强证券经纪业务管理的规定》，明确了证券经纪业务管理的一般要求：

1. 证券公司应当建立健全证券经纪业务管理制度，对证券经纪业务实施集中统一管理，防范公司与客户之间的利益冲突，切实履行反洗钱义务，防止出现损害客户合法权益的行为。

2. 证券公司从事证券经纪业务，应当客观说明公司业务资格、服务职责、范围等情况，不得提供虚假、误导性信息，不得采取不正当竞争手段开展业务，不得诱导无投资意愿或者无风险承受能力的投资者参与证券交易活动。

3. 证券公司应当建立健全证券经纪业务客户管理与客户服务制度，加强投资者教育，保护客户合法权益。

（1）建立健全客户账户管理制度。证券公司与客户签订证券交易委托代理协议，应当为客户开立资金账户；代理证券登记结算机构为首次进入证券市场的客户开立证券账户，并按规定办理客户交易结算资金（简称"客户资金"）存管手续。客户的资金账户应当在证券营业部现场开立，证券账户应当在证券营业部或者证券登记结算机构现场开立，法律法规及中国证监会另有规定的从其规定。

证券公司应当充分了解客户情况，在客户开户时，对客户的姓名或者名称、身份的真实性进行审查，登记客户身份基本信息，并留存有效身份证件或者其他身份证明文件的复印件或者影印件。发现客户身份存疑的，应当要求客户补充提供居民户口簿或者有效期内的护照或者户籍所在地公安机关出具的身份证明文件原件等足以证实其身份的其他证明材料；无法证实的，应当拒绝为客户开立账户。

证券公司不得违反规定限制客户终止交易代理关系、转移资产。客户申请转托管、撤销指定交易和销户的，应当在接受客户申请并完成其账户交易结算（包括但不限于交易、基金代销、新股申购等业务）后的 2 个交易日内办理完毕；法律法规、中国证监会及证券交易所、证券登记结算机构另有规定的从其规定。

（2）建立健全客户适当性管理制度，为客户提供适当的产品和服务。证券公司应当根据客户财务与收入状况、证券专业知识、证券投资经验和风险偏好、年龄等情况，在与客户签订证券交易委托代理协议时，对客户进行初次风险承受能力评估，以后至少每两年根据客户证券投资情况等进行一次后续评估，并对客户进行分类管理。分类结果应当以书面或者电子方式记载、留存。

证券公司应当事先明确告知客户所提供服务或者销售产品的风险特

证，按照规定程序，提供与客户风险承受能力相适应的服务或产品。服务或产品风险特征及告知情况应当以书面或者电子方式记载、留存。证券公司认为某一服务或产品不适合某一客户或者无法判断适当性的，应当将该情形提示客户，由客户选择是否接受该项服务或产品。证券公司的提示和客户的选择应当以书面或者电子方式记载、留存。

（3）建立健全客户交易安全监控制度，保护客户资产安全。证券公司应当配合监管部门、证券交易所对客户异常交易行为进行监督、控制、调查，根据监管部门及证券交易所要求，及时、真实、准确、完整地提供客户账户资料及相关交易情况说明。发现盗买盗卖等异常交易行为疑点时，应当及时通知客户并核实确认、留存证据；基本确认盗买盗卖等异常交易行为的，应当立即采取措施控制资产，并协助客户向公安机关报案。

证券公司应当要求客户在开立资金账户时自行设置密码，提醒客户适时修改密码和增强密码强度，并在证券营业部经营场所、公司网站、网上证券客户端及自助证券交易客户端提示客户加强身份证件、账号、密码的保护。

证券公司应当根据法律法规、中国证监会的规定及合同约定，以信函、电子邮件、手机短信、网上查询或者与客户约定的其他方式，保证客户至少在证券公司营业时间内能够查询其委托、交易记录、证券和资金余额等信息。

（4）建立健全客户回访制度，及时发现并纠正不规范行为。证券公司应当统一组织回访客户，对新开户客户应当在1个月内完成回访，对原有客户的回访比例应当不低于上年末客户总数的10%。回访内容应当包括但不限于客户身份核实、客户账户变动确认、证券营业部及证券业从业人员是否违规代客户操作账户、是否向客户充分揭示风险、是否存在全权委托行为等情况。客户回访应当留痕，相关资料应当保存不少于3年。

（5）建立健全客户投诉处理制度，妥善处理客户投诉和与客户的纠纷。证券公司及证券营业部应当在公司网站及营业场所显著位置公示客户投诉电话、传真、电子信箱，保证投诉电话至少在营业时间内有人值守。证券公司及证券营业部应当建立客户投诉书面或者电子档案；保存时间不少于3年。每年4月底前，证券公司和证券营业部应当汇总上一年度证券经纪业务投诉及处理情况，分别报证券公司住所地及证券营业部所在地证监局备案。

（6）建立健全客户资料管理制度，保证客户资料安全完整。证券公司应当为每个客户单独建立纸质或者电子档案。客户档案应当包括客户及代理人名称、地址、通讯联系方式，客户和代理人的身份证明文件复印件，证券账户卡复印件，证券交易委托代理协议，客户资金存管协议，授权委托书，风险揭示书及中国证监会规定的其他信息。证券公司应当妥善保管客户档案和资料，为客户保密。

4. 证券公司应当建立健全证券经纪业务人员管理和科学合理的绩效考核制度，规范证券经纪业务人员行为。

（1）从事技术、风险监控、合规管理的人员不得从事营销、客户账户及客户资金存管等业务活动；营销人员不得经办客户账户及客户资金存管业务；技术人员不得承担风险监控及合规管理职责。

（2）与客户权益变动相关业务的经办人员之间，应当建立制衡机制。涉及客户资金账户及证券账户的开立、信息修改、注销，建立及变更客户资金存管关系，客户证券账户转托管和撤销指定交易等与客户权益直接相关的业务应当一人操作、一人复核，复核应当留痕。涉及限制客户资产转移、改变客户证券账户和资金账户的对应关系、客户账户资产变动记录的差错确认与调整等非常规性业务操作，应当事先审批，事后复核，审批及复核均应留痕。

（3）证券公司应当以提供网上查询、书面查询或者在营业场所公示等方式，保证客户在证券公司营业时间内能够随时查询证券公司经纪业务经办人员和证券经纪人的姓名、执业证书、证券经纪人证书编号等信息。

（4）证券公司对证券经纪业务人员的绩效考核和激励，不应简单与客户开户数、客户交易量挂钩，应当将被考核人员行为的合规性、服务的适当性、客户投诉的情况等作为考核的重要内容，考核结果应当以书面或者电子方式记载、保存。

5. 证券公司应当建立健全证券营业部管理制度，保障证券营业部规范、平稳、安全运营。

（1）证券营业部应当将"证券经营机构营业许可证"放置在营业场所显著位置，并在许可范围内从事经营活动。

（2）证券营业部应当建立健全印章管理制度，对各类印章登记造册，建立各类印章的使用、保管、交接等内部控制流程。

（3）证券营业部应当建立健全营业场所安全保障机制，保证与当地公安、消防等有关部门的联系畅通，维护交易秩序稳定；制定重大突发事件应急处理预案，定期组织自查，按规定进行演练。自查及演练情况应当以书面方式记载、留存，保存时间不少于3年。

（4）证券营业部负责人对证券营业部的业务规范、安全、稳定运营负直接责任。证券公司应当每年对证券营业部负责人进行年度考核，年度考核情况应当以书面方式记载、留存。

（5）证券营业部负责人应当每3年至少强制离岗一次，强制离岗时间应当连续不少于10个工作日。证券营业部负责人强制离岗期间，证券公司应当对证券营业部进行现场稽核，稽核报告应当以书面方式记载、留存。

（6）证券营业部负责人离任的，证券公司应当进行审计。离任审计结束前，被审计人员不得离职；发现违法违规经营问题的，证券公司应当进行内部责任追究，并报当地监管部门或者司法机关依法处理，且该违规人员至少2年内不得转任其他证券营业部负责人或者证券公司同等职务及以上管理人员。证券公司应当在审计结束后3个月内，将证券营业部负责人离任审计报告报证券营业部所在地及公司住所地证监局备案。

6. 证券公司应当统一建立、管理证券经纪业务客户账户管理、客户资金存管、代理交易、代理清算交收、证券托管、交易风险监控等信息系统，各项业务数据应当集中存放。

证券公司应当统一分配和授予证券经纪业务信息系统权限及参数；证券公司不得向证券营业部授予虚增虚减客户资金、证券及账户，客户间资金及证券转移，修改清算数据的系统权限；证券营业部新建信息系统，应当由证券公司统一组织实施。

二、证券经纪业务的禁止行为

证券市场遵循"三公"原则，禁止任何内幕交易、操纵市场、欺诈客户、虚假陈述等损害市场和投资者的行为。根据我国《证券法》等相关法律法规和中国证券业协会《证券业从业人员执业行为准则》的规定，证券公司在从事证券经纪业务过程中禁止下列行为：

1. 挪用客户所委托买卖的证券或者客户账户上的资金；或将客户的资金和证券借与他人，或者作为担保物或质押物；或违规向客户提供资金或有价证券。

2. 侵占、损害客户的合法权益。

3. 未经客户的委托，擅自为客户买卖证券，或者假借客户的名义买卖证券；违背客户的委托为其买卖证券；接受客户的全权委托而决定证券买卖、选择证券种类、决定买卖数量或者买卖价格；代理买卖法律规定不得买卖的证券。

4. 以任何方式对客户证券买卖的收益或者赔偿证券买卖的损失作出承诺。

5. 为牟取佣金收入，诱使客户进行不必要的证券买卖。

6. 在批准的营业场所之外私下接受客户委托买卖证券。

7. 编造、传播虚假或者误导投资者的信息；散布、泄漏或利用内幕信息。

8. 从事或协同他人从事欺诈、内幕交易、操纵证券交易价格等非法活动。

9. 贬损同行或以其他不正当竞争手段争揽业务。

10. 隐匿、伪造、篡改或者毁损交易记录。

11. 泄露客户资料。

三、经纪业务的监管措施

防范和控制经纪业务的风险，除了需要证券公司如上所述建立各项业务规章制度和采取相应管理、防范措施外，还需要建立一套内外结合的业务监督与检查制度。

（一）证券公司的内部控制

证券公司应当建立内部稽核制度，加强对所属营业部业务经营的稽核监督、检查。通过定期或不定期、全面或单项、现场或非现场的稽核检查，及时发现和纠正存在的问题。同时，严格从业人员的管理，加大违规行为内部责任追究力度，杜绝违反法规、规则和操作规程及其他损害客户利益的事件发生。

（二）证券业协会的自律管理

证券业协会是证券业的自律性组织，是社会团体法人。证券公司应当加入证券业协会，成为证券业协会的会员。证券业协会应教育和组织会员遵守证券法律、行政法规，并监督、检查会员行为，对违反法律、行政法规或者协会章程的，也应按照规定给予纪律处分。

（三）证券交易所的监督

证券交易所是证券经纪业务的一线监管机构。根据我国《证券交易所管理办法》的规定，证券交易所应当在其业务规则中对会员代理客户买卖证券业务作出详细规定，并实施一定的监管。同时，证券交易所每年应当对会员的财务状况、内部风险控制制度以及遵守国家有关法规和证券交易所业务规则等情况进行抽样或者全面检查，并将检查结果报告中国证监会。

（四）证券监管机构的监管

中国证监会及其派出监管机构依法对证券公司的经纪业务进行监管，主要监管措施包括以下几方面：

1. 证券公司向监管机构的报告制度。证券公司应当自每一会计年度结束之日起4个月内，向证券监管机构报送年度报告；自每月结束之日起7个工作日内，报送月度报告。

发生影响或者可能影响证券公司经营管理、财务状况、风险控制指标或者客户资产安全的重大事件的，证券公司应当立即向证券监管机构报送临时报告，说明事件的起因、目前的状态、可能产生的后果和拟采取的相应措施。

2. 信息披露。证券公司应当依法按证券监管机构的有关要求，向社会公开披露其基本情况、参股及控股情况、负债及或有负债情况、经营管理状况、财务收支状况、高级管理人员薪酬和其他有关信息。

证券监管机构可以要求证券公司及其相关单位或者个人，在指定的期限内提供与证券公司经营管理和财务状况有关的资料、信息。

3. 检查制度。证券监管机构有权采取下列措施，对证券公司的业务活动、财务状况、经营管理情况进行检查：

（1）询问证券公司的董事、监事、工作人员，要求其对有关检查事项作出说明。

（2）进入证券公司的办公场所或者营业场所进行检查。

（3）查阅、复制与检查事项有关的文件、资料，对可能被转移、隐匿或者毁损的文件、资料、电子设备予以封存。

（4）检查证券公司的计算机信息管理系统，复制有关数据资料。

四、法律责任

（一）中国证监会《关于加强经纪业务管理的规定》的有关规定

1. 证券营业部及证券从业人员发生违反法律、行政法规、监管机构和其他行政管理部门规定以及自律规则、证券公司证券经纪业务管理制度行为的，证券公司应当追究其责任。

2. 证券公司及证券营业部违反《关于加强经纪业务管理的规定》的，中国证监会及其派出机构将视情况依法采取责令改正、监管谈话、出具警示函、暂不受理与行政许可有关的文件、责令处分有关人员、暂停核准新业务、限制业务活动等监管措施。违反法律法规的，依法进行行政处罚。构成犯罪的，移送司法机关处理。

（二）中国证监会《证券经纪人管理暂行规定》的有关规定

中国证监会及其派出机构依法对证券经纪人进行监督管理。对违法违规的证券经纪人，依法采取监管措施或者予以行政处罚。对违反规定或者因管理不善导致证券经纪人违法违规、客户大量投诉、出现重大纠纷、不稳定事件的证券公司，可以要求其提高经纪业务风险资本准备计算比例和有关证券营业部的分支机构风险资本准备计算金额，并依法采取限制其证券经纪人规模等监管措施或者予以行政处罚。

证券公司和证券经纪人的失信行为信息，记入证券期货市场诚信信息数据库系统。

（三）国务院《证券公司监督管理条例》的有关规定

1. 证券公司从事证券经纪业务，客户资金不足而接受其买入委托，或者客户证券不足而接受其卖出委托的，依照《证券法》第二百零五条的规定处罚，即"没收违法所得，暂停或者撤销相关业务许可，并处以非法融资融券等值以下的罚款。对直接负责的主管人员和其他直接责任人员给予警告，撤销任职资格或者证券从业资格，并处以三万元以上三十万元以下的罚款。"

2. 证券公司将客户的资金账户、证券账户提供给他人使用的，依照《证券法》第二百零八条的规定处罚，即"责令改正，没收违法所得，并处以违法所得一倍以上五倍以下的罚款；没有违法所得或者违法所得不足三万元的，处以三万元以上三十万元以下的罚款。对直接负责的主管人员和其他直接责任人员给予警告，并处以三万元以上十万元以下的罚款。"

3. 证券公司诱使客户进行不必要的证券交易，或者从事证券资产管理业务时，使用客户资产进行不必要的证券交易的，依照《证券法》第二百一十条的规定处罚，即"责令改正，处以一万元以上十万元以下的罚款。给客户造成损失的，依法承担赔偿责任。"

4. 证券公司或者其境内分支机构超出国务院证券监督管理机构批准的范围经营业务的，依照《证券法》第二百一十九条的规定处罚，即"责令改正，没收违法所得，并处以违法所得一倍以上五倍以下的罚款；没有违法所得或者违法所得不足三十万元的，处以三十万元以上六十万元以下罚款；情节严重的，责令关闭。对直接负责的主管人员和其他直接责任人员给予警告，撤销任职资格或者证券从业资格，并处以三万元以上十万元以下的罚款。"

5. 证券公司违反《证券公司监督管理条例》的规定，有下列情形之一的，责令改正，给予警告，没收违法所得，并处以违法所得1倍以上5倍以下的罚款；没有违法所得或者违法所得不足10万元的，处以10万元以上30万元以下的罚款；情节严重的，暂停或者撤销其相关证券业务许可。对直接负责的主管人员和其他直接责任人员，给予警告，并处以3万元以上10万元以下的罚款；情节严重的，撤销任职资格或者证券从业资格：

（1）违反规定委托其他单位或者个人进行客户招揽、客户服务或者产品销售活动。

（2）向客户提供投资建议，对证券价格的涨跌或者市场走势作出确定性的判断。

6. 证券公司违反《证券公司监督管理条例》的规定，有下列情形之一的，责令改正，给予警告，没收违法所得，并处以违法所得 1 倍以上 5 倍以下的罚款；没有违法所得或者违法所得不足 3 万元的，处以 3 万元以上 30 万元以下的罚款。对直接负责的主管人员和其他直接责任人员单处或者并处警告、3 万元以上 10 万元以下的罚款；情节严重的，撤销任职资格或者证券从业资格：

（1）与他人合资、合作经营管理分支机构，或者将分支机构承包、租赁或者委托给他人经营管理。

（2）未按照规定程序了解客户的身份、财产与收入状况、证券投资经验和风险偏好。

（3）推荐的产品或者服务与所了解的客户情况不相适应。

（4）未按照规定指定专人向客户讲解有关业务规则和合同内容，并以书面方式向其揭示投资风险。

（5）未按照规定与客户签订业务合同，或者未在与客户签订的业务合同中载入规定的必备条款。

（6）未按照规定建立并有效执行信息查询制度。

（7）未按照规定指定专门部门处理客户投诉。

（8）未按照规定存放、管理客户的交易结算资金。

7. 证券公司未按照规定为客户开立账户的，责令改正；情节严重的，处以 20 万元以上 50 万元以下的罚款，并对直接负责的董事、高级管理人员和其他直接责任人员，处以 1 万元以上 5 万元以下的罚款。

8. 《证券公司监督管理条例》的规定，有下列情形之一的，责令改正，给予警告，没收违法所得，并处以违法所得 1 倍以上 5 倍以下的罚款；没有违法所得或者违法所得不足 10 万元的，处以 10 万元以上 60 万元以下的罚款；情节严重的，撤销相关业务许可。对直接负责的主管人员和其他直接责任人员给予警告，撤销任职资格或者证券从业资格，并处以 3 万元以上 30 万元以下的罚款：

（1）任何单位和个人强令、指使、协助、接受证券公司以证券经纪客户的资产提供融资或者担保。

（2）证券公司、资产托管机构、证券登记结算机构违反规定动用客户的交易结算资金和证券。

（3）资产托管机构、证券登记结算机构对违反规定动用客户的资金和证券的申请、指令予以同意、执行。

（4）资产托管机构、证券登记结算机构发现客户资金和证券被违法动用而未向国务院证券监督管理机构报告。

9. 证券经纪人违反《证券公司监督管理条例》的规定，有下列情形之一的，责令改正，给予警告，没收违法所得，并处以违法所得等值罚款；没有违法所得或者违法所得不足 3 万元的，处以 3 万元以下的罚款；情节严重的，撤销任职资格或者证券从业资格：

（1）从事业务未向客户出示证券经纪人证书。

（2）同时接受多家证券公司的委托，进行客户招揽、客户服务等活动。

（3）接受客户的委托，为客户办理证券认购、交易等事项。

第五章

经纪业务相关实务

 ## 第一节　股票网上发行

一、网上发行的概念和类型

股票发行是股票交易的前提。我国股票发行曾经采用过多种方法。有些股票发行利用了证券交易所的交易系统，投资者可以直接通过交易系统认购新股；有些股票则通过其他渠道由投资者认购。通常，前者称为"网上发行"。对于证券交易所市场个人投资者来说，网上发行与其关系最为密切，因为他们可以直接参与这样的新股发行。

（一）网上发行的概念

股票网上发行是利用证券交易所的交易系统，新股发行主承销商在证券交易所挂牌销售，投资者通过证券经纪商进行申购的发行方式。股票网上发行方式按发行价格决定机制划分，有网上定价发行和网上竞价发行。在我国，绝大多数股票采用了网上定价发行。此外，在网上定价发行中，具体形式有多种，如过去曾采用过的网上累计投标询价发行和网上定价市值配售等发行方式。

网上发行具有以下优点：第一，经济性。网上发行大大减轻了发行组织工作压力，减少了许多不必要的环节，为社会节省了大量的人力、物力和财力资源。第二，高效性。网上发行是借助证券交易所遍布全国各地的交易网络进行的，因此整个发行过程安全、高效。

(二) 网上发行的类型

1. 网上竞价发行。新股网上竞价发行在国外指的是一种由多家承销机构通过招标竞争确定证券发行价格，并在取得承销权后向投资者推销证券的发行方式，也称"招标购买方式"。

在我国，新股网上竞价发行是指主承销商利用证券交易所的交易系统，以自己作为唯一的卖方，按照发行人确定的底价将公开发行股票的数量输入其在证券交易所的股票发行专户；投资者则作为买方，在指定时间通过证券交易所会员交易柜台，以不低于发行底价的价格及限购数量，进行竞价认购的一种发行方式。

网上竞价发行除具有网上发行的前述优点之外，还具有以下优点：

(1) 市场性。证券市场是市场经济的产物，应遵从市场规律。网上竞价发行正是将市场原则引入发行环节，通过市场竞争最终决定较为合理的发行价格。

(2) 连续性。采用网上竞价发行方式，由投资者竞价产生的发行价格反映了市场供求的平衡点，与二级市场上的交易价格无多大的差别，因而竞价发行保证了发行市场与交易市场价格的连续性，实现了发行市场与交易市场的平稳顺利对接。

但网上竞价发行也存在一些缺点。比如，股价容易被机构大资金操纵，从而增大了中小投资者的投资风险，特别是发行规模较小的股票，发行价格被大资金操纵的可能性较大。又如，在理性投资观念缺失相对严重的情况下，广大中小投资者直接参与新股竞价容易出现盲目性。

2. 网上定价发行。新股网上定价发行是事先规定发行价格，再利用证券交易所交易系统来发行股票的发行方式，即主承销商利用证券交易所的交易系统，按已确定的发行价格向投资者发售股票。

新股网上定价发行与网上竞价发行的不同之处主要有两点：一是发行价格的确定方式不同。定价发行方式事先确定价格；而竞价发行方式是事先确定发行底价，由发行时竞价决定发行价。二是认购成功者的确认方式不同。定价发行方式按抽签决定；竞价发行方式按价格优先、同等价位时间优先原则决定。

2000 年以后，我国新股发行出现过多种形式，如上网定价发行、网上累计投标询价发行、对一般投资者上网发行和对法人配售相结合方式、向二级市场投资者按市值配售等。其中，网上累计投标询价发行和网上定价市值配售也都属于网上定价发行模式。

自 2005 年 1 月 1 日起，我国开始实行首次公开发行股票的询价制度。根据相关制度规定，首次公开发行股票的公司及其保荐机构应通过向询价对象（指符合中国证监会规定条件的机构投资者）询价的方式确定股票发行价格。询价分为初步询价和累计投标询价两个阶段。发行人及其保荐机构通过初步询价确定发行价格区间，通过累计投标询价确定发行价格；同时，发行人及其保荐机构应向参与网下累计投标询价的询价对象配售规定数量的股票。累计投标询价完成后，发行人及其保荐机构应将其余股票以相同的价格按照发行公告规定的原则和程序向社会公众投资者公开发行。

2006 年 5 月 19 日，深圳证券交易所和中国结算公司共同发布《资金申购上网定价公开发行股票实施办法》；2006 年 5 月 20 日，上海证券交易所和中国结算公司共同发布《沪市股票上网发行资金申购实施办法》。2009 年 6 月，深圳证券交易所、上海证券交易所和中国结算公司对这两个文件又作了进一步修订。从这两个文件规定的内容看，主要是采用了新股发行现金申购制度。

另外，根据我国《证券发行与承销管理办法》的规定，首次公开发行股票，应当通过向特定机构投资者询价的方式确定股票发行价格。询价分为初步询价和累计投标询价。发行人及其主承销商应当通过初步询价确定发行价格区间，在发行价格区间内通过累计投标询价确定发行价格。首次发行的股票在中小企业板上市的，发行人及其主承销商可以根据初步询价结果确定发行价格，不再进行累计投标询价。从这些规定看，现行的股票发行仍然属于定价发行。

根据现行制度规定，新股资金申购网上发行与网下配售股票同时进行。对于通过初步询价确定股票发行价格的，网下配售和网上发行均按照定价发行方式进行。对于通过网下累计投标询价确定股票发行价格的，参与网上发行的投资者按询价区间的上限进行申购。网下累计投标确定发行价格后，资金解冻日网上申购资金解冻，中签投资者将获得申购价格与发行价格之间的差额部分及未中签部分的申购余款。

二、股票上网发行资金申购程序

（一）基本规定

1. 申购单位及上限。上海证券交易所规定，每一申购单位为 1 000 股，申购数量不少于 1 000 股，超过 1 000 股的必须是 1 000 股的整数倍，但最高不得超过当次社会公众股上网发行总量的 1‰，且不得超过 9 999.9 万股。深圳证券交易所规定，申购单位为 500 股，每一证券账户申购委托不少于 500 股，超过 500 股的必须是 500 股的整数倍，但不得超过主承销商在发行公告中确定的申购上限，且不超过 999 999 500 股。

2. 申购次数。投资者参与网上公开发行股票的申购，只能使用一个证券账户。每只新股发行，每一证券账户只能申购一次。同一证券账户多次参与同一只新股申购的，以交易所交易系统确认的该投资者的第一笔申购为有效申购，其余申购均为无效申购。新股申购一经交易所交易系统确认，不得撤销。

3. 申购配号。申购配号根据实际有效申购进行，每一有效申购单位配一个号，对所有有效申购单位按时间顺序连续配号。

4. 资金交收。结算参与人应使用其在证券登记结算机构开立的资金交收账户完成新股申购的资金交收，并应保证其资金交收账户在规定的资金到账时点有足额资金用于新股申购的资金交收。如果结算参与人的资金余额不足，不足资金部分的申购视为无效申购。

（二）操作流程

深圳证券交易所上网发行申购资金冻结时间为 3 个交易日；上海证券交易所上网发行申购资金冻结时间设计为 4 个交易日，但根据发行人和主承销商的申请也可以缩短为 3 个交易日。因此，下面说明申购资金冻结 3 个交易日的流程。

1. 投资者申购。申购当日（T＋0 日），投资者在指定的申购时间内，根据发行人发行公告规定的发行价格和申购数量缴足申购款，进行申购委托。已开立资金账户但没有足够资金的投资者，必须在申购日之前（含该日），根据自己的申购量存入足额的申购资金；尚未开立资金账户的投资者，必须在申购日之前（含该日）开立资金账户，并根据申购量存入足额的申购资金。

2. 申购资金冻结、验资及配号。申购日后的第一个交易日（T＋1日），由中国结算公司分公司进行申购资金冻结处理。16：00前（深圳证券交易所规定15：00前），申购资金须全部到位。16：00后，发行人及其主承销商会同中国结算公司分公司和会计师事务所对申购资金的到位情况进行核查，并由会计师事务所出具验资报告。发行人应当向负责申购资金验资的会计师事务所支付验资费用。然后根据验资结果确认有效申购总量，并将根据最终的有效申购总量对有效申购按时间先后顺序进行统一的连续配号。每一有效申购单位配一个号，并按以下办法配售新股：

（1）当有效申购总量小于或等于该次股票上网发行量时，投资者按其有效申购量认购股票。

（2）当有效申购总量大于该次股票发行量时，则通过摇号抽签，确定有效申购中签号码，每一中签号码认购一个申购单位新股。

3. 摇号抽签、中签处理（T＋2日）。如果有效申购总量大于该次股票发行量，主承销商将于申购日后的第二个交易日（T＋2日）组织摇号抽签，公布确定的发行价和中签率，并按规定进行中签处理。

4. 申购资金解冻（T＋3日）。申购日后的第三个交易日（T＋3日），主承销商公布中签结果，中国结算公司对未中签部分的申购款予以解冻，并按规定进行新股认购款划付，即从结算参与人的资金交收账户上扣收新股认购款项，再划付给主承销商。申购冻结资金产生的利息收入由中国结算公司按相关规定办理划转事宜。

5. 结算与登记。主承销商在收到中国结算公司划转的认购资金后，依据承销协议将该款项扣除承销费用后划转到发行人指定的银行账户。网上发行结束后，中国结算公司完成上网发行新股股东的股份登记。

（三）网上发行与网下发行的衔接

1. 发行公告的刊登。发行人和主承销商应在网上发行申购日一个交易日之前刊登网上发行公告，可以将网上发行公告与网下发行公告合并刊登。

2. 已经参与网下初步询价的配售对象不得参与网上申购。

3. 网上发行与网下发行的回拨。发行人可以进行网上发行数量与网下发行数量的回拨。如作回拨安排，发行人和主承销商应在网上申购资金验资当日通知证券交易所。发行人和主承销商未在规定时间内通知证券交易所的，发行人和主承销商不得进行回拨处理。

4. 网下股份登记。网下发行结束后，发行人向中国结算公司提交相关材料申请办理股权登记，中国结算公司在其材料齐备的前提下 2 个交易日内完成登记。网上与网下股份登记完成后，中国结算公司将新股股东名册交予发行人。

（四）网上增发新股的申购

增发新股是已经上市的股份公司再次向社会发行股票，也可以采用网上发行和网下发行。网上增发新股申购的一般操作程序与新股网上发行申购基本相同。

 第二节 分红派息、配股及股东大会网络投票

上市公司在运行过程中会发生许多行为，如分红派息、配股，以及召开股东大会等。这些事项涉及证券发行人和投资者之间的权利义务关系；同时，证券登记结算机构和证券公司也可能有不同程度的介入，提供一定的服务。证券登记结算机构的介入，一方面是因为负有法定的登记职能，需要处理公司行为可能产生的发行登记、变更登记和退出登记等；另一方面，也可能受发行人委托，协助发行人处理红利发放、代为组织股东大会投票等事务。而证券公司作为连接投资者和证券登记结算机构的中介机

构，也发挥了很多作用，例如代投资者收取红利、组织投资者参加投票等。因此，这一部分内容虽然严格来说不属于经纪业务，但与证券公司也有直接的关系。下面主要介绍分红派息、配股缴款和股东大会网络投票的相关内容。

一、分红派息

分红派息主要是上市公司向其股东派发红利和股息的过程，也是股东实现自己权益的过程。分红派息的形式主要有现金股利和股票股利两种。上市公司分红派息须在每年决算并经审计之后，由董事会根据公司盈利水平和股息政策确定分红派息方案，提交股东大会审议。随后，董事会根据审议结果向社会公告分红派息方案，并规定股权登记日。

目前，上海、深圳证券交易所上市证券的分红派息，主要是通过中国结算公司的交易清算系统进行的，投资者领取红股、股息无需办理其他申领手续，红股、股息由交易清算系统自动派到投资者账上。下面以上海证券交易所为例，说明上市证券分红派息的操作流程。

（一）A 股现金红利派发日程安排

根据现行有关部门制度规定，A 股现金红利派发日程安排如下：

1. 申请材料送交日（T－5 日前）。证券发行人在实施权益分派公告日 5 个交易日前，要向中国结算公司上海分公司提交相关申请材料。

2. 中国结算公司上海分公司核准答复日（T－3 日前）。中国结算公司上海分公司在公告日 3 个交易日前审核申报材料并作出答复。

3. 向证券交易所提交公告申请日（T－1 日前）。证券发行人接到中国结算公司上海分公司核准答复后，应在确定的权益登记日 3 个交易日前，向证券交易所申请信息披露。

4. 公告刊登日（T 日）。证券发行人在指定报刊上刊登实施权益分派的公告。

5. 权益登记日（T＋3 日）。证券发行人应确保权益登记日不得与配股、增发、扩募等发行行为的权益登记日重合，并确保自向中国结算公司上海分公司提交申请表之日至权益登记日期间，不得因其他业务改变公司的股本数或权益数。

6. 除息日（T+4日）。

7. 发放日（T+8日）。证券发行人要确保在现金红利发放日前的第二个交易日16：00前，将发放款项汇至中国结算公司上海分公司指定的银行账户。中国结算公司上海分公司收到相应款项后，在现金红利发放日前的第一个交易日闭市后，通过资金结算系统将现金红利款项划付给指定的证券公司。投资者可在发放日领取现金红利。未办理指定交易的 A 股投资者，其持有的现金红利暂由中国结算公司上海分公司保管，不计息。一旦投资者办理了指定交易，中国结算公司上海分公司结算系统自动将尚未领取的现金红利划付给指定的证券公司。

（二）B 股现金红利派发日程安排

B 股现金红利的派发日程与 A 股稍有不同，程序如下：

1. 申请材料送交日为 T−5 日前。

2. 中国结算公司上海分公司核准答复日为 T−3 日前。

3. 向交易所提交公告申请日为 T−1 日前。

4. 公告刊登日为 T 日。

5. 最后交易日为 T+3 日。

6. 权益登记日为 T+6 日。

7. 现金红利发放日为 T+11 日。

未办理指定交易及暂无指定结算证券公司（托管银行）的 B 股投资者，其持有股份的现金红利暂由中国结算公司上海分公司保管，不计息。一旦投资者办理指定交易或指定结算证券公司（托管银行），由指定结算证券公司（托管银行）向中国结算公司上海分公司申请领取该部分现金红利。

（三）A 股送股日程安排

对于上市公司派送红股和公积金转增股本，中国结算公司上海分公司在送股登记日闭市后，将向证券公司传送指定交易投资者送股明细数据库。证券公司将据此更新所有指定交易客户的证券托管数量，投资者无须办理任何申领手续。至送股登记日的下一个交易日，所有流通股的送股部分可到投资者账上，并可在以后上市流通。

在具体的送股日程安排方面，根据中国结算公司上海分公司的规定，A股和B股不完全相同。上海证券交易所A股送股日程安排如下：

1. 申请材料送交日为 T−5 日前。

2. 结算公司核准答复日为 T−3 日前。

3. 向证券交易所提交公告申请日为 T−1 日前。

4. 公告刊登日为 T 日。

5. 股权登记日为 T+3 日。

（四）B股送股日程安排

在上海证券交易所，B股送股日程安排与A股不完全一样，安排如下：

1. 申请材料送交日为 T−5 日前。

2. 结算公司核准答复日为 T−3 日前。

3. 向证券交易所提交公告申请日为 T−1 日前。

4. 公告刊登日为 T 日。

5. 最后交易日为 T+3 日。

6. 股权登记日为 T+6 日。

二、配股缴款

股东配股缴款的过程既是公司发行新股筹资的过程，也是股东行使优先认股权的过程。

（一）配股权证及其派发、登记

配股权证是上市公司给予其老股东的一种认购该公司股份的权利证明。配股权证分配方案的产生与分红派息方案的产生大致相同，即首先由董事会提出配股方案，经股东大会审议通过后，向社会公告。在现阶段，我国A股的配股权证不挂牌交易，不允许转托管。

配股权证的派发程序与分红派息中红股的派发过程基本一致。中国结算公司根据上市公司提供的配股方案中的配股比例，按照配股除权登记日登记的股东持股数增加其配股权证。

（二）认购配股缴款的操作流程

目前，配股主要是利用证券交易所交易系统来实施的。

1. 上海证券交易所配股操作流程。

（1）上海证券交易所按上市公司的送配公告，在股权登记日闭市后根据每个股东股票账户中的持股量，按照无偿送股比例，自动增加相应的股数，并主动为其开立配股权证账户，按有偿配股的比例给予相应数量。

（2）配股缴款期限内，承销商确定一个交易席位代理上市公司作为买入方按证券交易所规定的统一的证券代码申报买入配股权证。

（3）证券公司的营业网点均可按照上市公司公告中的配股价格受理投资者的配股认购缴款业务。操作方法同柜台接受委托买入股票。拥有该种股票配股权证的投资者，凭本人身份证和股票账户，在其缴纳认购款项或确认其资金账户中有足够的存款余额后，可委托买入不超过可配股数的股票，具体方式为向场内申报卖出配股权证（其实质是买入股票）。

（4）由于是申报卖出，因此证券交易所利用电脑交易撮合系统的控制卖空的功能，即可判别客户拥有配股权证的数量，一旦确认即可撮合成交。

（5）每日闭市后，配股缴款自动纳入清算系统，同其他证券交易的清算资金同步划拨，最后集中划入承销商的买方席位。

（6）在配股权证缴款期结束后，由承销商将配股缴款集中划付给上市公司，完成整个配股缴款工作。

（7）按照有关规定，在配股缴款过程中，证券公司不得向客户收取佣金、过户费和印花税等交易费用。

上海证券交易所实行全面指定交易后，中国结算公司上海分公司在配股登记日闭市后向各证券营业部传送投资者配股明细数据库。凡是办理了指定交易的投资者，在公告的配股期限内，可委托其指定交易所属证券营业部在交易时间内，通过上海证券交易所交易系统卖出配股权进行配股认购。上海证券交易所交易系统控制证券公司的可配股总量及投资者明细账户的可配股数量。每日交易结束后，证券公司根据上海证券交易所发回的成交回报数据确认配股数据。若申报账户的配股数量小于或等于证券公司的可配股总量，且小于或等于该账户的可配股数量，则按申报数量予以确认；否则，配股申报无效。对于那些在配股期内尚未办理全面指定交易的投资者，在选择证券公司办理指定交易后，即可委托该证券公司进行配股。由于指定交易申报是即时有效的，因此证券公司在指定交易申报成功后，即可按投资者的委托数量进行申报。配股上市前一日闭市后，中国结算公司上海分公司将配股上市数据传送至证券公司，证券公司据此更新投资者所持有的股份。

2. 深圳证券交易所配股操作流程。

（1）在股权登记日（R 日）收市后，证券营业部接收股份结算信息库中的配股权证数据，即证券营业部根据每个股东股票账户中的持股量，按配股比例给予相应的权证数量。

（2）配股认购于 R + 1 日开始，认购期为 5 个工作日。逾期不认购，视同放弃。上市公司（或保荐机构）在配股缴款期内应至少刊登 3 次《配股提示性公告》。配股缴款时，如投资者在多个证券营业部开户并持有该公司股票的，应到各个相应的营业部进行配股认购，申报方向为买入。投资者在配股缴款时可以多次申报，可以撤单。如超额申报认购配股，则超额部分不予确认。在每一认购日收市后，中国结算公司对配股认购数据进行确认，确认结果通过股份结算信息库返回证券营业部。公司股票及其衍生品种在 R + 1 日至 R + 6 日期间停牌。配股发行不向投资者收取手续费。

（3）配股缴款结束后（即 R + 7 日），公司股票及其衍生品种恢复交易。如配股发行成功，中国结算公司在恢复交易的首日（R + 7 日）进行除权，并根据配股结果办理资金划拨，将配股认购资金划入主承销商结算备付金账户；如配股发行失败，中国结算公司在恢复交易的首日（R + 7 日）不进行除权，并将配股认购本金及利息退还到结算参与人结算备付金账户。

三、股东大会网络投票

为了贯彻中国证监会《关于加强社会公众股股东权益保护的若干规定》与《上市公司股东大会网络投票工作指引（试行）》，上海、深圳证券交易所和中国结算公司分别推出了上市公司股东大会网络投票系统。所谓上市公司股东大会网络投票系统（简称"网络投票系统"）是指利用网络与通信技术，为上市公司股东非现场行使股东大会表决权提供服务的信息技术系统。

上市公司召开股东大会，除现场会议投票外，鼓励其向股东提供股东大会网络投票服务。因此，召开股东大会的上市公司要提前 30 天刊登公告，在公告中说明是否要进行网络投票。如公司股东大会审议的事项涉及增发新股、发行可转换公司债券、向原有股东配售股份、重大资产重组、以股抵债、对公司有重大影响的附属企业到境外上市等，公司还应在股权登记日后 3 日内再次公告股东大会通知。上市公司在股东大会通知中，应当对网络投票和累积投票的投票代码、投票议案号、投票方式等有关事项作出明确说明。

股东大会股权登记日登记在册的所有股东，均有权通过网络投票系统行使表决权。

2005 年我国上市公司开始进行股权分置改革试点，其中流通股股东就可以采用网络投票形式来行使自己的权利。比如，在上海证券交易所、深圳证券交易所和中国结算公司发布的《上市公司股权分置改革试点业务操作指引》中，就有关于股东大会网络投票方面的规定。

（一）沪、深证券交易所的网络投票系统

上海证券交易所网络投票系统基于交易系统，投资者通过交易系统进行投票。深圳证券交易所网络投票系统基于交易系统和互联网，投资者通过交易系统进行投票，也可以通过互联网进行投票。通过交易系统进行投票，其操作类似于新股申购。通过互联网投票系统投票的投资者需申请密码，并在互联网注册，然后通过交易系统激活。

1. 投资者通过上海证券交易所交易系统投票要点。

（1）投票代码。上海证券交易所为上市公司股东大会网络投票设置专用投票代码和股票简称，上市公司同时发行 A 股和 B 股的，上海证券交易所为 A 股和 B 股分别设置投票代码。

（2）买卖方向。投资者通过交易系统进行投票均选择买入。

（3）申报价格。申报价格用来代表股东大会议案，如股东大会有多个待表决的议案，则申报 1 元代表表决议案一，申报 2 元代表表决议案二，依此类推。99 元代表本次股东大会所有议案。

多个需逐项表决的议案可组成议案组。此时可用含两位小数的申报价格代表该议案组下的各个议案，如 2.01 代表对议案组 2 项下的第一个议案，2.02 代表对议案组 2 下的第二个议案，依此类推。2.00 代表议案组 2 下的所有议案。

（4）申报股数。申报股数用来代表表决意见，申报 1 股代表同意，申报 2 股代表反对，申报 3 股代表弃权。

采用累积投票制的议案，申报股数代表选举票数。股东应当以其所拥有的选举票数为限进行投票。选举票数超过 1 亿票的，应通过现场进行表决。

（5）股东大会有多个待表决的议案的，可以按照任意次序对各议案进行表决申报。表决申报不能撤单。对同一议案不能多次进行表决申报，多次申报的以第一次申报为准。

（6）统计表决结果时，对单项议案的表决申报优先于对包含该议案的议案组的表决申报，对议案组的表决申报优先于对全部议案的表决申报。

（7）同时持有同一家上市公司 A 股和 B 股的股东，应通过上海证券交易所的 A 股和 B 股交易系统分别投票。股东仅对股东大会多项议案中某项或某几项议案进行网络投票的，视为出席本次股东大会，其所持表决权数纳入出席本次股东大会股东所持表决权数计算。对于该股东未表决或不符合规定要求的投票申报的议案，按照弃权计算。

2. 投资者通过深圳证券交易所交易系统投票要点。

（1）投票代码及投票简称。主板、中小板的投票代码为"36 + 股票代码的后四位"，创业板的投票代码从"365000"起，按股票代码后四位顺序号编制，如股票代码为"300001"，则投票代码为"365001"；投票简称为"××投票"。投票简称由上市公司根据原证券简称向深圳证券交易所申请，深圳证券交易所在"昨日收盘价"字段设置该次股东大会讨论的议案总数。

（2）买卖方向。投资者投票要选择买入。

（3）价格。在"委托价格"项填报股东大会议案序号，如 1.00 元代表议案一，2.00 元代表议案二，依此类推。每一议案应以相应的委托价格分别申报。对于逐项表决的议案，如议案二中有多个需表决的子议案，

2.00元代表对议案二下全部子议案进行表决，2.01元代表议案二中子议案①，2.02元代表议案二中子议案②，依此类推。对于选举董事、由股东代表出任的监事的议案，如议案三为选举董事，则3.01元代表第一位候选人，3.02元代表第二位候选人，依此类推。

（4）数量。对于采用累积投票制的议案，在"委托数量"项下填报选举票数；对于不采用累积投票制的议案，在"委托数量"项下填报表决意见，1股代表同意，2股代表反对，3股代表弃权。

（5）对同一议案的投票只能申报一次，不能撤单。

（6）股东大会有多项议案需表决时，可以设置"总议案"，对应的议案号为100（申报价格为100.00元）。

（7）不符合上述规定的投票申报，视为未参与投票。

（二）中国结算公司的网络投票系统

中国结算公司的网络投票系统基于互联网。根据操作流程，投资者办理股东大会网络投票等网络服务业务，需首先登录中国结算公司网站注册，然后到证券公司营业部（身份验证机构）办理身份验证。投资者办理身份验证，须遵循"先注册、后激活"的程序。第一步，自行在网上注册，取得系统实时配发的网上用户名和身份确认码，并选择股票托管的证券公司等身份验证机构；第二步，携带本人有效身份证件、证券账户卡到身份验证机构柜台办理身份验证手续，以激活其网上用户名。只有通过身份验证后，投资者才可参与有关网络服务。系统对投资者办理身份验证与进行网络投票不收取任何费用。

投资者办理身份验证并激活网上用户名后，即可参加今后各有关上市公司股东大会网络投票。流程如下：

1. 登录网站 www.chinaclear.cn。

2. 输入网上用户名、密码及附加码。

3. 点击"投票表决"下的"网上行权"。

4. 浏览股东大会列表，选择具体的投票参与方式。

5. 进行投票。

第三节　基金、权证和可转换债券的相关操作

基金、权证和可转换债券的一般交易操作规程与股票和债券类似，已在前面介绍。这里主要说明基金、权证和可转换债券的一些特殊操作规程，如基金场内申购与赎回、权证行权、可转换债券转股等。

一、开放式基金场内认购、申购与赎回

证券投资基金按照其设立后规模是否允许变动，可以分为封闭式基金和开放式基金。封闭式基金设立后规模不变，因此它可以像股票那样在证券交易所上市交易。开放式基金设立后其规模可以变化，这种变化一般是通过投资者对基金的申购和赎回实现的。2005年7月以前，我国开放式基金的申购和赎回都是在场外进行的，即通过基金管理人及其代销机构办理开放式基金的认购、申购与赎回业务。2005年7月13日，深圳证券交易所发布了《深圳证券交易所开放式基金申购赎回业务实施细则》；同年7月14日，上海证券交易所发布了《上海证券交易所开放式基金认购、申购、赎回业务办理规则（试行）》。由此，我国开放式基金场内的认购、申购与赎回开始施行。

实际上，开放式基金场内认购、申购与赎回（即通过"场内系统"办理）并没有增加新的交易品种，只是在原有的通过基金管理人及其代销机构办理认购、申购与赎回（即通过"场外系统"办理）之外，为投资者推出另外的开放式基金业务办理渠道。由于这一业务借助了证券交易所场内系统，因此归入本节介绍。鉴于上海证券交易所和深圳证券交易所开展此项业务的做法基本相同，下面以上海证券交易所为例说明开放式基金场内认购、申购与赎回的操作要点。

（一）基金份额的认购

投资者办理上海证券交易所场内认购、申购与赎回，应使用上海市场人民币普通股票账户或证券投资基金账户（简称"上海证券账户"）。投

资者办理场外认购、申购、赎回，应使用中国结算公司上海开放式基金账户。

基金募集期内，上海证券交易所接收认购申报的时间为每个交易日的撮合交易时间和大宗交易时间。上海证券交易所在行情发布系统中的"最新价"栏目揭示每份基金份额的面值。基金管理人可按认购金额分段设置认购费率，认购费率由基金管理人在"基金招募说明书"中约定。

投资者认购申报时采用金额认购方式，以认购金额填报数量申请，买卖方向只能为买。最低认购金额由基金管理公司确定并公告。在最低认购金额基础上，累加认购申报金额为 100 元或其整数倍，但单笔申报最高不得超过 99 999 900 元。

在同一认购日可进行多次认购申报，申报指令可以更改或撤销，但认购申报已被受理的除外。

投资者通过上海证券交易所场内系统认购所得的基金份额登记在投资者上海证券账户内，托管在该投资者上海证券账户指定交易所属的上海证券交易所会员处。

（二）基金份额的申购与赎回

上海证券交易所在每个交易日的撮合交易时间内，接受基金份额申购、赎回的申报。上海证券交易所在申购、赎回时间，在行情发布系统中的"最新价"栏目揭示前一交易日每百份基金份额净值。基金管理人可以依据有关法律、法规、行政规章的规定，提前 1 个工作日，以书面形式向上海证券交易所申请暂停基金份额的申购或赎回。暂停期结束后，可以向交易所重新申请基金份额申购或赎回。

申购、赎回时采用"金额申购、份额赎回"原则，即以申购金额填报数量申请，以赎回份额填报数量申请。"申购"对应"买入"，"赎回"对应"卖出"。申购、赎回的成交价格按当日基金份额净值确定。由于申报价格栏不能空白，故约定始终都填写为"1 元"。

最低申购金额及赎回份额由基金管理人确定并公告。在最低申购金额的基础上，累加申购金额为 100 元或其整数倍，但最高不能超过 99 999 900 元；单笔赎回的基金份额为整数份，但最高不能超过 99 999 999 份。

同一交易日可进行多次申购或赎回申报，申报指令可以更改或撤销，但申报已被受理的除外。

上海证券交易所对申购、赎回申报申请直接转发给中国结算公司，并由中国结算公司负责校验。投资者申购（赎回）后所得的基金份额（赎回金额），由中国结算公司予以确认。

（三）基金份额的转托管

投资者可将基金份额在上海证券交易所场内不同会员营业部之间进行转指定，也可在上海证券交易所场内系统和场外系统之间进行跨市场转托管。

在开放式基金开放申购、赎回后，投资者可以申请办理转托管，但存在质押、冻结或其他特殊情形可能影响份额持有人权益的基金份额，不能申请转托管。

对于基金份额在上海证券交易所场内不同会员营业部之间进行转指定，其处理流程与一般的股票、债券转指定相同。

投资者申请将基金份额转出上海证券交易所场内系统的，可在 T 日持有效身份证明文件和上海证券账户卡到转出方的交易所会员营业部提交转托管申请。转出方交易所会员营业部应按照上海证券交易所相关要求申报转托管。上海证券交易所将转托管申请数据发送给中国结算公司开放式基金登记结算系统（简称"TA 系统"）。T 日日终，中国结算公司 TA 系统处理转托管申报。对于合格转托管申报数据，记减投资者上海证券账户基金份额，同时相应记增其开放式基金账户基金份额。T + 1 日，中国结算公司将成功及失败转托管处理结果反馈给上海证券交易所，上海证券交易所再将其发送给有资格的转出方交易所会员席位。T + 2 日起，投资者可在场外转入方的基金管理人或其代销机构处查询到该转托管转入基金份额。

投资者申请将基金份额转入上海证券交易所场内系统的，可于 T 日在场外转出方的基金管理人或其代销机构处提出基金份额转托管申请。场外转出方基金管理人或其代销机构应按照中国结算公司相关要求申报转托管。T 日日终，中国结算公司 TA 系统处理转托管申报。对于合格转托管申报数据，记减投资者上海开放式基金账户基金份额，同时相应记增其上海证券账户基金份额。T+1日，中国结算公司将成功及失败转托管处理结果反馈给场外转出方基金管理人或其代销机构。同日，中国结算公司将成功转托管处理结果发送上海证券交易所，上海证券交易所再将其发送给有资格的转入方交易所会员席位。T+2日起，投资者可在其指定交易的上海证券交易所会员处查询到该转托管转入基金份额。

二、上市开放式基金的认购、交易、申购和赎回

2004年以前，我国开放式基金都不在证券交易所上市交易，而是通过基金管理人或其代销机构进行基金份额的申购和赎回。2004年，我国对开放式基金的运行进行创新，允许一些开放式基金到证券交易所上市交易。这种开放式基金就称为上市开放式基金（LOF）。2004年8月，深圳证券交易所发布了《深圳证券交易所上市开放式基金业务规则》，中国结算公司发布了《中国证券登记结算有限责任公司上市开放式基金登记结算业务实施细则》。这些文件对我国最先在深圳证券交易所开展的上市开放式基金业务作了具体的规定。

上市开放式基金是在原有的开放式基金运作模式的基础上，增加了交易所发售、申购、赎回和交易的渠道。其主要特点有：

第一，基金的发售可以在深圳证券交易所和基金管理人及其代销机构同时进行，交易所采用上网发行方式，基金管理人及其代销机构沿用原有的柜台销售方式。

第二，基金在深圳证券交易所上市后，投资者可以选择在交易所交易系统以撮合成交的方式买卖基金份额，也可以选择在交易所交易系统、基金管理人及代销机构以当日收市后的基金份额净值申购、赎回基金份额。

第三，通过深圳证券交易所交易系统认购、申购、买入的基金份额登记在中国结算公司深圳证券登记结算系统，可通过证券营业部向交易所交易系统申报卖出或者赎回，卖出按股票交易方式以电子撮合价成交，赎回则按当日收市的基金份额净值成交。

第四，利用跨系统转托管可以实现基金份额在场内与场外之间托管场所的变更。

（一）发售

基金募集期内，投资者可通过深圳证券交易所会员中具有基金代销业务资格的证券营业部认购上市开放式基金，也可通过基金管理人及其代销机构的营业网点认购上市开放式基金。深圳证券交易所接受证券营业部申报认购的时间为募集期内每个交易日的交易时间。

投资者通过深圳证券交易所认购上市开放式基金，应持深圳市场人民币普通股票账户或证券投资基金账户（简称"深圳证券账户"）。投资者通过基金管理人及其他代销机构认购上市开放式基金，应使用中国结算公司深圳开放式基金账户。

投资者通过深圳证券交易所交易系统认购的，必须按照份额进行认购，即投资者的认购申报以基金份额为单位。交易所挂牌价格为基金面值。投资者通过基金管理人及其代销机构认购的，必须按照金额进行认购，即投资者的认购申报以元为单位。

在基金募集期内的每个交易日的交易时间，上市开放式基金均在深圳证券交易所挂牌发售。上市开放式基金的募集沿用新股上网定价模式，但无配号及中签环节。投资者通过交易所的各会员营业网点报盘认购上市开放式基金，所有委托一经确认不得撤销。投资者在同一交易日内可以进行多次认购，每笔认购量必须为 1 000 或其整数倍，且最大不能超过 99 999 000 份基金单位。基金募集期内，所有投资者的认购资金将被冻结。

投资者通过深圳证券交易所认购取得（以及日后交易取得）的上市开放基金份额，以投资者的深圳证券账户记载，登记在中国结算公司深圳分公司证券登记结算系统（简称"证券登记系统"）中，托管在证券营业部。投资者通过基金管理人或代销机构认购取得（以及日后申购取得）的上市开放基金份额，以投资者的开放式基金账户记载，登记在中国结算公司 TA 系统中，托管在基金管理人或代销机构处。

（二）开放与上市

基金合同生效后即进入封闭期，封闭期一般不超过 3 个月。封闭期内，基金不受理赎回。基金开放日应为证券交易所的正常交易日。上市开放式基金完成登记托管手续后，由基金管理人及基金托管人共同向深圳证券交易所提交上市申请。基金申请在深圳证券交易所上市应符合规定的条件。

上市开放式基金的上市首日须为基金的开放日。基金上市首日的开盘参考价为上市首日前一交易日的基金份额净值（四舍五入至价格最小变动单位）。

（三）申购与赎回

投资者通过场内申购、赎回应使用深圳证券账户，通过场外申购、赎回应使用深圳开放式基金账户。

上市开放式基金采取"金额申购、份额赎回"原则，即申购以金额申报，赎回以份额申报。场内申购申报单位为1元人民币，赎回申报单位为1份基金份额。

基金管理人可按申购金额分段设置申购费率。场内赎回为固定赎回费率，不可按份额持有时间分段设置赎回费率。申购、赎回费率由基金管理人在基金招募说明书中约定。

1. 申购份额和赎回金额的计算。中国结算公司 TA 系统依据基金管理人给定的申购费率，以申购当日的基金份额净值为基准，采用外扣法，计算投资者申购所得基金份额。场内申购份额保留到整数位，零碎份额对应的资金返还至投资者资金账户。

例 5 - 1：某投资者通过场内投资 10 000 元申购上市开放式基金，假设管理人规定的申购费率为 1.50%，申购当日基金份额净值为 1.0250 元，则其申购手续费、可得到的申购份额及返还的资金余额为：

净申购金额 = 10 000 ÷（1 + 1.5%）= 9 852.22（元）

申购手续费 = 10 000 - 9 852.22 = 147.78（元）

申购份额 = 9 852.22 ÷ 1.0250 = 9 611.92（份）

因场内份额保留至整数份，故投资者申购所得份额为 9 611 份，不足 1 份部分的申购资金零头返还给投资者。

实际净申购金额 = 9 611 × 1.0250 = 9 851.28（元）

退款金额 = 10 000 - 9 851.28 - 147.78 = 0.94（元）

即投资者投资 10 000 元申购基金，假设申购当日基金份额净值为

1.0250 元，可得到 9 611 份基金单位，并得到返还的申购资金零头 0.94元。

中国结算公司 TA 系统依据基金管理人给定的赎回费率，以赎回当日基金份额净值为基准，计算投资者可得到的净赎回金额。赎回总金额、净赎回金额按四舍五入的原则保留到小数点后两位。

例 5 - 2：某投资者赎回上市开放式基金 1 万份基金单位，持有时间为 1 年半，对应的赎回费率为 0.50%，假设赎回当日基金单位净值为1.0250 元，则其可得净赎回金额为：

赎回总金额 = 10 000 × 1.0250 = 10 250（元）

赎回手续费 = 10 250 × 0.005 = 51.25（元）

净赎回金额 = 10 250 - 51.25 = 10 198.75（元）

即投资者赎回 1 万份基金单位，假设赎回当日基金单位净值为1.0250 元，则可得到 10 198.75 元净赎回金额。

2. 申购、赎回流程。

（1）T 日，场内投资者以深圳证券账户通过证券经营机构向深圳证券交易所交易系统申报基金申购、赎回申请。

（2）T 日日终，深圳证券交易所将当日全部场内申购、赎回申报数据传送中国结算公司深圳分公司；中国结算公司深圳分公司在 T 日晚对申报赎回的份额做冻结处理；中国结算公司 TA 系统依据基金管理人传送的当日单位份额净值，对当日场内及场外申购、赎回数据一并处理，生成申购、赎回交易待确认数据传送基金管理人。

（3）T + 1 日，中国结算公司深圳证券登记系统根据场内申购、赎回的确认数据在投资者的深圳证券账户中进行基金份额过户登记处理，并生成深圳证券交易所场内申购、赎回交易回报数据发送相关证券经营机构席位。

（4）自 T + 2 日起，投资者申购份额可用；T + N 日（N 为基金管理人事先约定的赎回资金交收周期，2 ≤ N ≤ 6），赎回资金可用。

另外，投资者场内申购的基金份额，以投资者的深圳证券账户记载，登记在中国结算公司深圳分公司证券登记系统中，托管在证券营业部；深圳证券账户中的基金份额可通过证券营业部向深圳证券交易所交易系统申报卖出或赎回。如果投资者是通过场外申购的基金份额，将以投资者的开放式基金账户记载，登记在中国结算公司 TA 系统中，托管在基金管理人或代销机构处；开放式基金账户中的基金份额可通过基金管理人或代销机构申报赎回，但不可卖出。

（四）交易

上市开放式基金在交易所的交易规则与封闭式基金基本相同，具体内容有：买入上市开放式基金申报数量应当为 100 份或其整数倍，申报价格最小变动单位为 0.001 元人民币。深圳证券交易所对上市开放式基金交易实行价格涨跌幅限制，涨跌幅比例为 10%，自上市首日起执行。

投资者可在交易日的交易时间内使用深圳证券账户通过各交易所会员单位的营业网点报盘买入和卖出上市开放式基金。

在日常交易中，上市开放式基金与封闭式基金、A 股、债券等上市证券合并办理资金清算与交收。

T 日买入基金份额自 T + 1 日开始可在深圳证券交易所卖出或赎回。

为方便投资者查询上市开放式基金的份额净值，深圳证券交易所于交易日通过行情发布系统揭示基金管理人提供的上市开放式基金前一交易日基金份额净值。

（五）转托管

上市开放式基金份额的转托管业务包含两种类型：系统内转托管和跨系统转托管。

投资者拟将托管在某证券营业部的上市开放式基金份额转托管到其他证券营业部，可通过系统内转托管办理。T 日（交易日），投资者持有效身份证明文件和深圳证券账户卡，到转出方证券营业部申请办理上市开放式基金份额的系统内转托管业务；T 日，转出方证券营业部受理投资者申请后，按照中国结算公司深圳分公司相关的规范要求申报转托管；T 日晚，中国结算公司深圳分公司向转出方证券营业部发送转托管数据，并向转入方证券营业部发送已确认的转托管数据；自 T + 1 日始，投资者可通过转入方证券营业部申请卖出基金份额。

投资者如需将登记在证券登记系统中的基金份额转托管到 TA 系统（基金份额由证券营业部转托管到代销机构、基金管理人），或将登记在

TA 系统中的基金份额转托管到证券登记结算系统（基金份额由代销机构、基金管理人转托管到证券营业部），应办理跨系统转托管手续。上市开放式基金份额跨系统转托管只限于在深圳证券账户和以其为基础注册的深圳开放式基金账户之间进行。

投资者拟将上市开放式基金份额从证券登记系统转入 TA 系统，按以下程序办理：T 日，投资者持有效身份证明文件和深圳证券账户卡到转出方证券营业部提出跨系统转托管申请，转出方证券营业部按照中国结算公司深圳分公司相关规范要求申报转托管；T 日收市后，证券登记系统对转出方证券营业部上传的跨系统转托管申报进行检查，若为有效申报，则记减投资者证券账户中的基金份额，并将上述转托管申报发送 TA 系统；T 日晚，TA 系统对跨系统转托管申报进行检查，对于合格转托管申报，TA 系统将转入基金份额记入投资者深圳开放式基金账户中；T + 1 日，TA 系统将有效申报处理结果发送转入方代销机构、基金管理人；自 T + 2 日始，投资者可以在转入方代销机构、基金管理人处申报赎回基金份额。

投资者拟将上市开放式基金份额从 TA 系统转入证券登记系统，按以下程序办理：T 日，投资者在转出方代销机构提出跨系统转托管申请，TA 系统对有效的跨系统转托管申报记减投资者开放式基金账户中的基金份额；T + 1 日，证券登记系统将转入基金份额记入投资者深圳证券账户中；T + 1 日，TA 系统和证券登记系统分别将跨系统转托管处理回报发送转出方代销机构和转入方证券营业部；自 T + 2 日始，投资者可以通过转入方证券营业部申报在深圳证券交易所卖出或赎回基金份额。

三、证券交易所交易型开放式指数基金的认购、交易、申购和赎回

2004 年 11 月 24 日，上海证券交易所发布了《上海证券交易所交易型开放式指数基金业务实施细则》；2006 年 2 月 13 日，深圳证券交易所发布了《深圳证券交易所交易型开放式指数基金业务实施细则》。这两个规范性文件，对我国证券交易所开展的交易型开放式指数基金（ETF）业务作了具体的规定。

根据我国相关规定，投资者在 ETF 募集期间，认购 ETF 的方式有场内现金认购（网上）、场外现金认购（网下）、网上组合证券认购和网下组合证券认购。投资者办理证券交易所 ETF 份额的认购、交易、申购、

赎回业务，需使用在中国结算公司开立的证券账户。ETF 的基金管理人采用网上现金认购的，接受申报的证券交易所会员应即时冻结投资者用于认购的资金，并不得挪用。采用网上组合证券认购的，证券交易所按照基金合同和基金招募说明书的规定，确认其是否拥有对应的足额组合证券。无足额组合证券的，其认购申报全部无效。

投资者有两种方式参与证券交易所 ETF 的投资：一是进行申购和赎回；二是直接从事买卖交易。按现行有关制度规定，买卖证券交易所 ETF 的投资者需具有证券交易所 A 股账户或基金账户，进行证券交易所 ETF 申购、赎回操作的投资者需具有证券交易所 A 股账户。

投资者进行证券交易所 ETF 的申购和赎回，采用份额申购、份额赎回的方式。申购是投资者通过一级交易商，申请以一篮子股票和少量现金换取一定数量的基金份额；赎回是投资者通过一级交易商申请以一定数量的基金份额换取一篮子股票和少量现金。基金份额的申购、赎回，按基金合同规定的最小申购、赎回单位或其整数倍进行申报。申购、赎回基金份额的申报指令应当包括证券账号、基金代码、买卖方向（申购为买方、赎回为卖方）、数量等内容。申购、赎回的申报指令不得撤销。投资者申购基金份额的，应当拥有对应的足额组合证券及替代现金。投资者赎回基金份额的，应当拥有对应的足额基金份额。投资者在办理申购、赎回业务之前，需与具有代办基金份额申购与赎回业务资格的证券公司（上海证券交易所称一级交易商，深圳证券交易所称代办证券公司）签订相应的《风险揭示书》。

由于申购 ETF 需拥有对应的足额组合证券及替代现金（根据相关基金管理公司公布的当日申购、赎回清单，例如现金 ×× 元、X 股票 ×× 股、Y 股票 ×× 股、Z 股票 ×× 股……），因此，投资者想申购该 ETF，可以先按照清单买入这一篮子股票。这个过程可以通过一级交易商提供的组合交易系统一笔委托实现。

投资者从事 ETF 份额的买卖交易，适用证券交易所有关基金买卖申报、竞价、成交、涨跌幅等规定。应遵守的一般交易规则有：买卖申报数量为 100 份或其整数倍，申报价格最小变动单位为 0.001 元，实行 10% 的涨跌幅限制。

另外，根据我国证券交易所的相关规定，买卖、申购、赎回 ETF 的基金份额时，还应遵守下列规定：

1. 当日申购的基金份额，同日可以卖出，但不得赎回。
2. 当日买入的基金份额，同日可以赎回，但不得卖出。
3. 当日赎回的证券，同日可以卖出，但不得用于申购基金份额。
4. 当日买入的证券，同日可以用于申购基金份额。

在 ETF 信息传递和披露方面，为保证申购、赎回和买卖的正常进行，要求每日开市前基金管理人应向证券交易所、证券登记结算机构提供 ETF 的申购、赎回清单，并通过证券交易所指定的信息发布渠道予以公告。证券交易所规定的申购、赎回清单主要包括最小申购、赎回单位对应的各成分证券名称、证券代码及数量等内容。当日发布的申购、赎回清单，当日不得修改。

证券交易所在交易时间内，根据基金管理人提供的申购、赎回清单和各组合证券的实时成交数据，即时发布基金份额参考净值，供投资者交易、申购、赎回基金份额时参考。

四、权证的交易与行权

2005 年 7 月，上海证券交易所发布了《上海证券交易所权证管理暂行办法》，深圳证券交易所也发布了《深圳证券交易所权证管理暂行办法》。这些文件对我国权证产品的运行进行了规范。

（一）权证的交易

经证券交易所认可的具有证券交易所会员资格的证券公司可以自营或代理投资者买卖权证。证券公司在代理投资者买卖权证时，应向首次买卖权证的投资者全面介绍相关业务规则，充分揭示可能产生的风险，并要求其签署《风险揭示书》。《风险揭示书》由证券交易所统一制定。

投资者应使用在中国结算公司开立的证券账户（A 股账户）办理权证的认购、交易、行权等业务。单笔权证买卖申报数量不得超过 100 万份，申报价格最小变动单位为 0.001 元人民币。权证买入申报数量为 100 份的整数倍。当日买进的权证，当日可以卖出。

权证交易实行价格涨跌幅限制，涨跌幅按下列公式计算：

权证涨幅价格＝权证前一日收盘价格＋（标的证券当日涨幅价格－

标的证券前一日收盘价）×125%×行权比例

权证跌幅价格＝权证前一日收盘价格－（标的证券前一日收盘价－标的证券当日跌幅价格）×125%×行权比例

当计算结果小于等于零时，权证跌幅价格为零。

例如：A 公司权证的某日收盘价是 4 元，A 公司股票收盘价是 16 元，行权比例为 1。次日 A 公司股票最多可以上涨或下跌 10%，即 1.60 元；而权证次日可以上涨或下跌的幅度为 2 ［＝（17.60－16）×125%×1］元，涨跌幅比例高达 50%。

权证上市首日开盘参考价由保荐机构计算；无保荐机构的，由发行人计算，并将计算结果提交证券交易所。

证券交易所在每日开盘前公布每只权证可流通数量及持有权证数量达到或超过可流通数量 5% 的持有人名单。

在权证交易中，禁止的事项有：权证发行人不得买卖自己发行的权证；标的证券发行人不得买卖标的证券对应的权证；禁止内幕信息知情人员利用内幕信息进行权证交易活动，获取不正当利益；禁止任何人直接操纵权证价格；禁止任何人通过操纵标的证券价格影响其对应权证的价格；禁止任何人通过操纵权证价格影响其对应的标的证券价格。

标的证券停牌的，权证相应停牌；标的证券复牌的，权证复牌。证券交易所根据市场需要有权暂停权证交易。

已上市交易的权证，合格机构可创设同种权证。

权证存续期满前 5 个交易日，权证终止交易，但可以行权。

（二）权证的行权

权证持有人行权的，应委托证券公司（证券交易所的会员）通过证券交易所交易系统申报。

上海证券交易所规定，权证行权的申报数量为 100 份的整数倍。深圳证券交易所规定，权证行权以份为单位进行申报。

当日行权申报指令当日有效，当日可以撤销。当日买进的权证，当日可以行权。当日行权取得的标的证券，当日不得卖出。

权证行权采用现金方式结算的，权证持有人行权时，按行权价格与行权日标的证券结算价格及行权费用之差价收取现金。其中，标的证券结算价格为行权日前 10 个交易日标的证券每日收盘价的平均数。采用现金结算方式行权且权证在行权期满时为价内权证的,发行人在权证期满后的 3 个工作日内向未行权的权证持有人自动支付现金差价。也就是说,可自动行权,持有人无须申报指令。

权证行权采用证券给付方式结算的,认购权证的持有人行权时,应支付以行权价格及标的证券数量计算的价款,并获得标的证券;认沽权证的持有人行权时,应交付标的证券,并获得以行权价格及标的证券数量计算的价款。采用证券给付结算方式行权且权证在行权期满时为价内权证的,代为办理权证行权的证券经纪商应在权证期满前的 5 个交易日提醒未行权的权证持有人权证即将期满,或按事先约定代为行权。也就是说,投资者可选择自行申报行权,或于权证到期前委托证券经纪商代为办理行权。

权证行权时,标的股票过户费为股票过户面额的 0.05%。

五、可转换债券转股

可转换债券是指其持有者可以在一定时期内按一定比例或价格将之转换成一定数量的另一种证券的债券。可转换债券通常是转换成普通股票,当股票价格上涨时,可转换债券的持有人行使转换权比较有利。这里以上海证券交易所上市的可转换债券"债转股"的做法为例,介绍其操作要点。

(一)可转换债券"债转股"通过证券交易所交易系统进行

证券交易所设置"债转股"申报代码和简称。申报方向为卖出,价格为 100 元,单位为手,1 手为 1 000 元面额。

(二)可转换债券"债转股"需要规定一个转换期

根据我国《上市公司证券发行管理办法》的规定,上市公司发行的可转换债券在发行结束 6 个月后,方可转换为公司股票,而具体转股期限应由发行人根据可转换债券的存续期及公司财务情况确定。在转换期中,可转换债券的交易照常进行。

（三）可转换债券持有人可将本人证券账户内的可转换债券全部或部分申请转为发行公司的股票

每次申请转股的可转换债券面值数额必须是 1 手（1 000 元面额）或 1 手的整数倍，转换成股份的最小单位为 1 股。同一交易日内多次申报转股的，将合并计算转股数量。转股申报，不得撤单。

（四）可转换债券的买卖申报优先于转股申报

可转换债券的买卖申报优先于转股申报，即"债转股"的有效申报数量以当日交易过户后其证券账户内的可转换债券持有数为限。也就是当日"债转股"按账户合并后的申请手数与可转换债券交易过户后的持有手数比较，取较小的一个数量为当日"债转股"有效申报手数。

（五）可转换债券转换成发行公司股票的股份数（股）的计算公式

该计算公式为：

$$可转换债券转换股份数（股）= \frac{可转换债券手数 \times 1\ 000}{当次初始转股价格}$$

初始转股价格可因公司送红股、增发新股、配股或降低转股价格进行调整，具体调整情况公司应予以公告。若出现不足转换 1 股的可转换债券余额时，在 T + 1 日交收时由公司通过中国结算公司以现金兑付。

（六）即日买进的可转换债券当日可申请转股

当日（T 日）转换的公司股票可在 T + 1 日卖出。非交易过户的可转换债券在过户的下一个交易日方可进行转股申报。

（七）其他事项

当可转换债券出现赎回、回售等情况时，按公司发行可转换债券时约定的有关条款办理。

例 5 - 3：某投资者当日申报"债转股"100 手，当次转股初始价格为每股 10 元。那么，该投资者可转换成发行公司股票的股份数为：

可转换债券手数 × 1 000 ÷ 初始转股价格 = 100 × 1 000 ÷ 10

= 10 000（股）

第四节 代办股份转让

一、代办股份转让的概念和业务范围

（一）代办股份转让的概念

2001 年 6 月 12 日，中国证券业协会发布了《证券公司代办股份转让服务业务试点办法》。所谓代办股份转让服务业务，是指证券公司以其自有或租用的业务设施，为非上市公司提供的股份转让服务业务。因此，从基本特征看，这种股份并没有在证券交易所挂牌，而是通过证券公司进行交易。在这项业务中，提供股份转让业务的证券公司是主办券商。2002年 12 月 27 日，中国证券业协会发布了《证券公司从事代办股份转让主办券商管理办法（试行）》。证券公司代办股份转让服务业务，同样应当遵循公开、公平、公正的原则，不得损害投资者的合法权益。投资者参与股份转让，应当自行承担投资风险。中国证券业协会依法履行自律性管理职责，对证券公司代办股份转让服务进行监督管理。

现阶段进入代办股份转让系统进行转让的股票，主要分为两大类：一是原 STAQ、NET 系统挂牌的公司和退市公司；二是中关村科技园区非上市股份有限公司股份报价转让试点的挂牌公司。

（二）代办股份转让业务范围

在证券公司代办股份转让业务中，证券公司必须是取得从事代办股份转让业务资格的主办券商。主办券商业务可以分为主办业务和代办业务。

1. 主办业务范围。根据中国证券业协会发布的《证券公司从事代办股份转让主办券商管理办法（试行）》等规定，主办业务包括：

（1）对拟推荐在代办股份转让系统挂牌的公司全体董事、监事及高级管理人员进行辅导，使其了解相关法律法规和协议所规定的责任和义务。股份转让公司挂牌前，主办券商应完成初次辅导。

（2）办理所推荐的股份转让公司挂牌事宜，包括向中国证券业协会

提交推荐文件，办理所推荐公司股权确认，确定及调整所推荐公司的股份转让方式等。

（3）发布关于所推荐股份转让公司的分析报告，包括在挂牌前发布推荐报告，在公司披露定期报告后的10个工作日内发布对定期报告的分析报告，以及在董事会就公司股本结构变动、资产重组等重大事项作出决议后的5个工作日内发布分析报告，客观地向投资者揭示公司存在的风险。

（4）指导和督促股份转让公司依照相关法律法规和协议，真实、准确、完整、及时地披露信息。

（5）对股份转让业务中出现的问题，依据有关规则和协议及时处理并报中国证券业协会备案，重大事项应立即报告中国证券业协会。

（6）根据中国证券业协会要求，调查或协助调查指定事项。

（7）中国证券业协会许可的其他业务。

2. 代办业务范围。主办券商的代办业务包括：

（1）受托办理股份转让公司股权确认事宜。

（2）向投资者提示股份转让风险，与投资者签订股份转让委托协议书，接受投资者委托办理股份转让业务。

（3）根据中国证券业协会或相关主办券商的要求，协助调查指定事项。

（4）中国证券业协会许可的其他业务。

二、代办股份转让的资格条件

（一）证券公司从事代办股份转让服务业务应具备的条件

证券公司从事代办股份转让服务业务，应当报经中国证券业协会批准，并报中国证监会备案。根据《证券公司从事代办股份转让主办券商业务资格管理办法（试行）》的规定，对从事此项业务资格的申请条件具体规定如下：

1. 具备中国证券业协会会员资格，遵守中国证券业协会自律规则，按时缴纳会费，履行会员义务。

2. 经中国证监会批准为综合类证券公司或比照综合类证券公司运营1年以上。

3. 同时具备承销业务、外资股业务和网上证券委托业务资格。

4. 最近年度净资产不低于人民币 8 亿元，净资本不低于人民币 5 亿元。

5. 经营稳健，财务状况正常，不存在重大风险隐患。

6. 最近 2 年内不存在重大违法违规行为。

7. 最近年度财务报告未被注册会计师出具否定意见或拒绝发表意见。

8. 设置代办股份转让业务的管理部门，由公司副总经理以上的高级管理人员负责该项业务的日常管理，至少配备 2 名有资格从事证券承销业务和证券交易业务的人员专门负责信息披露业务，其他业务人员须有证券业从业资格。

9. 具有 20 家以上的营业部，且布局合理。

10. 具有健全的内部控制制度和风险防范机制。

11. 具备符合代办股份转让系统技术规范和标准的技术系统。

12. 中国证券业协会要求的其他条件。

（二）股份转让公司委托代办转让应具备的条件

股份转让公司应当而且只能委托 1 家证券公司办理股份转让，并与证券公司签订委托协议。代办转让的股份仅限于股份转让公司在原交易场所挂牌交易的流通股份。

为保护上市公司终止上市后社会公众股东的合法权益，中国证监会印发了《关于做好股份公司终止上市后续工作的指导意见》（简称《指导意见》）。《指导意见》规定，股份有限公司在终止上市前，应当按照中国证监会的有关规定，根据中国证券业协会《证券公司代办股份转让服务业务试点办法》确定一家代办机构，为公司提供终止上市后股份转让代办服务。如果股份有限公司在证券交易所作出股票终止上市决定时，未依法确定代办机构的，由证券交易所指定临时代办机构。对于《指导意见》施行前已退市的公司，在《指导意见》施行后 15 个工作日内未确定代办机构的，由证券交易所指定临时代办机构。临时代办机构应自被指定之日起 45 个工作日内，开始为退市公司向社会公众发行的股份转让提供代办服务。退市公司要终止股份转让代办服务的，应当由股东依照《公司法》和公司章程规定的程序作出决定。

三、代办股份转让的基本规则

股份转让公司的股份必须按照有关规定重新确认、登记和托管后方可进行股份转让。这些工作由股份转让公司负责办理。股份转让公司的股份持有者办理股份重新登记和托管时，应按规定向办理机构提交有关材料。在重新确认股份后，股份转让公司应向股份持有人出具股份确认书。股份转让公司已确认的、可进行股份转让的股份应当托管在证券登记结算机构，并且托管后方可开始转让。

投资者参与股份转让，应当委托证券公司营业部办理。委托方式可采用柜台委托、电话委托、互联网委托等。投资者委托指令以集合竞价方式配对成交。证券公司不得自营所主（代）办公司的股份。

（一）代办股份转让的方式

股份转让的转让日根据股份转让公司质量，实行区别对待，分类转让。同时满足以下条件的股份转让公司，股份实行每周5次（周一至周五）的转让方式：

1. 规范履行信息披露义务。

2. 股东权益为正值或净利润为正值。

3. 最近年度财务报告未被注册会计师出具否定意见或拒绝发表意见。

不能同时满足以上条件的股份转让公司，股份实行每周3次的转让方式，为每周星期一、星期三、星期五。

由证券交易所指定主办券商的退市公司，未与主办券商签订委托代办股份转让协议或不履行基本信息披露义务的退市公司，其股份实行每周星期五转让1次的方式。退市公司如与主办券商签订股份转让协议，且披露经审计的最近年度财务报告，其股份可调整为每周转让3次的方式。

股份转让的委托申报时间为转让日9：30～11：30、13：00～15：00，之后进行集合竞价配对成交。股份转让以"手"为单位，1手等于100股。申报买入股份，数量应当为1手的整数倍。不足1手的股份，只能一次性申报卖出。股份转让价格实行涨跌幅限制，涨跌幅比例限制为前一转让日转让价格的5%。证券公司在代办转让业务中可以接受投资者的限价委托，但不得接受全权委托。

（二）代办股份转让的价格确定原则

转让撮合时，以集合竞价确定转让价格，其确定原则依次是：

1. 在有效竞价范围内能实现最大成交量的价位。

2. 如果有两个以上价位满足前项条件，则选取符合下列条件之一的价位：

（1）高于该价位的买入申报与低于该价位的卖出申报全部成交。

（2）与该价位相同的买方或卖方的申报全部成交。

3. 如果有两个以上的价位满足前项条件，则选取离上一个转让日成交价最近的价位作为转让价。

证券公司营业部必须在营业场所发布股份转让的价格信息。转让日当天的价格信息发布内容为：股份编码和名称、上一转让日转让价格和数量、当日转让价格和数量。股份转让公司也应按照规定在营业场所进行信息披露。股份每周转让 5 次的公司，信息披露参照上市公司标准执行；股份每周转让 3 次的公司，在会计年度结束后的 4 个月内，必须公布经具有证券业从业资格会计师事务所审计的年度报告。

投资者在转让结束后应及时办理交收手续，并核对账户资金余额和股份余额情况。投资者委托股份转让和非转让过户（挂失除外），应当按规定缴纳印花税和手续费。

四、非上市股份有限公司股份报价转让试点

2006 年 1 月 16 日，中国证监会批复同意中关村科技园区非上市股份有限公司股份进入代办股份转让系统进行股份报价转让试点。这一举措拓宽了我国代办股份转让系统的功能。股份报价转让试点是利用证券公司代办股份转让系统现有的技术系统和市场网络，为投资者转让非上市股份有限公司股份提供报价服务。

（一）股份报价转让与其他方式的不同之处

股份报价转让与原有代办股份转让系统的股份转让和证券交易所市场的股票交易有所不同。

1. 挂牌公司属性不同。在代办股份转让系统的挂牌公司是原 STAQ、

NET 系统挂牌公司和退市公司，属于公开发行股份未上市的公司。交易所市场的上市公司，是经证券监督管理部门核准公开发行股份，并经交易所审核同意上市的公司。试点报价转让股份的挂牌公司则是中关村科技园区未公开发行股份的非上市股份有限公司。

2. 转让方式不同。代办股份转让系统采用每个转让日集合竞价转让 1 次的转让方式，交易所市场采用连续竞价的交易方式，两种转让方式都属于集中交易方式。股份报价转让是投资者委托证券公司报价，依据报价寻找买卖对手方，达成转让协议后，再委托证券公司进行股份的成交确认和过户。股份报价转让不提供集中撮合成交服务。

3. 信息披露标准不同。交易所市场的上市公司信息披露遵循《证券法》和上市规则的规定；代办股份转让系统挂牌公司的信息披露基本参照上市公司的标准。股份报价转让的公司并非是上市公司，其信息披露标准要低于上市公司的标准。

4. 结算方式不同。代办股份转让系统和交易所市场的结算方式和资金存管方式相同，采用多边净额结算，通过证券登记结算机构和代理证券公司完成股份和资金的交收。股份报价转让采用逐笔全额非担保交收的结算方式。投资者达成转让意向的，买方须保证资金账户中存有足额的资金，卖方须保证股份账户中有足额的可转让股份，方可委托证券公司办理成交确认申请。

(二) 股份报价转让业务

根据 2009 年 7 月 6 日起施行的《证券公司代办股份转让系统中关村科技园区非上市股份有限公司股份报价转让试点办法（暂行)》的规定，股份报价转让业务主要体现在股份挂牌、股份转让、主办券商和信息披露等几个方面。

1. 股份挂牌。中关村科技园区非上市股份有限公司（简称"非上市公司"）申请股份在代办系统挂牌，须委托一家主办券商作为其推荐主办券商，向中国证券业协会进行推荐。这里的主办券商是指取得中国证券业协会授予的代办系统主办券商业务资格的证券公司。

申请股份挂牌的非上市公司应与推荐主办券商签订推荐挂牌协议。非上市公司在股份挂牌前应与证券登记结算机构签订证券登记服务协议，办理全部股份的集中登记。初始登记的股份，托管在推荐主办券商处。

2. 股份转让。

（1）一般规定。投资者买卖挂牌公司（指股份在代办系统挂牌报价转让的非上市公司）股份，应持有中国结算公司深圳分公司人民币普通股票账户。投资者买卖挂牌公司股份，须委托主办券商办理。投资者卖出股份，须委托代理其买入该股份的主办券商办理。如需委托另一家主办券商卖出该股份，须办理股份转托管手续。

挂牌公司股份转让时间为每周一至周五 9：30～11：30，13：00～15：00。

投资者买卖挂牌公司股份，应按照规定缴纳相关税费。

（2）委托。投资者买卖挂牌公司股份，应与主办券商签订代理报价转让协议。

投资者委托分为意向委托、定价委托和成交确认委托。委托当日有效。意向委托、定价委托和成交确认委托均可撤销，但已经报价系统确认成交的委托不得撤销或变更。

意向委托和定价委托应注明证券名称、证券代码、证券账户、买卖方向、买卖价格、买卖数量、联系方式等内容。成交确认委托应注明证券名称、证券代码、证券账户、买卖方向、成交价格、成交数量、成交约定号、拟成交对手的主办券商等内容。

委托的股份数量以"股"为单位，每笔委托股份数量应为 3 万股以上。投资者证券账户某一股份余额不足 3 万股的，只能一次性委托卖出。股份的报价单位为"每股价格"。报价最小变动单位为 0.01 元。

（3）申报。主办券商应通过专用通道，按接受投资者委托的时间先后顺序向报价系统申报。主办券商收到投资者卖出股份的意向委托后，应验证其证券账户，如股份余额不足，不得向报价系统申报。主办券商收到投资者定价委托和成交确认委托后，应验证卖方证券账户和买方资金账户。如果卖方股份余额不足或买方资金余额不足，不得向报价系统申报。

（4）成交。投资者达成转让意向后，可各自委托主办券商进行成交确认申报。投资者拟与定价委托成交的，须委托主办券商进行成交确认申报，并通过点击方式指定拟与之成交的某一笔定价委托，系统将自动生成对应的成交确认委托与其配对成交，被成交方不必撤销该定价委托重新申报成交确认委托。

报价系统收到主办券商的定价申报和成交确认申报后，验证卖方证券账户。如果卖方股份余额不足，报价系统不接受该笔申报，并反馈至主办券商。

报价系统对通过验证的成交确认申报和定价申报信息进行匹配核对。核对无误的，报价系统予以确认成交，并向证券登记结算机构发送成交确认结果。

（5）结算。股份和资金的结算实行分级结算原则。证券登记结算机构根据成交确认结果办理主办券商之间股份和资金的清算交收；主办券商负责办理其与客户之间的清算交收。

证券登记结算机构按照货银对付的原则，为非上市公司股份报价转让提供逐笔全额非担保交收服务。证券登记结算机构在每个报价日日终根据报价系统成交确认结果，进行主办券商之间股份和资金的逐笔清算，并将清算结果发送至各主办券商。

（6）报价和成交信息发布。在股份转让期间，报价系统通过专门网站（http：//bjzr. gfzr. com. cn）和代办股份转让行情系统发布最新的报价和成交信息。报价信息包括委托类别、证券名称、证券代码、主办券商、买卖方向、拟买卖价格、股份数量、联系方式等。成交信息包括证券名称、证券代码、成交价格、成交数量、买方代理主办券商和卖方代理主办券商等。

（7）暂停和恢复转让。挂牌公司向中国证监会申请公开发行股票并上市的，主办券商应当自中国证监会正式受理其申请材料的下一报价日起暂停其股份转让，直至股票发行审核结果公告日。挂牌公司涉及无先例或存在不确定性因素的重大事项需要暂停股份报价转让的，主办券商应暂停其股份报价转让，直至重大事项获得有关许可或不确定性因素消除。

（8）终止挂牌。挂牌公司出现下列情形之一的，应终止其股份挂牌：进入破产清算程序；中国证监会核准其公开发行股票申请；北京市人民政府有关部门同意其终止股份挂牌申请；中国证券业协会规定的其他情形。

3. 主办券商和信息披露。

（1）主办券商。证券公司从事非上市公司股份报价转让业务，应取得中国证券业协会授予的代办系统主办券商业务资格。

主办券商推荐非上市公司股份挂牌，应勤勉尽责地进行尽职调查和内核，认真编制推荐挂牌备案文件，并承担推荐责任。

主办券商与投资者签署代理报价转让协议时，应对投资者身份进行核查，充分了解其财务状况和投资需求。主办券商在与投资者签署代理报价转让协议之前，应着重向投资者说明投资风险自担的原则，提醒投资者特别关注非上市公司股份的投资风险，详细讲解《风险揭示书》的内容，并要求投资者认真阅读和签署《风险揭示书》。主办券商应采取适当方式，持续向投资者揭示非上市公司股份投资风险。

（2）信息披露。挂牌公司应按照相关信息披露业务规则、通知等规定，规范履行信息披露义务。股份挂牌前，非上市公司至少应当披露股份报价转让说明书。股份挂牌后，挂牌公司至少应当披露年度报告、半年度报告和临时报告。

第五节　期货交易的中间介绍

一、证券公司中间介绍业务

期货交易是指交易双方在集中性的市场以公开竞价方式所进行的期货合约的交易。期货交易包括商品期货交易和金融期货交易。根据我国现行相关制度规定，证券公司不能直接代理客户进行期货买卖，但可以从事期货交易的中间介绍业务，被称为介绍经纪商（Introducing Broker，IB）。

在我国，中国证监会于2007年4月20日发布了《证券公司为期货公司提供中间介绍业务试行办法》，其目的就是为了规范证券公司为期货公司提供中间介绍业务活动，防范和隔离风险，促进期货市场积极稳妥发展。

所谓证券公司为期货公司提供中间介绍业务（简称"介绍业务"），是指证券公司接受期货公司委托，为期货公司介绍客户参与期货交易并提供其他相关服务的业务活动。

二、证券公司提供中间介绍业务的资格条件与业务范围

（一）资格条件

1. 证券公司申请介绍业务资格，应当符合下列条件：

（1）申请日前6个月各项风险控制指标符合规定标准。

（2）已按规定建立客户交易结算资金第三方存管制度。

（3）全资拥有或者控股一家期货公司，或者与一家期货公司被同一机构控制，且该期货公司具有实行会员分级结算制度期货交易所的会员资格、申请日前2个月的风险监管指标持续符合规定的标准。

（4）配备必要的业务人员，公司总部至少有5名、拟开展介绍业务的营业部至少有2名具有期货从业人员资格的业务人员。

（5）已按规定建立健全与介绍业务相关的业务规则、内部控制、风险隔离及合规检查等制度。

（6）具有满足业务需要的技术系统。

（7）中国证监会根据市场发展情况和审慎监管原则规定的其他条件。

2. 证券公司申请介绍业务，应当向中国证监会提交《介绍业务资格申请书》等规定的申请材料。

（二）业务范围

1. 证券公司受期货公司委托从事介绍业务，应当提供下列服务：

（1）协助办理开户手续。

（2）提供期货行情信息、交易设施。

（3）中国证监会规定的其他服务。

证券公司不得代理客户进行期货交易、结算或者交割，不得代期货公司、客户收付期货保证金，不得利用证券资金账户为客户存取、划转期货保证金。

2. 证券公司从事介绍业务，应当与期货公司签订书面委托协议。委托协议应当载明下列事项：

（1）介绍业务的范围。

（2）执行期货保证金安全存管制度的措施。

（3）介绍业务对接规则。

（4）客户投诉的接待处理方式。

（5）报酬支付及相关费用的分担方式。

（6）违约责任。

（7）中国证监会规定的其他事项。

三、证券公司提供中间介绍业务的业务规则

证券公司只能接受其全资拥有或者控股的，或者被同一机构控制的期货公司的委托从事介绍业务，不能接受其他期货公司的委托从事介绍业务。证券公司应当按照合规、审慎经营的原则，制定并有效执行介绍业务规则、内部控制、合规检查等制度，确保有效防范和隔离介绍业务与其他业务的风险。

期货公司与证券公司应当建立介绍业务的对接规则，明确办理开户、行情和交易系统的安装维护、客户投诉的接待处理等业务的协作程序和规则。证券公司与期货公司应当独立经营，保持财务、人员、经营场所等分开隔离。

证券公司应当在其经营场所显著位置或者其网站，公开下列信息：受托从事的介绍业务范围，从事介绍业务的管理人员和业务人员的名单和照片，期货公司期货保证金账户信息、期货保证金安全存管方式，客户开户和交易流程、出入金流程，交易结算结果查询方式，中国证监会规定的其他信息。

证券公司为期货公司介绍客户时，应当向客户明示其与期货公司的介绍业务委托关系，解释期货交易的方式、流程及风险，不得作获利保证、共担风险等承诺，不得虚假宣传，误导客户。

证券公司应当建立完备的协助开户制度，对客户的开户资料和身份真实性等进行审查，向客户充分揭示期货交易风险，解释期货公司、客户、证券公司三者之间的权利义务关系，告知期货保证金安全存管要求。

证券公司不得代客户下达交易指令，不得利用客户的交易编码、资金账号或者期货结算账户进行期货交易，不得代客户接收、保管或者修改交易密码。证券公司不得直接或者间接为客户从事期货交易提供融资或者担保。

第六章

证券自营业务

 ## 第一节　证券自营业务的含义与特点

一、证券自营业务的含义及投资范围

（一）含义

证券自营业务是指经中国证监会批准经营证券自营业务的证券公司用自有资金和依法筹集的资金，用自己名义开设的证券账户买卖依法公开发行或中国证监会认可的其他有价证券，以获取盈利的行为。具体地说有以下四层含义：

1. 只有经中国证监会批准经营证券自营的证券公司才能从事证券自营业务。从事证券自营业务的证券公司其注册资本最低限额应达到1亿元人民币，净资本不得低于5 000万元人民币。

2. 自营业务是证券公司以营利为目的、为自己买卖证券、通过买卖价差获利的一种经营行为。

3. 在从事自营业务时，证券公司必须使用自有或依法筹集可用于自营的资金。

4. 自营买卖必须在以自己名义开设的证券账户中进行；并且只能买

卖依法公开发行的或中国证监会认可的其他有价证券。

中国证监会于 2011 年 4 月公布了《关于证券公司证券自营业务投资范围及有关事项的规定》，自 2011 年 6 月 1 日起证券公司可以委托具备证券资产管理业务资格、特定客户资产管理业务资格或者合格境内机构投资者资格的其他证券公司或者基金管理公司进行证券投资管理。

证券公司将自有资金投资于依法公开发行的国债、投资级公司债、货币市场基金、央行票据等中国证监会认可的风险较低、流动性较强的证券，或者委托其他证券公司或者基金管理公司进行证券投资管理，且投资规模合计不超过其净资本 80% 的，无须取得证券自营业务资格。

（二）投资范围

根据中国证监会《关于证券公司证券自营业务投资范围及有关事项的规定》，证券公司从事证券自营业务，限于买卖此规定附件《证券公司证券自营投资品种清单》所列证券。主要包括三大类：

1. 已经和依法可以在境内证券交易所上市交易的证券。这类证券主要是股票、债券、权证、证券投资基金等，这是证券公司自营买卖的主要对象。

2. 已经和依法可以在境内银行间市场交易的以下证券：

（1）政府债券；

（2）国际开发机构人民币债券；

（3）央行票据；

（4）金融债券；

（5）短期融资券；

（6）公司债券；

（7）中期票据；

（8）企业债券。

3. 依法经中国证监会批准或者备案发行并在境内金融机构柜台交易的证券。这类证券主要是指开放式基金、证券公司理财产品等依法经中国证监会批准或向中国证监会备案发行，由商业银行、证券公司等金融机构销售的证券。

证券公司因包销而买卖证券，或者为对冲风险参与金融衍生产品交易的，可不受自营清单的限制。自2010年4月21日起，证券公司可以按照中国证监会《证券公司参与股指期货交易指引》的要求，以套期保值为目的参与股指期货交易。

此外，具备证券自营业务资格的证券公司，按有关规定报经中国证监会批准，可以设立子公司，从事《证券公司证券自营投资品种清单》所列品种以外的金融产品等投资。

二、证券自营业务的特点

自营业务与经纪业务相比较，根本区别是自营业务是证券公司为盈利而自己买卖证券，经纪业务是证券公司代理客户买卖证券。证券自营业务的特点具体表现在以下几点：

（一）决策的自主性

证券公司自营买卖业务的首要特点即为决策的自主性，这表现在：

1. 交易行为的自主性。证券公司自主决定是否买入或卖出某种证券。

2. 选择交易方式的自主性。证券公司在买卖证券时，是通过证券交易所买卖还是通过其他场所买卖，由证券公司在法规范围内依一定的时间、条件自主决定。

3. 选择交易品种、价格的自主性。证券公司在进行自营买卖时，可根据市场情况，自主决定买卖品种、价格。

（二）交易的风险性

风险性是证券公司自营买卖业务区别于经纪业务的另一重要特征。由于自营业务是证券公司以自己的名义和合法资金直接进行的证券买卖活动，证券交易的风险性决定了自营买卖业务的风险性。在证券的自营买卖业务中，证券公司作为投资者，买卖的收益与损失完全由证券公司自身承担。而在代理买卖业务中，证券公司仅充当代理人的角色，证券买卖的时机、价格、数量都由委托人决定，由此而产生的收益和损失也由委托人承担。

（三）收益的不确定性

证券公司进行证券自营买卖，其收益主要来源于低买高卖的价差。但这种收益有很大的不确定性，有可能是收益，也有可能是损失，而且收益与损失的数量也无法事先准确预计。

 ## 第二节 证券公司证券自营业务管理

证券公司应根据公司经营管理的特点和业务运作状况，建立完备的自营业务管理制度、投资决策机制、操作流程和风险监控体系，在风险可测、可控、可承受的前提下从事自营业务。同时，应当建立健全自营业务责任追究制度。自营业务出现违法违规行为时，要严肃追究有关人员的责任。

一、证券自营业务的决策与授权

证券公司应建立健全相对集中、权责统一的投资决策与授权机制。自营业务决策机构原则上应当按照"董事会—投资决策机构—自营业务部门"的三级体制设立。

董事会是自营业务的最高决策机构，在严格遵守监管法规中关于自营业务规模等风险控制指标规定的基础上，根据公司资产、负债、损益和资本充足等情况确定自营业务规模、可承受的风险限额等，并以董事会决议的形式进行落实。自营业务具体投资运作管理由董事会授权公司投资决策机构决定。

投资决策机构是自营业务投资运作的最高管理机构，负责确定具体的资产配置策略、投资事项和投资品种等。

自营业务部门为自营业务的执行机构，应在投资决策机构作出的决策范围内，根据授权负责具体投资项目的决策和执行工作。

证券公司应建立健全自营业务授权制度，明确授权权限、时效和责任，对授权过程进行书面记录，保证授权制度的有效执行。同时，要建立层次分明、职责明确的业务管理体系，制定标准的业务操作流程，明确自营业务相关部门、相关岗位的职责。

自营业务的管理和操作由证券公司自营业务部门专职负责，非自营业务部门和分支机构不得以任何形式开展自营业务。自营业务中涉及自营规模、风险限额、资产配置、业务授权等方面的重大决策，应当经过集体决策并采取书面形式，由相关人员签字确认后存档。

二、证券自营业务的运作管理

根据证券公司自营业务的特点和管理要求，证券自营业务运作管理重点主要有以下几方面：

（一）控制运作风险

应通过合理的预警机制、严密的账户管理、严格的资金审批调度、规范的交易操作及完善的交易记录保存制度等，控制自营业务运作风险。

自营业务必须以证券公司自身名义，通过专用自营席位进行，并由非自营业务部门负责自营账户的管理，包括开户、销户、使用登记等。建立健全自营账户的审核和稽核制度，严禁将自营账户借给他人使用，严禁使用他人名义和非自营席位变相自营、账外自营。

加强自营业务资金的调度管理和自营业务的会计核算，由非自营业务部门负责自营业务所需资金的调度和会计核算。

自营业务资金的出入必须以公司名义进行，禁止以个人名义从自营账户中调入调出资金，禁止从自营账户中提取现金。

（二）确定运作原则

应明确自营部门在日常经营中自营总规模的控制、资产配置比例控制、项目集中度控制和单个项目规模控制等原则。

完善可投资证券品种的投资论证机制，建立证券池制度。自营业务部门只能在确定的自营规模和可承受风险限额内，从证券池内选择证券进行投资。

建立健全自营业务运作止盈止损机制。止盈止损的决策、执行与实效评估应当符合规定的程序并进行书面记录。

（三）建立运作流程

建立严密的自营业务运作流程，确保自营部门及员工按规定程序行使相应的职责；应重点加强投资品种的选择及投资规模的控制、自营库存变动的控制，明确自营操作指令的权限及下达程序、请示报告事项及程序等。

投资品种的研究、投资组合的制定和决策以及交易指令的执行应当相互分离，并由不同人员负责；交易指令执行前应当经过审核，并强制留痕。同时，应建立健全自营业务数据资料备份制度，并由专人负责管理。

（四）专人负责清算

自营业务的清算应当由公司专门负责结算托管的部门指定专人完成。

三、证券自营业务的风险监控

（一）自营业务的风险

自营业务的风险主要有以下几种：

1. 合规风险。合规风险主要是指证券公司在自营业务中违反法律、行政法规和监管部门规章及规范性文件、行业规范和自律规则等行为，如从事内幕交易、操纵市场等行为可能使证券公司受到法律制裁、被采取监管措施、遭受财产损失或声誉损失的风险。

2. 市场风险。市场风险主要是指因不可预见和控制的因素导致市场波动，造成证券公司自营亏损的风险。这是证券公司自营业务面临的主要风险。所谓自营业务的风险性或高风险特点也主要是指这种风险。

3. 经营风险。经营风险主要是指证券公司在自营业务中，由于投资决策失误、规模失控、管理不善、内控不严或操作失误而使自营业务受到损失的风险。

（二）自营业务风险的防范

自营业务风险的防范措施主要有以下几方面：

1. 自营业务的规模及比例控制。由于证券自营业务的高风险特性，为了控制经营风险，中国证监会颁布的《证券公司风险控制指标管理办法》规定：

（1）自营权益类证券及证券衍生品的合计额不得超过净资本的100%。

（2）自营固定收益类证券的合计额不得超过净资本的500%。

（3）持有一种权益类证券的成本不得超过净资本的30%。

（4）持有一种权益类证券的市值与其总市值的比例不得超过5%，但因包销导致的情形和中国证监会另有规定的除外。

上述权益类证券是指股票和主要以股票为投资对象的证券类金融产品，包括股票、股票基金以及中国证监会规定的其他证券。

计算自营规模时，证券公司应当根据自营投资的类别按成本价与公允价值孰高原则计算。

2. 自营业务的内部控制。证券公司自营业务的内部控制主要是应加强自营业务投资决策、资金、账户、清算、交易和保密等的管理。重点防范规模失控、决策失误、超越授权、变相自营、账外自营、操纵市场、内幕交易等的风险。

（1）建立"防火墙"制度。确保自营业务与经纪、资产管理、投资银行等业务在机构、人员、信息、账户、资金、会计核算上严格分离。

自营业务的研究策划、投资决策、投资操作、风险监控等机构和职能应当相互独立；自营业务的账户管理、资金清算、会计核算等中、后台职能应当由独立的部门和岗位负责，以形成有效的自营业务前、中、后台相互制衡的监督机制。

（2）应加强自营账户的集中管理和访问权限控制。自营账户应由独立于自营业务的部门统一管理。建立自营账户审批和稽核制度，采取措施防范变相自营、账外自营、借用账户等风险。防止自营业务与资产管理业务混合操作。

（3）应建立完善的投资决策和投资操作档案管理制度，确保投资过程事后可查证。加强电子交易数据的保存和备份管理，确保自营交易清算数据的安全、真实和完整，并确保自营部门和会计核算部门对自营浮动盈亏进行恰当的记录和报告。自营部门应建立交易操作记录制度并设置交易台账，详细记录每日交易情况，并定期与财会部门对账。

（4）证券公司应建立独立的实时监控系统。风险监控部门应能够正常履行职责，并能从前、中、后台获取自营业务运作信息与数据，对证券持仓、盈亏状况、风险状况和交易活动进行有效监控。

建立自营业务的逐日盯市制度，健全自营业务风险敞口和公司整体损益情况的联动分析与监控机制，完善风险监控量化指标体系。定期对自营业务投资组合的市值变化及其对公司以净资本为核心的风险监控指标的潜在影响进行敏感性分析和压力测试。定期或不定期对自营业务进行检查或稽核，确保自营业务各项风险指标符合监管指标的要求并控制在证券公司可承受范围之内。

建立健全自营业务风险监控系统的功能，根据法律法规和监管要求，在监控系统中设置相应的风险监控阈值，通过系统的预警触发装置自动显示自营业务风险的动态变化，提高动态监控效率。

（5）通过建立实时监控系统全方位监控自营业务的风险，建立有效的风险监控报告机制。定期向董事会和投资决策机构提供风险监控报告，并将有关情况通报自营业务部门、合规部门等相关部门。发现业务运作或风险监控指标值存在风险隐患或不合规时，要立即向董事会和投资决策机构报告并提出处理建议。董事会和投资决策机构及自营业务相关部门应对风险监控部门的监控报告和处理建议及时予以反馈，报告与反馈过程要进行书面记录。

证券公司应根据自身实际情况，积极借鉴国际先进的风险管理经验，引进和开发有效的风险管理工具，逐步建立完善的风险识别、测量和监控程序，使风险监控走向科学化。

（6）建立健全自营业务风险监控缺陷的纠正与处理机制。由风险监控部门根据自营业务风险监控的检查情况和评估结果，提出整改意见和纠正措施，并对落实情况进行跟踪检查。

（7）建立完备的业绩考核和激励制度。完善风险调整基础上的绩效考核机制，遵循客观、公正、可量化原则，对自营业务人员的投资能力、业绩水平等情况进行评价。

（8）稽核部门定期对自营业务的合规运作、盈亏、风险监控等情况进行全面稽核，出具稽核报告。

（9）加强自营业务人员的职业道德和诚信教育，强化自营业务人员的保密意识、合规操作意识和风险控制意识。自营业务关键岗位人员离任前，应当由稽核部门进行审计。

（三）证券自营业务信息报告

1. 建立健全自营业务内部报告制度。报告内容包括但不限于：投资决策执行情况、自营资产质量、自营盈亏情况、风险监控情况和其他重大事项等。

董事和有关高级管理人员应当对自营业务内部报告进行阅签和反馈。

2. 建立健全自营业务信息报告制度，自觉接受外部监督。证券公司应当按照监管部门和证券交易所的要求报送自营业务信息。报告的内容包括：

（1）自营业务账户、席位情况。

（2）涉及自营业务规模、风险限额、资产配置、业务授权等方面的重大决策。

（3）自营风险监控报告。

（4）其他需要报告的事项。

3. 明确自营业务信息报告的负责部门、报告流程和责任人。对报告信息存在虚假记载、误导性陈述或重大遗漏负有直接责任和领导责任的人员要给予相应的处理，并及时向监管部门报告。

 ## 第三节　证券自营业务的禁止行为

由于证券公司在市场上处于特殊地位，其自营业务量在整个市场业务量中占有一定份额，因此证券公司在自营业务过程中是否遵守规则对市场的规范运作影响较大。证券公司从事证券自营业务，应当建立和完善内部监控机制，认真贯彻、执行国家有关政策和法规，始终保持遵纪守法意识，防范和制止各种内幕交易、操纵市场行为的发生。为了加强管理，《证券法》明确规定了禁止的交易行为。

一、禁止内幕交易

（一）内幕交易

所谓内幕交易，是指证券交易内幕信息的知情人和非法获取内幕信息的人利用内幕信息从事证券交易活动。

《证券法》规定，证券交易内幕信息的知情人和非法获取内幕信息的人，在内幕信息公开前不得买卖该公司的证券，或者泄露该信息，或者建议他人买卖该证券。内幕交易行为给投资者造成损失的，行为人要依法承担赔偿责任。

因此，证券公司从事证券自营业务时，严禁以获取利益或者减少损失为目的，利用证券交易内幕信息的知情人和非法获取内幕信息的人利用内幕信息从事证券交易活动。这种交易严重违背了证券市场公开、公平、公正的交易原则，造成证券收益异常分配，既损害投资者利益，又破坏证券市场的稳定。

1. 常见的内幕交易包括以下行为：

（1）内幕信息的知情人利用内幕信息买卖证券或者根据内幕信息建议他人买卖证券。

（2）内幕信息的知情人向他人透露内幕信息，使他人利用该信息进行内幕交易。

（3）非法获取内幕信息的人利用内幕信息买卖证券或者建议他人买卖证券。

2. 证券交易内幕信息的知情人包括：

（1）发行人的董事、监事、高级管理人员。

（2）持有公司5%以上股份的股东及其董事、监事、高级管理人员，公司的实际控制人及其董事、监事、高级管理人员。

（3）发行人控股的公司及其董事、监事、高级管理人员。

（4）由于所任公司职务可以获取公司有关内幕信息的人员。

（5）证券监督管理机构工作人员以及由于法定职责对证券的发行、交易进行管理的其他人员。

（6）保荐机构、承销的证券公司、证券交易所、证券登记结算机构、证券服务机构的有关人员。

（7）国务院证券监督管理机构规定的其他人。

（二）内幕信息

所谓内幕信息，是指在证券交易活动中，涉及公司的经营、财务或者对该公司证券的市场价格有重大影响的尚未公开的信息。下列信息皆属内幕信息：

1. 可能对上市公司股票交易价格产生较大影响的重大事件。主要包括：

（1）公司的经营方针和经营范围的重大变化。

（2）公司的重大投资行为和重大的购置财产的决定。

（3）公司订立重要合同，可能对公司的资产、负债、权益和经营成果产生重要影响。

（4）公司发生重大债务和未能清偿到期重大债务的违约情况。

（5）公司发生重大亏损或者重大损失。

（6）公司生产经营的外部条件发生的重大变化。

（7）公司的董事、1/3 以上监事或者经理发生变动。

（8）持有公司 5% 以上股份的股东或者实际控制人，其持有股份或者控制公司的情况发生较大变化。

（9）公司减资、合并、分立、解散及申请破产的决定。

（10）涉及公司的重大诉讼，股东大会、董事会决议被依法撤销或者宣告无效。

（11）公司涉嫌犯罪被司法机关立案调查，公司董事、监事、高级管理人员涉嫌犯罪被司法机关采取强制措施。

（12）国务院证券监督管理机构规定的其他事项。

2. 公司分配股利或者增资的计划。

3. 公司股权结构的重大变化。

4. 公司债务担保的重大变更。

5. 公司营业用主要资产的抵押、出售或者报废一次超过该资产的 30%。

6. 公司的董事、监事、高级管理人员的行为可能依法承担重大损害赔偿责任。

7. 上市公司收购的有关方案。

8. 国务院证券监督管理机构认定的对证券交易价格有显著影响的其他重要信息。

二、禁止操纵市场

所谓操纵市场，是指机构或个人利用其资金、信息等优势，影响证券交易价格或交易量，制造证券交易假象，诱导或者致使投资者在不了解事实真相的情况下作出证券投资决定，扰乱证券市场秩序，以达到获取利益或减少损失的目的的行为。

操纵市场的行为会对证券市场构成严重危害。操纵市场人为制造虚假的证券供给和需求现象，扰乱正常的供求关系，造成证券价格异常波动，从而破坏市场秩序，损害广大投资者利益。因此，证券公司在从事自营业务过程中不得从事操纵市场的行为。

《证券法》明确列示操纵证券市场的手段包括：（1）单独或者通过合谋，集中资金优势、持股优势或者利用信息优势联合或者连续买卖，操纵证券交易价格或者证券交易量；（2）与他人串通，以事先约定的时间、价格和方式相互进行证券交易，影响证券交易价格或者证券交易量；（3）在自己实际控制的账户之间进行证券交易，影响证券交易价格或者证券交易量；（4）以其他手段操纵证券市场。

《证券法》规定，操纵证券市场行为给投资者造成损失的，行为人应当依法承担赔偿责任。

三、其他禁止的行为

其他禁止的行为包括：假借他人名义或者以个人名义进行自营业务；违反规定委托他人代为买卖证券；违反规定购买本证券公司控股股东或者与本证券公司有其他重大利害关系的发行人发行的证券；将自营账户借给他人使用；将自营业务与代理业务混合操作；法律、行政法规或中国证监会禁止的其他行为。

 ## 第四节　证券自营业务的监管和法律责任

一、监管措施

（一）专设账户、单独管理

根据《证券法》的规定，证券公司从事证券自营业务，应当以公司名义建立证券自营账户，并报中国证监会备案。自2008年6月1日起施行的《证券公司监督管理条例》规定，证券公司的证券自营账户，应当自开户之日起3个交易日内报证券交易所备案。专设自营账户是证券公司完善内部监控机制的重要举措，也为证券管理部门对证券公司的业务审计和检查提供了有利条件，对于防范内幕交易、操纵市场等违法行为的发生有重要作用。

（二）证券公司自营情况的报告

根据现行规定，证券公司应每月、每半年、每年向中国证监会和证券交易所报送自营业务情况，并且每年要向中国证监会、证券交易所报送年检报告，其中自营业务情况也是主要内容之一。

（三）中国证监会的监管

1. 中国证监会对证券公司从事证券自营业务情况以及相关的资金来源和运用情况进行定期或不定期检查，并可要求证券公司报送其证券自营业务资料以及其他相关业务资料。

2. 中国证监会及其派出机构对从事证券自营业务过程中涉嫌违反国家有关法规的证券公司，将进行调查，并可要求提供、复制或封存有关业务文件、资料、账册、报表、凭证和其他必要的资料。对中国证监会及其派出机构的检查和调查，证券公司不得以任何理由拒绝或拖延提供有关资料，或提供不真实、不准确、不完整的资料。在调查过程中，证券公司主要负责人和直接相关人员不得以任何理由逃避调查。中国证监会及其派出机构还可以要求证券公司有关人员在指定时间和地点提供有关证据。

3. 中国证监会可聘请具有从事证券业务资格的会计师事务所、审计事务所等专业性中介机构，对证券公司从事证券自营业务情况进行稽核。对会计师事务所、审计事务所等专业性中介机构的稽核，证券公司应视同为中国证监会的检查并予以配合。

4. 证券自营业务原始凭证以及有关业务文件、资料、账册、报表和其他必要的材料应至少妥善保存20年。

（四）证券交易所的监管

根据《证券交易所管理办法》第四十五条的规定，证券交易所根据国家关于证券公司证券自营业务管理的规定和证券交易所业务规则，对会员的证券自营业务实施下列日常监督管理：

1. 要求会员的自营买卖业务必须使用专门的股票账户和资金账户，并采取技术手段严格管理。

2. 检查开设自营账户的会员是否具备规定的自营资格。

3. 要求会员按月编制库存证券报表，并于次月 5 日前报送证券交易所。

4. 对自营业务规定具体的风险控制措施，并报中国证监会备案。

5. 每年 6 月 30 日和 12 月 31 日过后的 30 日内，向中国证监会报送各家会员截止到该日的证券自营业务情况等等。

（五）禁止内幕交易的主要措施

1. 加强自律管理。证券公司作为证券市场上的中介机构，为上市公司提供多种服务，能从多种渠道获取内幕信息，这就要求证券公司加强自律管理。主要措施有：

（1）在思想上提高认识，自觉地不利用内幕信息从事证券自营买卖，维护市场的正常交易秩序。

（2）为上市公司提供服务的人员与自营业务决策的人员分离。前者尽心尽力为企业服务，后者依据公司信息及市场行情作出证券买卖决定。

（3）严格保密纪律，有机会获取内幕信息的从业人员不泄露、不利用内幕信息，非参与企业服务的人员自觉做到不打听内幕信息。

（4）加强员工内部管理，严禁从业人员炒买炒卖股票，也严禁为他人的证券交易提供不符合国家法规和证券公司制度规定的便利，一经发现即严肃处理。

2. 加强监管。中国证监会及其派出机构加强对内幕交易的监管，一经发现违法违规行为则严肃处理。

二、法律法规责任

(一)《证券公司监督管理条例》的有关规定

1. 证券公司违反规定委托他人代为买卖证券;证券自营业务投资范围或者投资比例违反规定的,责令改正,给予警告,没收违法所得,并处以违法所得1倍以上5倍以下的罚款;没有违法所得或者违法所得不足10万元的,处以10万元以上30万元以下的罚款;情节严重的,暂停或者撤销其相关证券业务许可。对直接负责的主管人员和其他直接责任人员,给予警告,并处以3万元以上10万元以下的罚款;情节严重的,撤销任职资格或者证券从业资格。

2. 证券公司未按照规定将证券自营账户报证券交易所备案的,责令改正,给予警告,没收违法所得,并处以违法所得1倍以上5倍以下的罚款;没有违法所得或者违法所得不足3万元的,处以3万元以上30万元以下的罚款。对直接负责的主管人员和其他直接责任人员单处或者并处警告、3万元以上10万元以下的罚款;情节严重的,撤销任职资格或者证券从业资格。

(二)《证券法》的有关规定

1. 证券交易内幕信息的知情人或者非法获取内幕信息的人,在涉及证券的发行、交易或者其他对证券的价格有重大影响的信息公开前,买卖该证券,或者泄露该信息,或者建议他人买卖该证券的,责令依法处理非法持有的证券,没收违法所得,并处以违法所得1倍以上5倍以下的罚款;没有违法所得或者违法所得不足3万元的,处以3万元以上60万元以下的罚款。单位从事内幕交易的,还应当对直接负责的主管人员和其他直接责任人员给予警告,并处以3万元以上30万元以下的罚款。证券监督管理机构工作人员进行内幕交易的,从重处罚。

2. 操纵证券市场的,责令依法处理非法持有的证券,没收违法所得,并处以违法所得1倍以上5倍以下的罚款;没有违法所得或者违法所得不足30万元的,处以30万元以上300万元以下的罚款。单位操纵证券市场的,还应当对直接负责的主管人员和其他直接责任人员给予警告,并处以10万元以上60万元以下的罚款。

3. 证券公司假借他人名义或者以个人名义从事证券自营业务的，责令改正，没收违法所得，并处以违法所得 1 倍以上 5 倍以下的罚款；没有违法所得或者违法所得不足 30 万元的，处以 30 万元以上 60 万元以下的罚款；情节严重的，暂停或者撤销证券自营业务许可。对直接负责的主管人员和其他直接责任人员给予警告，撤销任职资格或者证券从业资格，并处以 3 万元以上 10 万元以下的罚款。

4. 证券公司对其证券自营业务与其他业务不依法分开办理，混合操作的，责令改正，没收违法所得，并处以 30 万元以上 60 万元以下的罚款；情节严重的，撤销相关业务许可。对直接负责的主管人员和其他直接责任人员给予警告，并处以 3 万元以上 10 万元以下的罚款；情节严重的，撤销任职资格或者证券从业资格。

（三）《中华人民共和国刑法》的有关规定

1. 证券交易内幕信息的知情人员或者非法获得证券交易内幕信息的人员，在涉及证券的发行、交易或者其他对证券价格有重大影响的信息尚未公开前买入或卖出该证券，或者泄露该信息，情节严重的，将追究刑事责任。

2. 编造、传播影响证券交易的虚假信息，或伪造、变造、销毁交易记录，扰乱证券交易市场，情节严重的，将追究刑事责任。

3. 有下列行为之一，操纵证券交易价格，获取不正当利益或转嫁风险，情节严重的，将追究刑事责任：单独或者合谋，集中利用资金优势、持股优势，或者利用信息优势联合或者连续买卖，操纵证券交易价格的；与他人串通，以事先约定的时间、价格和方式相互进行证券交易或者相互买卖并不持有的证券，影响证券交易价格或者证券交易量的；以自己为交易对象，进行不转移证券所有权的自买自卖，影响证券交易价格或者证券交易量的；以其他方法操纵证券交易价格的。

处罚是加大监管力度的必要手段，制定和实施罚则，打击证券公司的违规、违法操作，有利于证券交易"三公"原则的贯彻，有利于保护投资者的利益和维护证券市场的正常秩序，从而为证券市场健康、规范发展提供保证。

第七章

资产管理业务

 ## 第一节　资产管理业务的含义、种类及业务资格

一、资产管理业务的含义及种类

根据 2003 年 12 月 18 日中国证监会令第 17 号《证券公司客户资产管理业务试行办法》（简称《试行办法》）规定，资产管理业务是指证券公司作为资产管理人，依照有关法律法规及《试行办法》的规定与客户签订资产管理合同，根据资产管理合同约定的方式、条件、要求及限制，对客户资产进行经营运作，为客户提供证券及其他金融产品的投资管理服务的行为。资产管理业务主要有如下三种：

（一）为单一客户办理定向资产管理业务

为单一客户办理定向资产管理业务是指证券公司与单一客户签订定向资产管理合同，通过该客户的账户为客户提供资产管理服务的一种业务。这种业务的特点是：第一，证券公司与客户必须是一对一的；第二，具体投资方向应在资产管理合同中约定；第三，必须在单一客户的专用证券账户中经营运作。

（二）为多个客户办理集合资产管理业务

为多个客户办理集合资产管理业务是指证券公司通过设立集合资产管理计划，与客户签订集合资产管理合同，将客户资产交由依法可以从事客户交易结算资金存管业务的商业银行或者中国证监会认可的其他资产托管机构进行托管，通过专门账户为客户提供资产管理服务的一种业务。证券公司办理集合资产管理业务，可以设立限定性集合资产管理计划和非限定性集合资产管理计划。

限定性集合资产管理计划的资产应当主要用于投资国债、国家重点建设债券、债券型证券投资基金、在证券交易所上市的企业债券、其他信用度高且流动性强的固定收益类金融产品。限定性集合资产管理计划投资于业绩优良、成长性高、流动性强的股票等权益类证券以及股票型证券投资基金的资产，不得超过该计划资产净值的20%，并应当遵循分散投资风险的原则。

非限定性集合资产管理计划的投资范围则不受上述规定限制，而是在符合《证券公司集合资产管理业务实施细则》第十四条规定的前提下，由集合资产管理合同约定。

集合资产管理业务的特点是：

1. 集合性，即证券公司与客户是一对多。
2. 投资范围有限定性和非限定性之分。
3. 客户资产必须进行托管。
4. 通过专门账户投资运作。
5. 较严格的信息披露。

（三）为客户特定目的办理专项资产管理业务

为客户特定目的办理专项资产管理业务是指证券公司与客户签订专项资产管理合同，针对客户的特殊要求和资产的具体情况，设定特定投资目标，通过专门账户为客户提供资产管理服务的一种业务。

专项资产管理业务的特点是：

1. 综合性，即证券公司与客户可以是一对一，也可以是一对多。也就是说，既可以采取定向资产管理的方式，也可以采取集合资产管理的方式办理该项业务。

2. 特定性，即要设定特定的投资目标。

3. 通过专门账户经营运作。

二、资产管理业务资格

（一）证券公司从事资产管理业务的条件

证券公司从事资产管理业务，应当符合下列条件：

1. 经中国证监会核定具有证券资产管理业务的经营范围。

2. 净资本不低于 2 亿元人民币，且符合中国证监会关于经营证券资产管理业务的各项风险监控指标的规定。

3. 资产管理业务人员具有证券业从业资格，无不良行为记录，其中，具有 3 年以上证券自营、资产管理或者证券投资基金管理从业经历的人员不少于 5 人。

4. 具有良好的法人治理结构、完备的内部控制和风险管理制度，并得到有效执行。

5. 最近 1 年未受到过行政处罚或者刑事处罚。

6. 中国证监会规定的其他条件。

（二）证券公司申请资产管理业务资格应提交相关材料

证券公司从事资产管理业务，应当获得中国证监会批准的资产管理业务资格。证券公司申请资产管理业务资格，应当向中国证监会提交下列材料：

1. 申请书。

2. 经营证券业务许可证和企业法人营业执照副本复印件。

3. 净资本计算表和经具有证券相关业务资格的会计师事务所审计的最近一期财务报表。

4. 负责资产管理业务的高级管理人员的情况登记表。

5. 资产管理业务人员、风险控制岗位人员的名单、简历、证券业从业资格证书和身份证明复印件。

6. 申请人出具的资产管理业务人员无不良行为记录的证明。

7. 内部控制和风险管理制度文本及由具有证券相关业务资格的会计

师事务所出具的内部控制评审报告。

8. 资产管理业务计划书和业务操作规程。

9. 中国证监会要求提交的其他材料。

中国证监会依照法律、行政法规和《试行办法》的规定，对证券公司的申请材料进行审查，作出是否批准的决定，并书面通知申请人。

（三）其他要求

取得资产管理业务资格的证券公司，可以办理定向资产管理业务。办理集合资产管理业务、专项资产管理业务的，除应具备规定的条件并取得资产管理业务资格外，还须按照《试行办法》的规定向中国证监会提出逐项申请。证券公司设立集合资产管理计划，办理集合资产管理业务，还应当符合下列要求：

1. 具有健全的法人治理结构、完善的内部控制和风险管理制度，并得到有效执行。

2. 设立限定性集合资产管理计划的净资本不低于 3 亿元人民币，设立非限定性集合资产管理计划的净资本不低于 5 亿元人民币。

3. 最近一年不存在挪用客户交易结算资金等客户资产的情形。

4. 中国证监会规定的其他条件。

 # 第二节　资产管理业务的基本要求

一、资产管理业务管理的基本原则

根据中国证监会《试行办法》的规定，证券公司从事资产管理业务应当遵守以下原则：

（一）守法合规

证券公司应当遵守法律、行政法规和中国证监会的规定，不得有欺诈客户的行为。

（二）公平公正

证券公司应当遵循公平、公正的原则，维护客户的合法权益，诚实守信，勤勉尽责，避免利益冲突。

（三）资格管理

证券公司应当按《试行办法》的规定向中国证监会申请资产管理业务资格。未取得资产管理业务资格的证券公司，不得从事资产管理业务。

（四）约定运作

证券公司应当依照《试行办法》的规定与客户签订资产管理合同，按资产管理合同的约定对客户资产进行经营运作。

（五）集中管理

证券公司应当在公司内部实行集中运营管理，对外统一签订资产管理合同，并设立专门的部门负责资产管理业务。

（六）风险控制

证券公司应当建立健全风险控制制度，将资产管理业务与公司的其他业务严格分开。

二、证券公司办理资产管理业务的一般规定

第一，证券公司办理定向资产管理业务，接受单个客户的资产净值不得低于人民币100万元。证券公司可以在规定的最低限额的基础上，提高本公司客户委托资产净值的最低限额。

第二，证券公司办理集合资产管理业务，只能接受货币资金形式的资产。证券公司设立限定性集合资产管理计划的，接受单个客户的资金数额不得低于人民币5万元；设立非限定性集合资产管理计划的，接受单个客户的资金数额不得低于人民币10万元。

第三，证券公司应当将集合资产管理计划设定为均等份额。客户按其所拥有的份额在集合资产管理计划资产中所占的比例享有利益、承担风险。但是按照以下"第五"另有约定的除外。

第四，参与集合资产管理计划的客户不得转让其所拥有的份额，但是法律、行政法规另有规定的除外。

第五，证券公司可以自有资金参与本公司设立的集合资产管理计划。证券公司应当按照《公司法》和公司章程的规定，获得公司股东会、董事会或者其他授权程序的批准。在该集合资产管理计划存续期间，证券公司不得收回所投入的资金。以自有资金参与本公司设立的集合资产管理计划的证券公司，应当在集合资产管理合同中，对其所投入的资金数额和承担的责任等作出约定。

证券公司参与1个集合计划的自有资金，不得超过计划成立规模的5%，并且不得超过2亿元；参与多个集合计划的自有资金总额，不得超过证券公司净资本的15%。

证券公司投入的资金，根据其所承担的责任，在计算公司的净资本额时予以相应的扣减。扣减后的净资本等各项风险控制指标应当符合中国证监会的规定。

第六，证券公司可以自行推广集合资产管理计划，也可以委托证券公司的客户资金存管指定商业银行代理推广。客户在参与集合资产管理计划之前，应当已经是证券公司自身或者代理推广机构的客户。

第七，证券公司设立集合资产管理计划的，应当自中国证监会出具无异议意见或者作出批准决定之日6个月内启动推广工作，并在60个工作日内完成设立工作并开始投资运作。集合资产管理计划设立完成前，客户的参与资金只能存入资产托管机构，不得动用。

第八，证券公司进行集合资产管理业务投资运作，在证券交易所进行证券交易的，应当通过专用交易单元进行，集合计划账户、专用交易单元应当报证券交易所、证券登记结算机构及公司住所地中国证监会派出机构备案。集合资产管理计划资产中的证券，不得用于回购。

第九，证券公司将其所管理的客户资产投资于一家公司发行的证券，不得超过该证券发行总量的10%。一个集合资产管理计划投资于一家公司发行的证券不得超过该计划资产净值的10%。

第十，证券公司将其管理的客户资产投资于本公司、资产托管机构及与本公司或资产托管机构有关联方关系的公司发行的证券，应当事先取得客户的同意，事后告知资产托管机构和客户，同时向证券交易所报告。单个集合资产管理计划投资于前述证券的资金，不得超过该集合资产管理计划资产净值的3%。

三、客户资产托管

客户资产托管是指资产托管机构根据证券公司、客户的委托，对客户的资产进行保管，办理资金收付事项、监督证券公司投资行为等。

证券公司办理定向资产管理业务，客户委托资产应当按照中国证监会的规定采取托管方式进行保管。

资产托管机构应当是依法可以从事客户交易结算资金存管业务的商业银行或者中国证监会认可的其他机构。

资产托管机构应当安全保管客户委托资产。资产托管机构发现证券公司的投资指令违反法律、行政法规和其他有关规定，或者违反资产管理合同约定的，应当予以制止，并及时报告客户和证券公司住所地中国证监会派出机构；投资指令未生效的，应当拒绝执行。

定向资产管理合同约定的投资管理期限届满或者发生合同约定的其他事由，应当终止资产管理合同的，证券公司在扣除合同约定的各项费用后，必须将客户账户内的全部资产交还客户自行管理。

证券公司办理集合资产管理业务，应当将集合资产管理计划资产交由资产托管机构进行托管。证券公司、资产托管机构应当为集合资产管理计划单独开立证券账户和资金账户。资金账户名称应当是"集合资产管理计划名称"。证券账户名称应当是"证券公司名称—资产托管机构名称—集合资产管理计划名称"。

资产托管机构应当由专门部门负责集合资产管理计划资产的托管业务，并将托管的集合资产管理计划资产与其自有资产及其管理的其他资产严格分开。资产托管机构办理集合资产管理计划资产托管业务应当履行下列职责：

（1）安全保管集合资产管理计划资产。

（2）执行证券公司的投资或者清算指令，并负责办理集合资产管理计划资产运营中的资金往来。

（3）监督证券公司集合资产管理计划的经营运作，发现证券公司的投资或清算指令违反法律、行政法规、中国证监会的规定或者集合资产管理合同约定的，应当要求改正；未能改正的，应当拒绝执行，并向中国证监会报告。

（4）出具资产托管报告。

（5）集合资产管理合同约定的其他事项。

资产托管机构有权随时查询集合资产管理计划的经营运作情况，并应当定期核对集合资产管理计划资产的情况，防止出现挪用或者遗失。

集合资产管理合同约定的投资管理期限届满或者发生合同约定的其他事由，集合计划不展期，应当终止集合资产管理计划运营的，证券公司和资产托管机构在扣除合同规定的各项费用后，必须将集合资产管理计划资产按照客户拥有份额的比例或者集合资产管理合同的约定，以货币资金的形式全部分派给客户，并注销证券账户和资金账户。

 # 第三节　定向资产管理业务

一、定向资产管理业务的基本原则

证券公司开展定向资产管理业务应遵循以下基本原则：

（一）公平公正，诚实守信

证券公司开展定向资产管理业务，应当遵循公平、公正的原则；诚实守信，审慎尽责；坚持公平交易，避免利益冲突，禁止利益输送，保护客户合法权益。

（二）健全制度，规范运作

证券公司开展定向资产管理业务，应当建立健全内部控制与风险管理制度，加强业务风险的防范、控制和检查，规范运作。

（三）投资风险，客户自担

定向资产管理业务的投资风险由客户自行承担，证券公司不得以任何方式对客户资产本金不受损失或者取得最低收益作出承诺。

二、定向资产管理业务运作的基本规范

（一）客户准入及委托标准

定向资产管理业务客户应当是符合法律、行政法规和中国证监会规定的自然人、法人或者依法成立的其他组织。

证券公司开展定向资产管理业务，接受单一客户委托资产净值的最低限额应当符合中国证监会的规定。证券公司可以在规定的最低限额的基础上，提高本公司客户委托资产净值最低标准。

证券公司不得接受本公司董事、监事、从业人员及其配偶成为定向资产管理业务客户。

（二）尽职调查及风险揭示

证券公司开展定向资产管理业务，应当按照有关规则，了解客户身份、财产与收入状况、证券投资经验、风险认知与承受能力和投资偏好等，并获取相关信息和资料。

证券公司应当以书面和电子方式对尽职调查获取的相关信息和资料，予以详细记载、妥善保存。

客户应当如实披露或者提供相关信息、资料，并在合同中承诺信息和资料的真实性。

证券公司应当指定专人向客户如实披露其业务资格，讲解有关业务规则和定向资产管理合同的内容。

证券公司应当制作《风险揭示书》，充分揭示客户参与定向资产管理业务的市场风险、管理风险、流动性风险及其他风险以及上述风险的含义、特征、可能引起的后果。《风险揭示书》的内容应当具有针对性，表述应当清晰、明确、易懂，符合中国证券业协会制定的标准格式。证券公司应当将《风险揭示书》交客户签字确认。客户签署《风险揭示书》，即表明已经理解并愿意承担参与定向资产管理业务的风险。

（三）客户委托资产及来源

客户委托资产可以是客户合法持有的现金、股票、债券、证券投资基金、集合资产管理计划份额、央行票据、短期融资券、资产支持证券、金融衍生品或者中国证监会允许的其他金融资产。

客户委托资产的来源、用途应当合法，定向资产管理业务客户应当在合同中对此作出明确承诺。客户未作承诺，或者证券公司明知客户身份不真实或者委托资产来源、用途不合法，或者证券公司发现客户涉嫌非法汇集他人资产参与定向资产管理业务的，证券公司不得为其提供定向资产管理服务。

自然人不得用筹集的他人资金参与定向资产管理业务。法人或者依法成立的其他组织用筹集的资金参与定向资产管理业务的，应当向证券公司提供合法筹集资金证明文件；未提供证明文件的，证券公司不得为其办理定向资产管理业务。

证券公司发现客户委托资产涉嫌洗钱的，应当按照《中华人民共和国反洗钱法》和相关规定履行报告义务。

（四）客户资产托管

客户委托资产应当交由依法可以从事客户交易结算资金存管业务的商业银行或者中国证监会认可的其他资产托管机构托管。

资产托管机构应当按照中国证监会的规定和定向资产管理合同的约定，履行安全保管客户委托资产、办理资金收付事项、监督证券公司投资行为等职责。

资产托管机构发现证券公司违反法律、行政法规和其他有关规定，或者违反定向资产管理合同的，应当立即要求证券公司改正；未能改正或者造成客户委托资产损失的，资产托管机构应当及时通知客户，并报告证券公司住所地中国证监会派出机构。

（五）客户资产独立核算与分账管理

证券公司开展定向资产管理业务，应当保证客户委托资产与证券公司自有资产相互独立，不同客户的委托资产相互独立，对不同客户的委托资产应当独立建账，独立核算，分账管理。

证券公司、资产托管机构、第三方存管机构破产或者清算时，客户委托资产不属于其破产财产或者清算财产。

（六）客户资产管理账户

证券公司从事定向资产管理业务，买卖证券交易所的交易品种，应当使用定向资产管理专用证券账户。专用证券账户应当以客户名义开立，客户也可以申请将其普通证券账户转换为专用证券账户。客户开立专用证券账户，或者将普通证券账户转换为专用证券账户，应当委托证券公司向证券登记结算机构申请办理。专用证券账户名称为"客户名称"，证券登记结算机构应当对专用证券账户进行标识。

同一客户只能办理一个上海证券交易所专用证券账户和一个深圳证券交易所专用证券账户。

定向资产管理合同应当就客户授权证券公司开立、使用、注销、转换专用证券账户事宜作出明确约定。

代理客户办理专用证券账户，应当由证券公司向证券登记结算机构申请办理。证券公司办理专用证券账户时，应当提交证券资产管理业务许可证明、与客户签订的定向资产管理合同以及证券登记结算机构规定的其他文件。

证券公司应当自专用证券账户开立之日起3个交易日内，将专用证券账户报证券交易所备案。未报备前，不得使用该账户进行交易。

专用证券账户仅供定向资产管理业务使用，并且只能由代理办理专用证券账户的证券公司使用，不得办理转托管或者转指定，中国证监会另有规定的除外。

证券公司、客户不得将专用证券账户以出租、出借、转让或者其他方式提供给他人使用。

证券公司应当在定向资产管理合同失效、被撤销、解除或者终止后15日内，向证券登记结算机构代为申请注销专用证券账户，或者根据客户要求，代理客户向证券登记结算机构申请将专用证券账户转换为普通证券账户，客户应当予以协助。专用证券账户注销后，证券公司应当在3个交易日内报证券交易所备案。

客户将委托的证券从原有证券账户划转至专用证券账户，或者专用证券账户注销时将专用证券账户内的证券划转至该客户其他证券账户的，证券公司可以根据合同约定向证券登记结算机构代为申请。上述证券划转行为不属于所有权转移的过户行为。

(七) 定向资产管理业务的投资范围

定向资产管理业务的投资范围包括股票、债券、证券投资基金、集合资产管理计划、央行票据、短期融资券、资产支持证券、金融衍生品以及中国证监会认可的其他投资品种。

定向资产管理合同约定的投资范围不得超出法律、行政法规和中国证监会规定允许客户投资的范围，并应当与客户的风险认知与承受能力以及证券公司的投资经验、管理能力和风险控制水平相匹配。

证券公司将委托资产投资于本公司、资产托管机构以及与本公司、资产托管机构有关联方关系的公司发行的证券，应当事先将相关信息以书面形式通知客户和资产托管机构，并要求客户按照合同约定在指定期限内答复。客户未同意的，证券公司不得进行此项投资；客户同意的，证券公司应当及时将交易结果告知客户和资产托管机构，并向证券交易所报告。

证券公司与客户应当在定向资产管理合同中对前款所述投资的通知和答复程序作出明确约定。

(八) 投资管理情况报告与查询

证券公司应当依照合同约定的时间和方式，向客户提供对账单，说明报告期内客户委托资产的配置状况、价值变动、交易记录等情况。

发生可能影响客户利益的重大事项时，证券公司应当及时告知客户。

证券公司、资产托管机构应当保证客户能够按照合同约定的时间和方式，查询客户定向资产管理账户内资产配置状况、价值变动、交易记录等相关信息。

(九) 业务档案管理

证券公司应当建立健全档案管理制度，妥善保管定向资产管理业务的合同、客户资料、交易记录等文件、资料和数据，保存期限不得少于20

年，任何人不得隐匿、伪造、篡改或销毁。

三、定向资产管理合同

证券公司开展定向资产管理业务，应当依据法律、行政法规、《试行办法》等规定，与客户、托管机构签订书面定向资产管理合同，约定客户、证券公司、资产托管机构的权利义务。定向资产管理合同应当包括中国证券业协会制定的合同必备条款。

定向资产管理合同应当包括下列基本事项：客户资产的种类和数额；投资范围、投资限制和投资比例；投资目标和管理期限；客户资产的管理方式和管理权限，各类风险揭示，资产管理信息的提供及查询方式，当事人的权利与义务，客户所持有证券的权利的行使和义务的履行，管理费、托管费、业绩报酬等费用的支付标准、计算方法、支付方式和支付时间，与资产管理有关的其他费用的提取、支付方式，合同解除、终止的条件、程序及客户资产的清算返还事宜，违约责任和纠纷的解决方式，中国证监会规定的其他事项。

证券公司被中国证监会暂停定向资产管理业务的，暂停期间不得签订新的定向资产管理合同。证券公司违反法律、行政法规的规定，被中国证监会依法撤销证券资产管理业务许可、责令停业整顿，或者因停业、解散、撤销、破产等原因不能履行职责的，证券公司应当按照有关监管要求妥善处理有关事宜。

定向资产管理合同应当对此作出相应约定。定向资产管理合同终止的，证券公司应当按照合同约定，在扣除相关费用后将客户资产交还客户。

四、定向资产管理业务中客户所持有证券的权利与义务

证券公司开展定向资产管理业务，由客户自行行使其所持证券的权利，履行相应的义务，客户书面委托证券公司行使权利的除外。

客户通过专用证券账户持有上市公司股份，或者通过专用证券账户和其他证券账户合并持有上市公司股份，发生应当履行公告、报告、要约收购等法律、行政法规和中国证监会规定义务的情形时，应当由客户履行相应义务。证券公司管理的定向资产管理业务专用证券账户出现上述情形

的，证券公司、托管机构应当及时书面通知客户并督促其履行相应义务；客户拒不履行或者怠于履行的，证券公司、托管机构应当及时向证券交易所、注册地中国证监会派出机构报告。

证券登记结算机构应当对定向资产管理业务客户持有上市公司股份情况进行监控，保障客户可以查询其专用证券账户和其他证券账户合并持有的上市公司股份数额。客户可以授权证券公司或者资产托管机构查询。

五、定向资产管理业务的内部控制

（一）专门、独立的业务运作

证券公司应当由专门的部门负责资产管理业务，做到与证券自营、证券承销与保荐、证券经纪等业务严格分离、独立决策、独立运作。

（二）合理、有效的控制措施

证券公司应当按中国证监会的有关规定，制定管理规章、操作流程和岗位手册，在研究、投资决策、交易等环节采取有效的控制措施。

（三）独立、客观的投资研究

证券公司定向资产管理业务的研究工作应当符合下列要求：

1. 保持独立、客观。

2. 建立严密的研究工作业务流程，运用科学、有效的研究方法。

3. 建立和完善投资对象备选库制度，建立和维护备选库。

4. 建立研究与投资决策之间的交流制度，保持交流渠道畅通。

（四）科学、严密的投资决策

证券公司定向资产管理业务的投资决策应当符合下列要求：

1. 严格遵守法律、行政法规和中国证监会的规定，符合定向资产管理合同约定的投资目标、投资范围和投资限制等要求。

2. 健全投资决策授权制度，明确投资权限，严格遵守投资限制，防止越权决策。

3. 具有合理的投资依据，重要投资要有详细的研究报告和风险分析支持，并有决策记录。

4. 建立有效的投资风险评估与管理制度。

5. 建立科学的管理业绩评价体系，包括是否符合合同约定和决策程序、投资绩效归属分析等内容。

（五）完善的交易控制体系

证券公司定向资产管理业务应当建立投资交易控制体系，主要内容包括：

1. 建立投资指令审核制度，保证投资指令符合法律、行政法规和中国证监会的规定，符合定向资产管理合同对投资范围、投资策略和投资限制的约定。

2. 执行公平的交易分配制度，公平对待客户。

3. 建立交易监测系统、预警系统和反馈系统，完善相关的安全设施。

4. 建立完善的交易记录制度，每日投资组合列表等应当及时核对并存档保管。

场外交易、网下申购等特殊交易，应当根据内部控制要求制定相应的流程和规则。

（六）合理的规模控制

证券公司应当依照证券公司风险控制指标管理的有关规定，根据自身的管理能力及风险控制水平，合理控制定向资产管理业务规模。

（七）完备的合规检查

证券公司应当建立完备的定向资产管理业务合规检查制度，对业务合法合规性进行事前审查、事中监控、事后检查，发现重大问题的，应当及时向公司注册地中国证监会派出机构报告。

证券公司的稽核部门应当独立地对定向资产管理业务和内部控制制度的执行情况进行定期或者不定期的稽核检查，及时报告稽核过程中发现的违反法律、行政法规、中国证监会的规定或者公司内部控制制度的行为。

（八）科学的风险评估

证券公司应当建立科学、严密的风险评估制度，对定向资产管理业务风险进行识别、评价、分析，定期制作独立的风险评估报告，及时进行信息沟通与反馈。

（九）严格的核算和报告制度

证券公司应当严格执行相关会计准则，建立定向资产管理业务账户、核算、报告和档案管理制度，保证监管机构、公司风险管理部门和稽核部门能够进行有效监控，防止账外经营、挪用客户资产及其他违法违规情况的发生。

（十）建立授权管理与问责制

证券公司应当建立定向资产管理业务授权管理和责任追究机制，明确负责证券资产管理业务的高级管理人员及其他相关人员的责任。

 第四节 集合资产管理业务

一、集合资产管理业务运作的基本规范

证券公司开展集合资产管理业务，应当根据《试行办法》、《证券公司集合资产管理业务实施细则（试行）》（简称《实施细则》）的规定，遵循如下业务规范：

（一）内部控制制度

1. 对集合资产管理业务实行集中统一管理，建立严格的业务隔离制度。证券公司应当实现集合资产管理业务与证券自营业务、证券承销业务、证券经纪业务及其他证券业务之间的有效隔离，防范内幕交易，避免利益冲突。同一高级管理人员不得同时分管资产管理业务和自营业务，同一人不得兼任上述两类业务的部门负责人，同一投资主办人不得同时办理资产管理业务和自营业务。

2. 建立集合资产管理计划投资主办人员制度，即应当指定专门人员具体负责每一个集合资产管理计划的投资管理事宜。投资主办人员须具有3年以上证券自营、资产管理或证券投资基金从业经历，且应当具备良好的职业道德，无不良行为记录。集合资产管理计划存续期间，其投资主办人员不得管理其他定向资产管理计划。

3. 严格执行相关会计制度的要求，为集合资产管理计划建立独立完整的账户、核算、报告、审计和档案管理制度。集合资产管理计划的会计核算由财务部门专人负责，集合资产管理计划的清算由结算部门负责。保证风险控制部门、监督检查部门能够对集合资产管理业务的运作和管理进行有效监控，切实防止账外经营、挪用集合资产管理计划资产及其他违法违规情况的发生。

（二）推广安排

1. 证券公司可以自行推广集合资产管理计划，也可以委托证券公司的客户资金存管的指定商业银行代理推广集合资产管理计划，并签订书面代理推广协议。证券公司对代理推广机构的推广活动负有监督检查义务，发现代理推广机构违反《试行办法》规定的，应当予以制止；情节严重的，应当按约定解除代理推广协议，并报告中国证监会和注册地中国证监会派出机构。

2. 证券公司、推广机构应当严格按照经核准的集合资产管理计划说明书、集合资产管理合同推广集合资产管理计划。

3. 严禁通过报刊、电视、广播及其他公共媒体推广集合资产管理计划。

4. 证券公司、推广机构应当保证每一份集合资产管理合同的金额不得低于《试行办法》规定的最低金额，并防止客户非法汇集他人资金参与集合资产管理计划。

5. 集合资产管理计划推广期间，应当由托管银行负责托管与集合资产管理计划推广有关的全部账户和资金。证券公司和代理推广机构应当将推广期间客户的资金存入在托管银行开立的专门账户。在集合资产管理计划设立完成、开始投资运作之前，任何人不得动用集合资产管理计划的资金。

6. 集合资产管理计划推广活动结束后，证券公司应当聘请具有证券相关业务资格的会计师事务所对集合资产管理计划进行验资，并出具验资报告。

7. 证券公司、托管银行及推广机构应当明确对客户的后续服务分工，并建立健全档案管理制度，妥善保管集合资产管理计划的合同、协议、客户明细、交易记录等文件资料。

（三）投资风险承担和证券公司资金参与

证券公司应当在集合资产管理计划说明书、集合资产管理合同等有关材料中向投资者进行明确的风险提示，说明集合资产管理计划的投资风险由投资者承担。

证券公司以自有资金参与所设立的集合资产管理计划的，应当根据公司章程的规定，获得公司董事会、股东会或其他内部授权程序的批准，并在计算公司净资本时，根据投入资金所承担的责任如实扣减公司净资本额。扣减后的净资本等各项风险控制指标，应当符合中国证监会的规定。

（四）登记、托管与结算

证券公司应当将集合计划资产交由依法可以从事客户交易结算资金存管业务的商业银行或者中国证监会认可的其他资产托管机构进行托管。

证券公司应当按照证券投资基金的结算模式办理集合资产管理计划的结算业务。证券公司、托管机构应当按照证券登记结算机构的有关规定承担集合资产管理计划交易结算的最终交收责任。

托管机构应当按照《试行办法》的规定，为每一个集合资产管理计划代理开立专门的资金账户，账户名称为"集合资产管理计划名称"；同时，为每一个集合资产管理计划在证券登记结算机构（上海、深圳分公司）代理开立专门的证券账户，证券账户名称为"证券公司—托管机构—集合资产管理计划名称"。

证券公司应当负责集合资产管理计划资产净值估值等会计核算业务，并由托管机构进行复核。

（五）席位

集合资产管理计划在证券交易所的投资交易活动，应当通过专用交易单元进行，并向证券交易所、证券登记结算机构及公司住所地中国证监会派出机构备案。集合资产管理计划资产中的债券，不得用于回购。

1. 上海证券交易所有关规定如下：集合资产管理计划的投资交易活动应当集中在专用账户和专用交易单元上进行。单个会员管理的多个集合资产管理计划由同一托管机构托管的，可以共用一个专用交易单元。

各会员应设立或指定专门的部门负责集合资产管理业务，集合资产管理计划使用的专用交易单元应归属其名下，并在集合资产管理计划运作前5个工作日通过上海证券交易所网站会员会籍办理系统（简称"会籍办理系统"），完成部门信息的填报和专用交易单元变更的手续。

在集合资产管理计划投资运作前5个工作日，应通过会籍办理系统报备下列材料：中国证监会出具的集合资产管理计划同意批复或无异议函、集合资产管理计划说明书、集合资产管理合同、负责资产管理计划主办人员情况、集合资产管理计划使用的专用交易单元和专用证券账户、集合资产管理计划托管机构名称。

2. 深圳证券交易所有关规定如下：会员集合资产管理计划的证券交易活动应当通过自有专用交易单元进行。一个集合资产管理计划应当使用一个专用交易单元；单个会员管理的由同一托管机构托管的所有集合资产管理计划应当使用同一个专用交易单元。

会员应当在深圳证券交易所网站（www. szse. cn）"会员之家"网页的"业务在线———资产管理"栏目下报备以下信息：集合资产管理计划名称、设立日期、存续期、类别（限定性或非限定性）、组合投资比例、中国证监会批准文号、专用证券账户代码和名称、专用交易单元编号、托管机构名称和联系人、资产管理业务分管负责人及集合资产管理计划投资主办人员信息，经办人信息。

深圳证券交易所对上述信息进行审核，确认无误后，为会员开通首次指定的专用交易单元，并通知会员。

（六）投资组合

集合资产管理计划的投资范围和投资组合安排应当遵守《试行办法》和《实施细则》的规定，并符合集合资产管理计划说明书、集合资产管理合同的约定。证券公司应当在集合资产管理计划开始投资运作之日起6

个月内，使集合资产管理计划的投资组合比例符合集合资产管理合同的约定。因证券市场波动、投资对象合并、集合资产管理计划规模变动等外部因素致使集合资产管理计划的组合投资比例不符合集合资产管理合同约定的，证券公司应当在 10 个工作日内进行调整。

集合资产管理计划申购新股，不设申购上限，但所申报的金额不得超过该计划的总资产，所申报的数量不得超过拟发行股票公司本次发行股票的总量。集合资产管理计划投资于证券公司担任保荐机构（主承销商）的股票，应当遵守《试行办法》中关于关联交易的限制规定。

托管银行、证券交易所应当对集合资产管理计划的投资范围和投资组合进行监控，发现有重大违规行为的，须及时报告中国证监会。

（七）流动性要求

1. 证券公司应当根据集合资产管理计划的情况，保持适当比例的现金、到期日在 1 年以内的政府债券或者其他高流动性短期金融工具，以备支付客户的分红或退出款项。

2. 集合资产管理合同应当按照公平、合理、公开的原则，对巨额退出和连续巨额退出的认定标准、退出顺序、退出价格确定、退出款项支付、告知客户方式以及单个客户大额退出的预约申请等事宜作出明确约定。

3. 证券公司及其代理推广机构不得为客户办理集合资产管理份额的转让事宜，但法律、行政法规另有规定的除外。

（八）信息披露与报告

集合资产管理计划开始投资运作后，证券公司、托管机构应当至少每 3 个月向客户提供一次集合资产管理计划的管理报告和托管报告，并报中国证监会及注册地中国证监会派出机构备案。

证券公司应当在每个年度结束之日起 60 个工作日以内，按照《试行办法》的规定对集合资产管理计划的运营情况单独进行年度审计，将审计意见提供给客户和托管机构，并报中国证监会及注册地中国证监会派出机构备案。

1. 上海证券交易所的有关规定如下：集合资产管理计划开始投资运

作后，应通过会籍办理系统，在每月前 5 个工作日内，向上海证券交易所提供上月资产净值（包括上月每个工作日的资产净值）；在会计年度结束后 4 个月内，向上海证券交易所报送集合资产管理计划单项审计意见。

集合资产管理规模在开始运作之日起 6 个月内首次达到合同约定比例的，应于次日以书面形式向上海证券交易所报告达到的日期及投资组合情况；因证券市场波动等外部因素致使组合投资比例不符合集合资产管理合同约定的，应在 10 个工作日内进行调整，并于调整次日以书面形式向上海证券交易所报告调整情况；发生投资者巨额退出或出现其他可能对集合资产管理计划的持续运作产生重大影响的情形，应在有关事实发生之日起 2 个工作日内以书面形式向上海证券交易所报告有关情况。

集合资产管理计划存续期届满展期、解散或终止的，应在中国证监会批复同意后 5 个工作日内通过会籍办理系统向上海证券交易所报备。

2. 深圳证券交易所的有关规定如下：会员应当在集合资产管理计划成立后 5 个工作日内向深圳证券交易所提交以下书面材料：中国证监会出具的集合资产管理计划批准文件或无异议函，集合资产管理计划说明书，集合资产管理合同范本，集合资产管理计划托管协议，集合资产管理计划推广、设立情况，集合资产管理计划验资报告（复印件加盖会员公章）。

会员应当在集合资产管理计划运作期间向深圳证券交易所履行以下持续报告义务：

（1）每个交易日上午 9：00 之前在深圳证券交易所网站"会员之家"网页的"业务在线———资产管理"栏目下报备经托管机构复核的前一交易日的集合资产管理计划资产净值。

（2）专用证券账户发生变更的，应于变更当日在深圳证券交易所网站"会员之家"网页的"业务在线———资产管理"栏目下更新相关资料。

（3）托管机构、资产管理业务分管负责人、集合资产管理计划投资主办人员变更的，应于变更当日在深圳证券交易所网站"会员之家"网页的"业务在线———资产管理"栏目下更新相关资料。

（4）自集合资产管理计划开始投资运作之日起 6 个月内投资组合比例达到集合资产管理合同约定的，应于次日以书面形式向深圳证券交易所报告达到的日期及投资组合情况。因证券市场波动等外部因素致使组合投资比例不符合集合资产管理合同约定的，应在 10 个工作日内进行调整，并于调整次日以书面形式将调整情况报告深圳证券交易所。

（5）集合资产管理计划投资于会员自身、托管机构及与该会员、托管机构有关联方关系的公司发行的证券，应于有关事实发生之日起 2 个工作日内以书面形式将有关情况报告深圳证券交易所。

（6）发生投资者巨额退出或出现其他可能对集合资产管理计划的持续运作产生重大影响的情形，应于有关事实发生之日起 2 个工作日内以书面形式将有关情况报告深圳证券交易所。

（7）每季度结束后的 15 个工作日内以书面形式向深圳证券交易所报送集合资产管理计划的管理报告和托管报告、集合资产管理计划的交易监控报告（如有）。

（8）每个会计年度结束后 4 个月内以书面形式向深圳证券交易所报送集合资产管理计划的单项审计意见。

（9）集合资产管理计划展期、解散或终止的，应于展期申请获中国证监会批准后或解散、终止后的 5 个工作日内以书面形式向深圳证券交易所报告，并在深圳证券交易所网站"会员之家"网页的"业务在线———资产管理"栏目下更新相关资料。

（九）费用

集合资产管理计划推广期间的费用，不得从集合资产管理计划资产中列支。

集合资产管理计划运作期间发生的费用，可以在集合资产管理计划中列支，但应当在集合资产管理合同中作出明确的约定。

二、设立集合资产管理计划的备案与批准程序

证券公司申请设立集合资产管理计划，应当报经中国证监会批准。

（一）申报

证券公司申请设立集合资产管理计划，应当按规定的内容与格式制作申请材料（简称"申报材料"），并聘请律师事务所对拟设立集合资产管理计划的合规性和申报材料的真实性、准确性、完整性出具法律意见。上述申报材料一式三份（至少一份为原件），其中报送中国证监会两份，报送证券公司注册地中国证监会派出机构一份。申报材料的主要内容包括：

1. 申请书。

2. 计划说明书。

3. 集合资产管理合同文本。

4. 资产托管协议及与资产托管机构的联机联网测试报告。

5. 推广方案及推广代理协议。

6. 证券公司、代理推广机构与证券登记结算机构的联机联网测试报告及服务协议。

7. 证券公司负责集合资产管理业务的高级管理人员、资产管理部门负责人及投资主办人签署的承诺书。

8. 法律意见书。

9. 中国证监会要求提交的其他材料。

证券公司已依法设立集合资产管理计划且仍存续的，在申请设立新的集合资产管理计划时，应当就拟设立集合资产管理计划与公司目前所管理的集合资产管理计划进行比较分析，并对其差异进行说明。

（二）受理

中国证监会自收到申报材料后对申报材料的齐备性进行审查，并书面通知证券公司是否受理其申请。

证券公司注册地中国证监会派出机构应当按照有关规定对申报材料进行审查，并自中国证监会决定受理其申报材料后 10 个工作日内，将对申报材料的书面意见报送到中国证监会。

证券公司已申报的集合资产管理计划尚在审核期间或者已核准的集合资产管理计划未开始运作之前，中国证监会暂不受理其设立新的集合资产管理计划的申请。

（三）审核

中国证监会受理申报材料后，结合有关证券公司资产管理业务的合规情况，对拟设立的集合资产管理计划进行审核。

中国证监会对证券公司设立集合资产管理计划的申报材料，经审核符合条件的，作出批准的决定；经审核不符合条件的，作出不予批准的决定并说明理由。

托管机构根据中国证监会出具的批准决定到证券登记结算机构（中国结算公司上海、深圳分公司）开立集合资产管理计划的证券账户。

三、集合资产管理计划说明书

证券公司申报设立集合资产管理计划应按规定编制集合资产管理计划说明书。集合资产管理计划说明书应当清晰地说明集合资产管理计划的特点、投资目标、投资范围、投资组合设计、委托人参与和退出集合资产管理计划的安排、风险揭示、资产管理事务的报告和有关信息查询等内容，最大限度地披露影响委托人作出委托决定的全部事项，以充分保护委托人利益，方便委托人作出委托决定。其主要内容包括：（1）集合计划的名称和类型、投资目标和特点、投资范围和投资组合设计、集合计划的目标规模、存续期间、推广时间、推广机构和推广方式等；（2）集合计划管理人、托管机构、推广机构简介；（3）委托人参与集合计划的时间、方式、价格、程序及最终确认等;(4）集合计划成立的条件和时间；（5）投资理念与投资策略；（6）投资决策依据、投资程序与风险控制；（7）投资限制，主要列明《试行办法》、《实施细则》、集合资产管理合同及其他有关规定禁止的事项；（8）集合计划的账户管理、资产的构成、资产的处分等；（9）集合计划的资产估值方法、程序等；（10）集合计划应承担的各项费用的计提标准、计提方法、支付方式等；（11）集合计划收益的构成、收益分配的原则和方式等；（12）集合计划存续期间，委托人退出集合计划的方式、价格、程序等事项；（13）集合计划应当终止的情形、清算及资产分派方式；（14）信息披露，主要明确管理人、托管人向委托人提供资产管理和资产托管报告的时间、方式和内容，委托人查询的时间、方式和途径；（15）风险揭示，充分揭示集合计划的市场风险、管理风险、流动性风险及其他风险等。

四、集合资产管理合同

集合资产管理合同应当对集合资产管理计划开始运作的条件和日期、资产托管机构的职责、托管方式与托管费用、客户资产净值的估算、投资收益的确认与分派等事项作出约定；应当对客户参与和退出集合资产管理计划的时间、方式、价格、程序等事项作出明确约定。集合资产管理合同由证券公司、资产托管机构与单个客户三方签署。

集合资产管理合同应包括下列主要内容：

（一）前言

前言中须说明订立合同的目的、依据以及合同是规定当事人之间基本权利义务的法律文件。当事人按照《试行办法》、《实施细则》、集合计划说明书、本合同及其他有关规定享有权利、承担义务。

委托人保证委托资产的来源及用途合法，并已阅知合同和集合计划说明书全文，了解相关权利、义务和风险，自行承担投资风险。管理人承诺以诚实信用、谨慎勤勉的原则管理和运用本集合计划资产，但不保证本集合计划一定盈利，也不保证最低收益。

托管人承诺以诚实信用、谨慎勤勉的原则履行托管职责，保护集合计划资产的安全，但不保证本集合计划资产投资不受损失，不保证最低收益。

中国证监会对本集合计划出具了批准文件，但中国证监会对本集合计划作出的任何决定，均不表明中国证监会对本集合计划的价值和收益作出实质性判断或保证，也不表明参与集合计划没有风险。

（二）集合资产管理合同当事人

该项内容包括委托人、管理人、托管人的名称（自然人委托人的姓名、身份证号码）、住所、法定代表人、有效联系方式等。

（三）集合计划的基本情况

基本情况包括集合计划的名称与类型、投资范围、投资比例和存续期间等。

（四）委托人情况

委托人参与集合计划的时间、方式、价格、程序及最终确认等。

（五）管理人以自有资金参与集合计划时的特别约定

这主要是指参与金额（比例）、收益分配和责任分担方式及集合计划存续期内不得退出的承诺。

（六）集合计划账户管理

主要明确管理人和托管人对集合计划资产单独设置账户，对集合计划资产独立核算、分账管理。保证集合计划资产与其自有资产、集合计划资产与其他客户资产、不同集合计划的资产相互独立。

（七）集合计划资产托管

明确集合计划资产交由托管人负责托管，管理人与托管人必须按照中国证监会要求、合同及其他有关规定签订托管协议。

（八）集合计划费用

主要是明确集合计划运作期间投资所发生的交易手续费、印花税等有关税费、管理人管理费、托管人托管费等的计提和支付方式。

（九）投资收益与分配

明确收益的构成、收益分配原则、分配方案、分配方式等内容。

（十）集合计划信息披露

主要明确管理人、托管人向委托人提供资产管理和资产托管报告时间、方式和内容，委托人查询集合计划资产配置状况等信息的时间和方式，关联交易等重大事项披露的约定。

（十一）当事人的权利与义务

应明确委托人、管理人、托管人的权利与义务。

（十二）委托人退出情况

应明确集合计划存续期间委托人退出（全部或部分）的时间、方式、价格及程序等。

（十三）集合计划的终止

应明确集合计划终止的具体情形、集合计划清算和委托人资产返还的约定。

（十四）不可抗力与免责

（十五）违约责任与争议处理

（十六）合同的成立与生效的条件

在合同签章及日期前还应明确载明如下内容："管理人、托管人确认，已向委托人明确说明集合计划的投资风险，并不保证集合计划投资收益或承担投资损失；委托人确认，已充分理解本合同的内容，并自行承担投资风险。"

五、集合资产管理业务中证券公司及客户的权利与义务

证券公司办理集合资产管理业务，由证券公司代表客户行使集合资产管理计划所拥有证券的权利，履行相应的义务。证券公司与客户之间的权利与义务应在集合资产管理计划及合同中约定。

（一）客户的权利

根据《试行办法》的规定，在集合资产管理计划中，客户主要享有如下权利：

1. 除合同另有规定外，按投入资金占集合资产计划资产净值的比例分享投资收益。

2. 根据集合资产管理合同的约定，参与和退出集合资产管理计划。

3. 知情的权利。

证券公司、托管机构应当至少每3个月向客户提供一次准确、完整的资产管理报告、资产托管报告，对报告期内客户资产的配置状况、价值变动情况等作出详细说明；证券公司发生集合资产管理合同约定的、可能影响客户利益的重大事项时，应当及时告知客户。同时，证券公司、托管机构应当保证客户能够按照集合资产管理合同约定的时间和方式，至少每周披露一次集合计划份额净值。

（二）客户的义务

在集合资产管理计划中，客户主要承担如下义务：

1. 按合同约定承担投资风险。
2. 保证委托资产来源及用途的合法性。
3. 不得非法汇集他人资金参与集合资产管理计划。
4. 不得转让有关集合资产管理合同或所持集合资产管理计划的份额。
5. 按照合同的约定支付管理费、托管费及其他费用。

在上述规定的前提下，客户具体的权利义务需要在集合资产管理合同中进一步加以明确。

 ## 第五节 资产管理业务的禁止行为与风险控制

一、证券公司开展资产管理业务所禁止的行为

证券公司在开展资产管理业务中禁止下列行为：挪用客户资产；利用客户委托资产进行内幕交易、操纵证券价格；未经客户允许，将定向资产管理客户委托资产用于融资或者担保，将集合资产管理计划资产用于资金拆借、贷款、抵押融资或者对外担保等用途；将集合资产管理计划资产用于可能承担无限责任的投资；对客户投资收益或者赔偿投资损失作出承诺；以转移资产管理账户收益或者亏损为目的，在自营账户与资产管理账户之间，或者不同资产管理账户之间进行买卖，损害客户利益；自营业务抢先于定向资产管理业务进行交易，损害客户利益；利用虚假或者误导信息、商业贿赂或者不正当竞争行为等误导、诱导客户；通过报刊、电视、广播、互联网和其他公共媒体公开推介具体的定向资产管理业务方案和集合资产管理计划；以获取佣金或者其他利益为目的，用客户委托资产进行

不必要的交易；将证券资产管理业务与证券公司其他业务混合操作；接受单一客户委托资产净值低于规定的最低限额；接受来源不当的资产从事洗钱活动；以自有资金参与本公司开展的定向资产管理业务；同一高级管理人员同时分管证券资产管理和证券自营业务；以签订补充协议等方式，掩盖非法目的或者规避监管要求；法律、行政法规和中国证监会禁止的其他行为。

二、资产管理业务的风险及其控制

（一）资产管理业务的风险

资产管理业务存在较大风险。其风险种类和表现形式与自营业务的风险基本相似，主要有以下几种：

1. 合规风险。合规风险主要是指证券公司在资产管理业务中违反法律、行政法规和监管部门规章及规范性文件、行业规范和自律规则等行为，可能使证券公司受到法律制裁、被采取监管措施、遭受财产损失或声誉损失的风险。

2. 市场风险。市场风险主要是指因不可预见和控制的因素导致市场波动，造成证券公司管理的客户资产亏损。这是证券公司资产管理业务运作中面临的主要风险。该风险按《试行办法》规定应在资产管理合同中约定由客户承担。证券公司不得向客户作出保证资产本金不受损失或取得最低收益的承诺。

3. 经营风险。经营风险主要是指证券公司在资产管理业务中投资决策或操作失误而使管理的客户资产受到损失。

4. 管理风险。管理风险主要是指证券公司在资产管理业务中由于管理不善、违规操作而导致管理的客户资产损失、违约或与客户发生纠纷等，可能承担赔偿责任而使证券公司受到损失。如与客户签订资产管理合同不规范、约定不明，操作人员违反合同约定买卖证券或划转资金，操作人员在经营中进行不必要的证券买卖损害委托人的利益等。

（二）资产管理业务风险的控制

为了控制风险，《试行办法》和《实施细则》要求：

1. 证券公司开展资产管理业务，应当在资产管理合同中明确规定，由客户自行承担投资风险。

2. 证券公司应当按照经核准的集合资产管理合同和推广代理协议的约定推广集合计划,指定专人向客户如实披露证券公司的业务资格,全面准确地介绍集合计划的产品特点、投资方向、风险收益特征,讲解有关业务规则、计划说明书和集合资产管理合同内容以及客户投资集合计划的操作方法,并应当充分揭示市场风险、证券公司因丧失资产管理业务资格给客户带来的法律风险以及其他投资风险。

证券公司向客户介绍投资收益预期,必须恪守诚信原则,提供充分合理的依据,并以书面方式特别声明:"所述预期仅供客户参考,不构成证券公司保证客户资产本金不受损失或者取得最低投资收益的承诺。"

3. 在签订资产管理合同之前,证券公司应当了解客户身份、财产与收入状况、风险承受能力以及投资偏好等基本情况;客户应当如实提供相关信息。

证券公司设立集合资产管理计划,应当对客户的条件和集合资产管理计划的推广范围进行明确界定;参与集合资产管理计划的客户应当具备相应的金融投资经验和风险承受能力。

4. 客户应当对客户资产来源及用途的合法性作出承诺。客户未作承诺或者证券公司明知客户资产来源或者用途不合法的,不得签订资产管理合同。任何人不得非法汇集他人资金参与集合资产管理计划。

5. 证券公司及代理推广机构应当采取有效措施使客户详尽了解集合资产管理计划的特性、风险等情况及客户的权利、义务,但不得通过广播、电视、报刊及其他公共媒体推广集合资产管理计划。

6. 证券公司、托管机构应当至少每 3 个月向客户提供一次准确、完整的资产管理报告、资产托管报告,对报告期内客户资产的配置状况、价值变动等情况进行详细说明。证券公司、托管机构应当按照资产管理合同约定的时间和方式至少每周披露一次集合计划份额净值。发生资产管理合同约定的、可能影响客户利益的重大事项时,证券公司应当及时告知客户。

7. 证券公司办理定向资产管理业务,应当保证客户资产与其自有资产、不同客户的资产相互独立,对不同客户的资产分别设置账户,独立核算、分账管理。

8. 证券公司办理集合资产管理业务，应当保证集合资产管理计划资产与其自有资产、集合资产管理计划资产与其他客户的资产、不同集合资产管理计划的资产相互独立，单独设置账户，独立核算、分账管理。

 # 第六节 资产管理业务的监管和法律责任

一、监管职责

中国证监会依据法律、行政法规、《试行办法》和《实施细则》等有关规定，对证券公司资产管理业务活动进行监督管理。中国证券业协会、证券交易所、期货交易所和证券登记结算机构依照法律、行政法规、《试行办法》及相关业务规则的规定，对证券公司资产管理业务活动实行自律管理和行业指导。

二、监管措施

第一，证券公司应当就资产管理业务的运营制定内部检查制度，定期进行自查。证券公司应当按季编制资产管理业务的报告，报注册地中国证监会派出机构备案。

第二，证券公司开展定向资产管理业务，应当于每季度结束之日起5日内，将签订定向资产管理合同报注册地中国证监会派出机构备案。证券公司推广集合资产管理计划，应当将集合资产管理合同、集合资产管理计划说明书等正式推广文件，置备于证券公司及代理推广机构推广集合资产管理计划的营业场所，并报住所地和推广场所所在地中国证监会派出机构备案。

证券公司应当在集合资产管理计划设立工作完成后5个工作日内，将集合资产管理计划的设立情况报中国证监会及注册地中国证监会派出机构备案。

第三，证券公司应当在每个年度结束之日起60日内，完成资产管理业务合规检查年度报告、内部稽核年度报告和定向资产管理业务年度报告，并报注册地中国证监会派出机构备案。

第四，证券公司应当聘请具有证券相关业务资格的会计师事务所，对每个集合计划的运营情况进行年度审计。集合计划审计报告应当在每个年度结束之日起 60 个交易日内，按照合同约定的方式向客户和资产托管机构提供，并报送住所地中国证监会派出机构备案。

第五，证券公司和资产托管机构应当按照有关法律、行政法规的规定保存资产管理业务的会计账册，并妥善保存有关合同、协议、交易记录等文件、资料。

自资产管理合同终止之日起，保存期不得少于 20 年。

第六，中国证监会及其派出机构依法履行职责，证券公司、资产托管机构应当予以配合。

第七，证券公司集合资产管理业务制度不健全，净资本或者其他风险控制指标不符合规定，或者违规开展资产管理业务的，中国证监会及其派出机构依法责令其限期改正，并可以采取下列监管措施：（1）责令增加内部合规检查次数并提交合规检查报告；（2）对公司高级管理人员、直接负责的主管人员和其他直接责任人员进行监管谈话，记入监管档案；（3）责令处分或者更换有关责任人员，并要求报告处分结果；（4）法律、行政法规和中国证监会规定的其他监管措施。

第八，证券交易所、期货交易所应当对证券公司资产管理业务账户的交易行为进行严格监控，发现异常情况的，应当及时按照交易规则和会员管理规则处理，并报告中国证监会。

三、法律责任

（一）《试行办法》和《实施细则》的相关规定

1. 证券公司、资产托管机构、证券登记结算机构、代理推广机构及其相关人员从事集合资产管理业务，违反《试行办法》和《实施细则》规定的，中国证监会及其派出机构根据法律、行政法规和中国证监会的有关规定作出行政处罚；涉嫌犯罪的，依法移送司法机关，追究其刑事责任。

2. 证券公司违反《试行办法》和《实施细则》规定，擅自开办资产管理业务的，责令改正，并处以警告、罚款。

对直接负责的主管人员和其他直接责任人员，处以警告、罚款，并依法取消其高级管理人员任职资格或者证券业从业资格。

3. 证券公司从事资产管理业务，违反《试行办法》和《实施细则》的有关规定，有下列情形之一的，应当主动改正；未能改正的，责令改正；拒不改正的，暂停其资产管理业务，单处或者并处警告、罚款；情节严重的，依法取消其资产管理业务资格：

（1）未按照《试行办法》和《实施细则》的规定办理客户资产的托管。

（2）未按照《试行办法》和《实施细则》的规定，将有关材料置备于营业场所或者向中国证监会及注册地中国证监会派出机构备案。

（3）未经批准委托其他机构或个人代为推广集合资产管理计划。

（4）未完成集合资产管理计划设立即动用客户参与资金。

（5）不通过固定交易单元进行交易或者将集合资产管理计划资产的证券用于回购。

（6）超出投资范围和比例进行投资。

（7）未按照规定程序或者超比例从事关联交易。

（8）未按照规定履行通知、报告义务。

（9）从事《试行办法》和《实施细则》规定的禁止行为。

（10）违反《试行办法》和《实施细则》规定与客户签订资产管理合同。

（11）违反《试行办法》和《实施细则》规定推广集合资产管理计划。

（12）未按照《试行办法》和《实施细则》规定保存有关材料。

（13）未按照《试行办法》和《实施细则》规定配合中国证监会及其派出机构监督检查。

（14）其他违反《试行办法》和《实施细则》规定的行为。

对直接负责的主管人员和其他直接责任人员，单处或者并处警告、罚款；情节严重的，依法取消其高级管理人员任职资格或者证券业从业资格。

4. 资产托管机构从事资产管理业务，有下列情形之一的，责令改正，单处或者并处警告、罚款：

（1）未按照《试行办法》和《实施细则》规定管理集合资产管理计划资产或者履行托管职责。

（2）未按照《试行办法》和《实施细则》规定保存有关材料。

（3）未按照《试行办法》和《实施细则》规定配合中国证监会及其派出机构监督检查。

对直接负责的主管人员和其他直接责任人员，单处或者并处警告、罚款；情节严重的，依法取消其证券业从业资格。

5. 其他推广机构违反《试行办法》和《实施细则》规定推广集合资产管理计划的，责令改正，并处以警告、罚款。

对直接负责的主管人员和其他直接责任人员，单处或者并处警告、罚款；情节严重的，依法取消其证券业从业资格。

6. 证券公司因违法违规经营或者有关财务指标不符合中国证监会的规定，被中国证监会暂停资产管理业务的，暂停期间不得签订新的资产管理合同；被中国证监会依法取消资产管理业务资格的，证券公司应当按照有关监管要求妥善处理有关事宜。集合资产管理合同应当对此作出明确约定。

（二）《证券公司监督管理条例》的有关规定

1. 证券公司从事证券资产管理业务时，使用客户资产进行不必要的证券交易的，依照《证券法》第二百一十条的规定处罚，即责令改正，处以1万元以上10万元以下的罚款。给客户造成损失的，依法承担赔偿责任。

2. 证券公司未经批准，用多个客户的资产进行集合投资，或者将客户资产专项投资于特定目标产品的，依照《证券法》第二百一十九条的规定处罚，即责令改正，没收违法所得，并处以违法所得1倍以上5倍以下的罚款；没有违法所得或者违法所得不足30万元的，处以30万元以上60万元以下罚款；情节严重的，责令关闭。对直接负责的主管人员和其他直接责任人员给予警告，撤销任职资格或者证券业从业资格，并处以3万元以上10万元以下的罚款。

3. 证券公司在证券自营账户与证券资产管理账户之间或者不同的证券资产管理账户之间进行交易，且无充分证据证明已依法实现有效隔离的，依照《证券法》第二百二十条的规定处罚，即责令改正，没收违法所得，并处以 30 万元以上 60 万元以下的罚款；情节严重的，撤销相关业务许可。对直接负责的主管人员和其他直接责任人员给予警告，并处以 3 万元以上 10 万元以下的罚款；情节严重的，撤销任职资格或者证券业从业资格。

4. 证券公司从事证券资产管理业务，接受一个客户的单笔委托资产价值不得低于规定的最低限额；投资范围或者投资比例违反规定的，责令改正，给予警告，没收违法所得，并处以违法所得 1 倍以上 5 倍以下的罚款；没有违法所得或者违法所得不足 10 万元的，处以 10 万元以上 30 万元以下的罚款；情节严重的，暂停或者撤销其相关证券业务许可。对直接负责的主管人员和其他直接责任人员，给予警告，并处以 3 万元以上 10 万元以下的罚款；情节严重的，撤销任职资格或者证券业从业资格。

5. 证券公司从事证券资产管理业务，有下列情形之一的，责令改正，给予警告，没收违法所得，并处以违法所得 1 倍以上 5 倍以下的罚款；没有违法所得或者违法所得不足 3 万元的，处以 3 万元以上 30 万元以下的罚款。对直接负责的主管人员和其他直接责任人员单处或者并处警告、3 万元以上 10 万元以下的罚款；情节严重的，撤销任职资格或者证券业从业资格：

（1）未按照规定将证券资产管理客户的证券账户报证券交易所备案。

（2）未按照规定程序了解客户的身份、财产与收入状况、证券投资经验和风险偏好。

（3）推荐的产品或者服务与所了解的客户情况不相适应。

（4）未按照规定指定专人向客户讲解有关业务规则和合同内容，并以书面方式向其揭示投资风险。

（5）未按照规定与客户签订业务合同，或者未在与客户签订的业务合同中载入规定的必备条款。

（6）未按照规定编制并向客户送交对账单，或者未按照规定建立并有效执行信息查询制度。

6. 违反《证券公司监督管理条例》的规定，有下列情形之一的，责令改正，给予警告，没收违法所得，并处以违法所得 1 倍以上 5 倍以下的罚款；没有违法所得或者违法所得不足 10 万元的，处以 10 万元以上 60

万元以下的罚款；情节严重的，撤销相关业务许可。对直接负责的主管人员和其他直接责任人员给予警告，撤销任职资格或者证券从业资格，并处以3万元以上30万元以下的罚款：

（1）证券公司以证券资产管理客户的资产向他人提供融资或者担保。

（2）任何单位或者个人强令、指使、协助、接受证券公司以其证券资产管理客户的资产提供融资或者担保。

（3）证券公司、资产托管机构、证券登记结算机构违反规定动用客户的委托资产。

（4）资产托管机构、证券登记结算机构对违反规定动用委托资产的申请、指令予以同意、执行。

（5）资产托管机构、证券登记结算机构发现委托资产被违法动用而未向国务院证券监督管理机构报告。

第八章

融资融券业务

 ## 第一节　融资融券业务的含义及资格管理

一、融资融券业务的含义

国务院《证券公司监督管理条例》规定，融资融券业务是指在证券交易所或者国务院批准的其他证券交易场所进行的证券交易中，证券公司向客户出借资金供其买入证券或者出借证券供其卖出，并由客户交存相应担保物的经营活动。

二、融资融券业务资格

（一）证券公司经营融资融券业务应当具备的条件

1. 证券公司治理结构健全，内部控制有效。

2. 风险控制指标符合规定，财务状况、合规状况良好。

3. 有经营融资融券业务所需的专业人员、技术条件、资金和证券。

4. 有完善的融资融券业务管理制度和实施方案。

5. 国务院证券监督管理机构规定的其他条件。

（二）证券公司开展融资融券业务试点的要求

1. 中国证监会《证券公司融资融券业务试点管理办法》（简称《办法》）规定，证券公司开展融资融券业务试点，必须经中国证监会批准。未经中国证监会批准，任何证券公司不得向客户融资融券，也不得为客户与客户、客户与他人之间的融资融券活动提供任何便利和服务。

2. 中国证监会根据审慎监管的原则，批准符合规定条件的证券公司开展融资融券业务试点。证券公司申请融资融券业务试点，应当具备下列条件：

（1）经营证券经纪业务已满 3 年，且已被中国证券业协会评审为创新试点类证券公司。

（2）公司治理健全，内部控制有效，能有效识别、控制和防范业务经营风险和内部管理风险。

（3）公司及其董事、监事、高级管理人员最近两年内未因违法违规经营受到行政处罚和刑事处罚，且不存在因涉嫌违法违规正被中国证监会立案调查或者正处于整改期间的情形。

（4）财务状况良好，最近两年各项风险控制指标持续符合规定，最近 6 个月净资本均在 12 亿元以上。

（5）客户资产安全、完整，客户交易结算资金第三方存管方案已经中国证监会认可，且已对实施进度作出明确安排。

（6）已完成交易、清算、客户账户和风险监控的集中管理，对历史遗留的不规范账户已设定标识并集中监控。

（7）已制定切实可行的融资融券业务试点实施方案和内部管理制度，具备开展融资融券业务试点所需的专业人员、技术系统、资金和证券。

3. 2010 年 1 月 22 日，中国证监会印发《关于开展证券公司融资融券业务试点工作的指导意见》（证监会公告［2010］3 号），对首批申请试点的证券公司应当满足的条件作了规定：

（1）最近 6 个月净资本均在 50 亿元以上。

（2）最近一次证券公司分类评价为 A 类。

（3）具备开展融资融券业务所需的自有资金和自有证券，自有资金占净资本的比例相对较高。

（4）已开发完成融资融券业务交易结算系统，并通过了证券交易所、证券登记结算公司组织的全网测试。

（5）融资融券业务试点实施方案通过了中国证券业协会组织的专业评价。

（6）客户交易结算资金第三方存管有效实施，账户开立、管理规范，客户资料完整真实，建立了以"了解自己的客户"和"适当性服务"为核心的客户分类管理和服务体系。未出现客户资产被挪用等侵害客户权益的情形，未因公司原因出现群体性事件、恶性个案或导致客户频繁上访、群访，以及频繁发生信息安全事故或发生信息安全重大事故。

（7）中国证监会规定的其他条件。

目前，中国证监会已根据首批证券公司融资融券业务试点情况，逐步放宽了上述（1）（2）条试点条件。兼顾不同类型和不同地区的证券公司，将试点范围扩大到最近 6 个月净资本均在 30 亿元以上，最近一次证券公司分类评价 B 类以上。

4. 证券公司申请融资融券业务试点，应当向中国证监会提交下列材料，同时抄报注册地证监会派出机构：

（1）融资融券业务试点申请书。

（2）股东会（股东大会）关于经营融资融券业务的决议。

（3）融资融券业务试点实施方案。

（4）内部管理制度。

（5）负责融资融券业务的高级管理人员与业务人员的名册及资格证明文件。

（6）公司合规总监出具的专项合规意见。

（7）中国证监会要求提交的其他文件。视审核工作需要提交，其中至少包括由其他机构提交的以下文件：

①证券公司住所地证监局出具的监管意见函。

②中国证券业协会组织的试点实施方案专业评价意见。

③上海证券交易所、深圳证券交易所、中国结算公司组织的技术系统全网测试评估报告。

证券公司的法定代表人和经营管理的主要负责人应当在融资融券业务试点申请书上签字，承诺申请材料的内容真实、准确、完整，并对申请材料中存在的虚假记载、误导性陈述和重大遗漏承担相应的法律责任。

中国证监会派出机构应当自收到上述规定的申请材料之日起 10 个工作日内，向中国证监会出具是否同意申请人开展融资融券业务试点的书面意见。

中国证监会依照法定程序和《办法》规定的条件，对申请材料进行审查，作出批准或者不予批准的决定，并书面通知申请人。

获得批准的证券公司应当按照规定，向公司登记机关申请业务范围的变更登记，向中国证监会申请换发经营证券业务许可证。取得中国证监会换发的经营证券业务许可证后，证券公司方可开展融资融券业务试点。

5. 取得融资融券业务试点资格的证券公司在开展融资融券业务前还应向交易所申请融资融券交易权限。证券公司申请融资融券交易权限应当向交易所提交下列书面文件：

（1）中国证监会颁发的获准开展融资融券业务试点的经营证券业务许可证及其他有关批准文件。

（2）融资融券业务试点实施方案、内部管理制度的相关文件。

（3）负责融资融券业务的高级管理人员与业务人员名单及其联络方式。

（4）交易所要求提交的其他文件。

第二节 融资融券业务的管理

一、融资融券业务管理的基本原则

开展融资融券业务试点的证券公司（简称"证券公司"）从事融资融券业务应遵守以下原则：

（一）合法合规原则

证券公司开展融资融券业务应遵守法律、行政法规和有关管理办法的规定，加强内部控制，严格防范和控制风险，切实维护客户资产的安全。

证券公司开展融资融券业务必须经中国证监会批准。未经中国证监会批准，任何证券公司不得向客户融资融券，也不得为客户与客户、客户与他人之间的融资融券活动提供任何便利和服务。

证券公司向客户融资，应当使用自有资金或者依法筹集的资金；向客户融券，应当使用自有证券或者依法取得处分权的证券。

（二）集中管理原则

证券公司对融资融券业务要实行集中统一管理。证券公司融资融券业务的决策和主要管理职责应集中于证券公司总部。公司应建立完备的融资融券业务管理制度、决策与授权体系、操作流程和风险识别、评估与控制体系。

融资融券业务的决策与授权体系原则上按照"董事会——业务决策机构——业务执行部门——分支机构"的架构设立和运行。

董事会负责制定融资融券业务的基本管理制度，决定与融资融券业务有关的部门设置及各部门职责，确定融资融券业务的总规模。

业务决策机构由有关高级管理人员及部门负责人组成，负责制定融资融券业务操作流程，选择可从事融资融券业务的分支机构，确定对单一客户和单一证券的授信额度、融资融券的期限和利率（费率）、保证金比例和最低维持担保比例、可充抵保证金的证券种类及折算率、客户可融资买入和融券卖出的证券种类。

业务执行部门负责融资融券业务的具体管理和运作，制定融资融券合同的标准文本，确定对具体客户的授信额度，对分支机构的业务操作进行审批、复核和监督。

分支机构在公司总部的集中监控下，按照公司的统一规定和决定，具体负责客户征信、签约、开户、保证金收取和交易执行等业务操作。

证券公司应当加强对分支机构融资融券业务活动的控制，禁止分支机构未经总部批准向客户融资融券，禁止分支机构自行决定签约、开户、授信、保证金收取等应当由总部决定的事项。

（三）独立运行原则

证券公司应当健全业务隔离制度，确保融资融券业务与证券资产管理、证券自营、投资银行等业务在机构、人员、信息、账户等方面相互分离、独立运行。

（四）岗位分离原则

证券公司融资融券业务的前、中、后台应当相互分离、相互制约。各主要环节应当分别由不同的部门和岗位负责，负责风险监控和业务稽核的部门和岗位应当独立于其他部门和岗位，分管融资融券业务的高级管理人员不得兼管风险监控部门和业务稽核部门。

二、融资融券业务的账户体系

（一）证券公司信用账户

证券公司经营融资融券业务，应当以自己的名义，在证券登记结算机构分别开立融券专用证券账户、客户信用交易担保证券账户、信用交易证券交收账户和信用交易资金交收账户；在商业银行分别开立融资专用资金账户和客户信用交易担保资金账户。

1. 融券专用证券账户，用于记录证券公司持有的拟向客户融出的证券和客户归还的证券。该账户不得用于证券买卖。

2. 客户信用交易担保证券账户，用于记录客户委托证券公司持有、担保证券公司因向客户融资融券所生债权的证券。

3. 信用交易证券交收账户，用于客户融资融券交易的证券结算。

4. 信用交易资金交收账户，用于客户融资融券交易的资金结算。

5. 融资专用资金账户，用于存放证券公司拟向客户融出的资金及客户归还的资金。

6. 客户信用交易担保资金账户，用于存放客户交存的、担保证券公司因向客户融资融券所生债权的资金。

在以证券公司名义开立的客户信用交易担保证券账户和客户信用交易担保资金账户内，应当为每一客户单独开立信用账户。

（二）客户信用账户

客户申请开展融资融券业务要在证券公司开立实名信用资金台账和信用证券账户，在指定商业银行开立实名信用资金账户。

1. 客户信用资金台账是客户在证券公司开立的用于记载客户交存的担保资金及融资融券负债明细数据的账户。

2. 客户信用证券账户是证券公司根据证券登记结算公司相关规定为客户开立的、用于记载客户委托证券公司持有的担保证券的明细数据的账户。该账户是证券公司客户信用交易担保证券账户的二级证券账户。

3. 客户信用资金账户是客户在指定商业银行开立的用于记载客户交存的担保资金的明细数据的账户。该账户是证券公司客户信用交易担保资金账户的二级账户。

三、融资融券业务客户的申请、征信与选择

(一) 客户的申请

客户要在证券公司开展融资融券业务，应由客户本人向证券公司营业部提出申请。客户申请时应向证券公司营业部提交证券公司规定的相关材料。一般包括融资融券业务申请表、有效身份证明文件、已在营业部开立的普通资金账户和证券账户、融资融券担保品证明、客户具有支配权的资产证明、住址证明等客户征信所需的相关材料。机构客户还需提交公司章程、法人代表授权书、法人代表证明书、法人代表身份证明及经办人身份证明等文件。

营业部受理客户申请后应按公司规定的审核、审批流程对客户进行征信、评估。

(二) 客户征信调查

证券公司受理客户融资融券业务申请后，应当办理客户征信，了解客户的身份、财产与收入状况、证券投资经验和风险偏好，并以书面和电子方式予以记载、保存。

客户征信调查内容一般应包括：

1. 客户基本资料：姓名、性别、出生年月、婚姻状况、住址、文化程度、职业、联系地址及电话、有无犯罪记录等。机构客户基本资料：单位名称、企业性质、所属行业、注册资本、经营范围、经营期限、控股股东。代理人基本情况：姓名、性别、出生年月、联系地址及电话等。

2. 投资经验：客户入市的时间、近几年证券投资的规模、交易频率、

收益情况等；投资偏好：客户证券投资的风险偏好（平衡、稳健、激进）、投资的主要品种、操作风格等。

3. 诚信记录：近几年证券投资交易清算履约情况、商业银行信用记录、其他信用记录情况等。

4. 还款能力。个人客户：用作担保品的资金或证券资产情况、个人及家庭收入情况、家庭财产情况等。机构客户：近几年的经营状况，反映偿债能力、盈利能力、变现能力的主要财务指标等。

5. 融资融券需求：融资融券授信方式、额度、期限、利率、费率等。

对未按照要求提供有关情况、在该证券公司从事证券交易不足半年、交易结算资金未纳入第三方存管、证券投资经验不足、缺乏风险承担能力或者有重大违约记录的客户，以及证券公司的股东、关联人，证券公司不得向其融资、融券。

（三）客户的选择标准

证券公司应当按《办法》规定的有关条件和征信的要求制定选择客户的具体标准。一般主要包括以下几方面：

1. 从事证券交易时间：要求客户在申请开展融资融券业务的证券公司所属营业部开设普通证券账户并从事交易满半年以上（试点初期一般都要求满18个月以上）。

2. 账户状态：客户开户手续齐全、资料完备，资金账户与证券账户对应关系清晰，交易结算状态正常。

3. 信誉状况：客户信誉良好，无重大违约记录。

4. 资产状况：具有符合要求的担保品和较强的还款能力。

5. 投资风格及业绩：投资风格稳健，无重大失误和损失，有一定的风险承受能力。

6. 关联关系：非证券公司股东或关联人。

四、融资融券业务合同与风险揭示

（一）融资融券业务合同内容

证券公司在向客户融资融券前，应当与其签订载入中国证券业协会规定的必备条款的融资融券业务合同（简称"合同"）。合同应由证券公司统一制定、保管和与客户签订。合同应载明下列事项：

1. 当事人姓名、住所等相关信息，包括但不限于：甲方（指客户，下同）的姓名（或名称）、住所，法定代表人姓名，公司营业执照，个人身份证件号码、联系方式等；乙方（指证券公司，下同）的名称、住所、法定代表人、联系方式等。

2. 订立合同的目的和依据。

3. 对融资融券交易所涉及的信用账户、融资与融券交易、担保物、保证金比例、维持担保比例、强制平仓等专业术语进行解释或定义。

4. 甲乙双方的声明与保证，包括但不限于：

（1）甲方从事融资融券交易、乙方从事融资融券业务的主体资格的合法性。

（2）甲乙双方均自愿遵守有关法律、行政法规、规章及其他规范性文件的规定。

（3）甲乙双方用于融资融券交易的资产（包括资金和证券，下同）来源的合法性并不存在任何权利瑕疵。

（4）甲方如实向乙方提供身份证明材料、资信证明文件及其他相关材料，并对所提交的各类文件、资料、信息的真实性、准确性、完整性和合法性负责。

（5）甲方自行承担融资融券交易的风险和损失，乙方不以任何方式保证甲方获得投资收益或承担甲方投资损失。

（6）甲方未经乙方书面同意，不以任何方式转让合同项下的各项权利与义务。

5. 开立信用账户的有关内容。

6. 约定融资融券特定的财产信托关系，具体如下：

（1）信托目的。

（2）信托财产范围。

（3）信托的成立和生效。

（4）信托财产的管理。

（5）信托财产的处分。

（6）信托的终止。

7. 约定甲方从事融资融券交易的保证金比例及计算公式、保证金可用余额计算公式、可充抵保证金的有价证券范围和折算率、标的证券范围等。

8. 约定甲方从事融资融券交易的信用额度、融资融券期限、融资利率和融券费用及相应的计算公式等事项。

9. 合同应对融资融券交易的主要业务操作环节加以约定，并载入以下内容：

（1）乙方根据甲方的资信状况、担保物价值、履约情况、市场变化、乙方财务安排等因素，综合确定或调整对甲方的授信额度，并向甲方提供融资融券交易所需资金和证券。

（2）甲方应在证券交易所及乙方规定的标的证券范围内进行融资融券交易；甲方发出的超出乙方规定的标的证券范围的交易指令，乙方有权拒绝执行。

（3）甲方应妥善保管信用账户卡、身份证件和交易密码等资料，不得将信用账户、身份证件、交易密码等出借给他人使用。

（4）乙方为甲方建立融资融券交易明细账，如实记载甲方融资融券交易的情况，供甲方查询。

（5）乙方应对甲方的异常交易行为进行监控并向监管部门、证券交易所报告，按照其要求采取限制甲方相关证券账户交易等措施。

10. 约定甲方从事融资融券交易的维持担保比例和计算公式、补仓时间、补仓期限、补仓后应达到的维持担保比例以及乙方要求甲方补仓的通知方式。约定内容应当符合证券交易所的有关规定。

11. 约定乙方强制平仓的各类情形、平仓开始与停止条件、平仓顺序等事项。

12. 约定甲方清偿债务的范围、方式、期限以及债务清偿后信用账户的处理方式等有关事项。

13. 约定在融资融券交易期间，当出现可充抵保证金的有价证券范围和折算率调整、保证金比例与维持担保比例调整、标的证券范围调整，标的证券暂停交易或终止上市，乙方被取消或限制融资融券交易权限，司法机关对甲方信用证券账户记载的权益采取财产保全或强制执行措施，甲方信用证券账户记载的权益被继承、财产细分或无偿转让等特殊情况时，对尚未了结的融资融券交易的处理方式。

14. 约定融资融券交易所涉及的权益处理事项。

15. 载明通知与送达的有关事项，包括但不限于：

（1）甲方详细联络方式。

（2）乙方履行各项通知义务的方式。

（3）乙方向甲方提供对账服务的方式。

16. 明确载入因火灾、地震等不可抗力，导致合同任何一方不能及时或完全履行合同，免除其相应责任的条款。

17. 约定导致合同终止的各种具体情形。

18. 约定适用的法律和争议处理方式。

19. 明确约定合同成立与生效条件、合同期限、合同份数等事项。

20. 明确载明："乙方确认已向甲方说明融资融券交易的风险，不保证甲方获得投资收益或承担甲方投资损失。甲方确认已充分理解本合同内容，自行承担风险和损失。"

合同还应规定，合同应由甲方本人签署；当甲方为机构客户时，应由法定代表人或其授权代表人签署。

客户只能与1家证券公司签订融资融券合同，向1家证券公司融入资金和证券。

（二）风险揭示

为了使客户充分了解融资融券交易风险，证券公司应制定《融资融券交易风险揭示书》，向客户充分揭示融资融券交易存在的风险以及因不能及时补交担保物而被强制平仓带来的损失。证券公司与客户签订融资融券业务合同前，应当指定专人向客户讲解业务规则和合同内容，向客户提交《融资融券交易风险揭示书》，并要求每个客户在《融资融券交易风险揭示书》上签字，确认已知晓并理解《融资融券交易风险揭示书》的全部内容，愿意承担融资融券交易的风险和损失。

《融资融券交易风险揭示书》至少应包括下列内容：

1. 提示客户注意融资融券交易具有普通证券交易所具有的政策风险、市场风险、违约风险、系统风险等各种风险，以及其特有的投资风险放大等风险。

2. 提示客户在开户从事融资融券交易前，必须了解所在的证券公司是否具有开展融资融券业务的资格。

3. 提示客户在从事融资融券交易期间，如果不能按照约定的期限清偿债务，或上市证券价格波动导致担保物价值与其融资融券债务之间的比例低于维持担保比例，且不能按照约定的时间、数量追加担保物时，将面临担保物被证券公司强制平仓的风险。

4. 提示客户在从事融资融券交易期间，如果其信用资质状况降低，证券公司会相应降低对其的授信额度，或者证券公司提高相关警戒指标、平仓指标所产生的风险，可能会给客户造成的经济损失。

5. 提示客户在从事融资融券交易期间，如果中国人民银行规定的同期金融机构贷款基准利率调高，证券公司将相应调高融资利率或融券费率，客户将面临融资融券成本增加的风险。

6. 提示客户在从事融资融券交易期间，如果因自身原因导致其资产被司法机关采取财产保全或强制执行措施，或者出现丧失民事行为能力、破产、解散等情况时，客户将面临被证券公司提前了结融资融券交易的风险，可能会给客户造成经济损失。

7. 提示客户在从事融资融券交易期间，如果发生融资融券标的证券范围调整、标的证券暂停交易或终止上市等情况，客户将可能面临被证券公司提前了结融资融券交易的风险，可能会给客户造成经济损失。

8. 提示客户在从事融资融券交易期间，证券公司将以《融资融券合同》约定的通知与送达方式及通讯地址，向客户发送通知。通知发出并经过约定的时间后，将视作证券公司已经履行对客户的通知义务。客户无论因何种原因没有及时收到有关通知，都会面临担保物被证券公司强制平仓的风险，可能会给客户造成经济损失。

9. 提示客户应妥善保管信用账户卡、身份证件和交易密码等资料。如客户将信用账户、身份证件、交易密码等出借给他人使用，由此造成的后果由客户承担。

10. 除上述 9 项风险提示外，各试点证券公司还可以根据具体情况在本公司制定的《融资融券交易风险揭示书》中对融资融券交易存在的风险作进一步列举。

《融资融券交易风险揭示书》应以醒目的文字载明："本风险揭示书的揭示事项仅为列举性质，未能详尽列明融资融券交易的所有风险和可能影响上市证券价格的所有因素。客户在参与融资融券交易前，应认真阅读相关业务规则及《融资融券合同》条款，并对融资融券交易所特有的规则必须有所了解和掌握，并确信自己已做好足够的风险评估与财务安排，避免因参与融资融券交易而遭受难以承受的损失。"

五、客户开户、提交担保品与授信

（一）开户

证券公司与客户签订融资融券业务合同后，应当根据客户的申请，按照证券登记结算机构的规定，为其开立实名信用证券账户。客户用于一家证券交易所上市证券交易的信用证券账户只能有 1 个。

客户信用证券账户与其普通证券账户开户人的姓名或者名称以及有效身份证明文件号码应当一致。客户信用证券账户是证券公司客户信用交易担保证券账户的二级账户，用于记载客户委托证券公司持有的担保证券的明细数据。

证券公司应当委托证券登记结算机构，根据清算、交收结果等对客户信用证券账户内的数据进行变更。

证券公司应当参照客户交易结算资金第三方存管的方式，与其客户及商业银行签订客户信用资金存管协议。证券公司在与客户签订《融资融券合同》后，其营业部应当为客户开立信用资金台账，同时通知商业银行根据客户的申请，为其开立实名信用资金账户。客户只能开立 1 个信用资金账户。

客户信用资金账户是证券公司客户信用交易担保资金账户的二级账户，用于记载客户交存的担保资金的明细数据。

商业银行根据证券公司提供的清算、交收结果等，对客户信用资金账户内的数据进行变更。

证券公司向客户融资，只能使用融资专用资金账户内的资金；向客户融券，只能使用融券专用证券账户内的证券。

客户申请开立信用证券账户和信用资金账户应向证券公司提交下列材料：

1. 个人客户须提供：

（1）本人身份证明原件及复印件。

（2）本人普通资金账户卡（或开户协议原件）、普通证券账户卡原件及复印件。

（3）填妥并由本人当面签名的"信用证券账户开户申请表"和"信用资金账户开户申请表"。

（4）专用于信用交易的银行卡。

（5）填妥并由本人当面签名的客户信用资金存管协议。

2.机构客户须提供：

（1）营业执照副本、组织机构代码证等有效身份证明文件原件及复印件。

（2）法定代表人证明书原件及加盖公章的法定代表人身份证明复印件。

（3）法定代表人授权书。

（4）授权经办人身份证明原件及复印件。

（5）加盖公章的预留印鉴卡。

（6）机构普通资金账户卡（或开户协议原件）、普通证券账户卡原件及复印件。

（7）填妥并加盖机构公章的"信用证券账户开户申请表"和"信用资金账户开户申请表"。

（8）加盖银行章的专用于信用交易的银行账户。

（9）填妥并加盖机构公章的客户信用资金存管协议。

（二）提交担保品

客户在证券公司开妥信用证券账户和信用资金账户后，应向证券公司提交不低于证券交易所和证券公司规定比例的融资融券保证金。保证金应为现金或上市证券，上市证券的品种和折算率应符合证券交易所和证券公司的规定。作为保证金的现金和上市证券应分别转入客户在指定商业银行开立的信用资金账户和在证券公司开立的信用证券账户。

（三）授信

证券公司根据客户融资融券申请、提交的保证金额度及客户征信调查等情况，确定对客户融资融券的授信，包括融资融券额度、期限、方式、利（费）率等。

证券公司对客户融资融券的保证金比例不得低于 50%，期限不超过 6 个月。

六、融资融券交易操作

（一）融资融券交易的一般规则

1. 证券公司接受客户融资融券交易委托，应当按照证券交易所规定的格式申报。申报指令应包括客户的信用证券账户号码、交易单元代码、证券代码、买卖方向、价格、数量、融资融券标识等内容。

2. 融资买入、融券卖出的申报数量应当为 100 股（份）或其整数倍。

3. 融券卖出的申报价格不得低于该证券的最新成交价；当天没有产生成交的，申报价格不得低于其前收盘价。低于上述价格的申报为无效申报。

融券期间，客户通过其所有或控制的证券账户持有与融券卖出标的相同证券的，卖出该证券的价格应遵守上述规定，但超出融券数量的部分除外。不得以违反规定卖出该证券的方式操纵市场。

客户应当在与证券公司签订《融资融券合同》时，向证券公司申报其本人及关联人持有的全部证券账户。客户融券期间，其本人或关联人卖出与所融入证券相同的证券的，客户应当自该事实发生之日起 3 个交易日内向证券公司申报。证券公司应当将客户申报的情况按月报送相关证券交易所。

4. 客户融资买入证券后，可通过卖券还款或直接还款的方式向证券公司偿还融入资金。

卖券还款是指客户通过其信用证券账户申报卖券，结算时卖出证券所得资金直接划转至证券公司融资专用账户的一种还款方式。

以直接还款方式偿还融入资金的，具体操作按照证券公司与客户之间的约定办理。

5. 客户融券卖出后，可通过买券还券或直接还券的方式向证券公司偿还融入证券。

买券还券是指客户通过其信用证券账户申报买券，结算时买入证券直接划转至证券公司融券专用证券账户的一种还券方式。

以直接还券方式偿还融入证券的，按照证券公司与客户之间约定以及证券交易所指定登记结算机构的有关规定办理。

6. 客户卖出信用证券账户内证券所得价款，须先偿还其融资欠款。

7. 未了结相关融券交易前，客户融券卖出所得价款除买券还券外不得他用。

8. 客户信用证券账户不得买入或转入除担保物和交易所规定标的证券范围以外的证券，不得用于从事证券交易所债券回购交易。

9. 客户未能按期交足担保物或者到期未偿还融资融券债务的，证券公司应当根据约定采取强制平仓措施，处分客户担保物，不足部分可以向客户追索。

10. 证券公司根据与客户的约定采取强制平仓措施的，应按照证券交易所规定的格式申报强制平仓指令。申报指令应包括客户的信用证券账户号码、交易单元代码、证券代码、买卖方向、价格、数量、平仓标识等内容。

（二）标的证券

客户融资买入、融券卖出的证券，不得超出证券交易所和证券公司规定的范围。可作为融资买入或融券卖出的标的证券（简称"标的证券"），一般是在交易所上市交易并经交易所认可的四大类证券，即符合交易所规定的股票、证券投资基金、债券、其他证券。

标的证券为股票的，应当符合下列条件：

1. 在交易所上市交易满 3 个月。

2. 融资买入标的股票的流通股本不少于 1 亿股或流通市值不低于 5 亿元，融券卖出标的股票的流通股本不少于 2 亿股或流通市值不低于 8 亿元。

3. 股东人数不少于 4 000 人。

4. 近 3 个月内日均换手率不低于基准指数日均换手率的 20%（试点初期暂不执行），日均涨跌幅的平均值与基准指数涨跌幅的平均值的偏离值不超过 4 个百分点，且波动幅度不超过基准指数波动幅度的 500% 以上。

日均换手率是指过去 3 个月内标的证券或基准指数每日换手率的平均

值。

日均涨跌幅是指过去 3 个月内标的证券或基准指数每日涨跌幅绝对值的平均值。

波动幅度是指过去 3 个月内标的证券或基准指数最高价与最低价之差对最高价和最低价的平均值之比。

对于基准指数，在上海证券交易所是指上证综合指数，在深圳证券交易所是指深证综合指数和中小板指数。

5. 股票发行公司已完成股权分置改革。

6. 股票交易未被交易所实行特别处理。

7. 交易所规定的其他条件。

交易所按照从严到宽、从少到多、逐步扩大的原则，根据融资融券业务试点的进展情况，从满足上述规定的证券范围内审核、选取并确定试点初期标的证券的名单，并向市场公布。

试点初期，上海证券交易所标的证券范围与上证 50 指数成分股范围相同，包括 50 只股票。标的证券范围与上证 50 指数成分股同时调整。深圳证券交易所标的证券范围与深证成指成分股范围相同，包括 40 只股票。标的证券范围与深证成指成分股同时调整。

证券交易所可根据市场情况调整标的证券的选择标准和名单。

证券公司向其客户公布的标的证券名单，不得超出证券交易所规定的范围。

标的证券暂停交易，融资融券债务到期日仍未确定恢复交易日或恢复交易日在融资融券债务到期日之后的，融资融券的期限顺延。证券公司与其客户可以根据双方约定了结相关融资融券交易。

标的股票交易被实施特别处理的，证券交易所自该股票被实施特别处理当日起将其调整出标的证券范围。

标的证券进入终止上市程序的，证券交易所自发行人作出相关公告当日起将其调整出标的证券范围。

证券被调整出标的证券范围的，在调整实施前未了结的融资融券合同仍然有效。证券公司与其客户可以根据双方约定提前了结相关融资融券交易。

七、保证金及担保物管理

证券公司向客户融资融券，应当向客户收取一定比例的保证金。保证金可以标的证券以及交易所认可的其他证券充抵。

（一）有价证券充抵保证金的计算

充抵保证金的有价证券，在计算保证金金额时，应当以证券市值按下列折算率进行折算：

1. 上证 180 指数成分股股票及深证 100 指数成分股股票折算率最高不超过 70%，其他股票折算率最高不超过 65%。

2. 交易所交易型开放式指数基金折算率最高不超过 90%。

3. 国债折算率最高不超过 95%。

4. 其他上市证券投资基金和债券折算率最高不超过 80%。

交易所遵循审慎原则，审核、选取并确定试点初期可充抵保证金证券的名单，并向市场公布。

试点初期，可充抵保证金证券范围包括在证券交易所集中竞价交易系统挂牌上市的 A 股股票、基金以及债券等。沪、深证券交易所融资融券可充抵保证金证券范围和折算率见表 8－1 和表 8－2。

表 8－1 上海证券交易所融资融券可充抵保证金证券范围和折算率

可充抵保证金证券品种		折算率
A 股	上证 180 指数成分股	不超过 70%
	非上证 180 指数成分股	不超过 65%
	被实行特别处理和被暂停上市的 A 股	0
基金	交易所交易型开放式指数基金（ETF）	不超过 90%
	其他上市基金	不超过 80%
债券	国债	不超过 95%
	其他上市债券	不超过 80%
权证	权证	0

表8－2　深圳证券交易所融资融券可充抵保证金证券范围和折算率

可充抵保证金证券品种		折算率
A 股	深证 100 指数成分股	不超过 70%
	非深证 100 指数成分股	不超过 65%
	被实行特别处理和暂停上市的 A 股	0
基金	交易所交易型开放式指数基金（ETF）	不超过 90%
	其他上市基金	不超过 80%

　　证券交易所可根据市场情况调整可充抵保证金证券的名单和折算率。证券公司公布的可充抵保证金证券的名单，不得超出证券交易所公布的可充抵保证金证券范围。

　　证券公司可以根据流动性、波动性等指标对可充抵保证金的各类证券确定不同的折算率，但证券公司公布的折算率不得高于证券交易所规定的标准。

（二）融资融券保证金比例及计算

　　客户融资买入证券时，融资保证金比例不得低于 50%。融资保证金比例是指客户融资买入时交付的保证金与融资交易金额的比例，计算公式为：

$$融资保证金比例 = \frac{保证金}{融资买入证券数量 \times 买入价格} \times 100\%$$

客户融券卖出时，融券保证金比例不得低于 50%。

　　融券保证金比例是指客户融券卖出时交付的保证金与融券交易金额的比例，计算公式为：

$$融券保证金比例 = \frac{保证金}{融券卖出证券数量 \times 卖出价格} \times 100\%$$

（三）保证金可用余额及计算

　　客户融资买入或融券卖出时所使用的保证金不得超过其保证金可用余额。

　　保证金可用余额是指客户用于充抵保证金的现金、证券市值及融资融券交易产生的浮盈经折算后形成的保证金总额，减去客户未了结融资融券交易已占用保证金和相关利息、费用的余额。其计算公式为：

保证金可用余额 = 现金 + ∑（充抵保证金的证券市值 × 折算率）
+ ∑［（融资买入证券市值 – 融资买入金额）× 折算率］+ ∑［（融券卖出金额 – 融券卖出证券市值）× 折算率］– ∑融券卖出金额 – ∑融资买入证券金额 × 融资保证金比例 – ∑融券卖出证券市值 × 融券保证金比例 – 利息及费用

融券卖出金额 = 融券卖出证券的数量 × 卖出价格

融券卖出证券市值 = 融券卖出证券数量 × 市价

"融券卖出证券数量"指融券卖出后尚未偿还的证券数量。

"∑［（融资买入证券市值 – 融资买入金额）× 折算率］"和"∑［（融券卖出金额 – 融券卖出证券市值）× 折算率］"中的"折算率"，是指融资买入、融券卖出证券对应的折算率。当融资买入证券市值低于融资买入金额或融券卖出证券市值高于融券卖出金额时，折算率按100%计算。

（四）客户担保物的监控

证券公司向客户收取的保证金以及客户融资买入的全部证券和融券卖出所得全部资金，整体作为客户对证券公司融资融券债务的担保物。

证券公司应当对客户提交的担保物进行整体监控，并计算其维持担保比例。维持担保比例是指客户担保物价值与其融资融券债务之间的比例，计算公式为：

$$维持担保比例 = \frac{现金 + 信用证券账户内证券市值}{融资买入金额 + 融券卖出证券数量 × 市价 + 利息及费用}$$

客户维持担保比例不得低于130%。当该比例低于130%时，证券公司应当通知客户在约定的期限内追加担保物。该期限不得超过2个交易日。客户追加担保物后的维持担保比例不得低于150%。

维持担保比例超过300%时，客户可以提取保证金可用余额中的现金或充抵保证金的有价证券，但提取后维持担保比例不得低于300%。

证券交易所认为必要时，可以调整融资融券保证金比例及维持担保比例，并向市场公布。

证券公司公布的融资保证金比例、融券保证金比例及维持担保比例，不得超出证券交易所规定的标准。证券公司应按照不同标的证券的折算率相应确定其保证金比例。

客户不得将已设定担保或其他第三方权利及被采取查封、冻结等司法措施的证券提交为担保物，证券公司不得向客户出借此类证券。

除下列情形外，任何人不得动用证券公司客户信用交易担保证券账户内的证券和客户信用交易担保资金账户内的资金：

1. 为客户进行融资融券交易的结算。

2. 收取客户应当归还的资金、证券。

3. 收取客户应当支付的利息、费用、税款。

4. 按照中国证监会的有关规定以及与客户的约定处分担保物。

5. 收取客户应当支付的违约金。

6. 客户提取还本付息、支付税费及违约金后的剩余证券和资金或在维持担保比例超出规定比例时按照规定提取有关证券和资金。

7. 法律、行政法规和中国证监会《办法》规定的其他情形。

司法机关依法对客户信用证券账户或者信用资金账户记载的权益采取财产保全或者强制执行措施的，证券公司应当处分担保物，实现因向客户融资融券所生债权，并协助司法机关执行。

八、权益处理

在客户融资融券期间，证券持有人的权益按"客户融资买入证券的权益归客户所有、客户融券卖出证券的权益归证券公司所有"的原则处理。

（一）对证券发行人的权利的行使

所谓对证券发行人的权利，是指请求召开证券持有人会议、参加证券持有人会议、提案、表决、配售股份的认购、请求分配投资收益等因持有证券而产生的权利。

证券登记结算机构依据证券公司客户信用交易担保证券账户内的记录，确认证券公司受托持有证券的事实，并以证券公司为名义持有人，登记于证券持有人名册。

客户信用交易担保证券账户记录的证券，由证券公司以自己的名义，为客户的利益，行使对证券发行人的权利。证券公司行使对证券发行人的权利，应当事先征求客户的意见，并按照其意见办理。

担保证券涉及投票权行使时，由证券持有人名册记载的、持有客户信用交易担保证券账户的证券公司作为名义持有人直接参加投票。证券公司应当事先征求信用交易客户的投票意愿，并根据信用交易客户的意愿进行投票。

（二）证券发行人派发红利的处理

证券发行人派发现金红利或利息时，证券登记结算公司按照证券公司客户信用交易担保证券账户的实际余额派发现金红利或利息。涉及的利息税由证券登记结算公司根据证券公司的委托按照信用交易客户的身份计算。证券公司收到现金红利和利息款项后，应当及时分派给对应的信用交易客户。

证券发行人派发股票红利或权证等证券的，证券登记结算公司按照证券公司客户信用交易担保证券账户的实际余额记增红股或配发权证，并根据证券公司委托相应维护客户信用证券账户的明细数据。

（三）其他权益的处理

证券发行人向原股东配售股份的，或者证券发行人增发新股以及发行权证、可转换债券等证券时原股东有优先认购权的，证券登记结算公司按照证券公司客户信用交易担保证券账户的实际余额设置配股权或优先认购权，并根据证券公司委托相应维护客户信用证券账户的明细数据。证券公司应当根据客户认购意愿和缴纳认购款情况，通过交易系统发出认购委托，相关认购委托应当附有信用证券账户信息；证券登记结算公司将认购证券记入证券公司客户信用交易担保证券账户，并根据证券公司委托相应维护客户信用证券账户的明细数据。

证券发行采取市值配售发行方式的，客户信用证券账户的明细数据纳入其对应市值的计算。

担保证券涉及收购情形时，客户不得通过信用证券账户申报预受要约。客户欲申报预受要约的，应当在取得证券公司同意后，申请将担保证券从证券公司客户信用交易担保证券账户划转到其普通证券账户中，并通过其普通证券账户申报预受要约。

担保证券进入终止上市程序的，客户应当在了结相关融资融券交易后，申请将有关证券从客户信用交易担保证券账户划转到其普通证券账户中，由证券登记结算公司按照现行方式办理退市登记等相关手续。由于客户未提出申请导致退市后客户信用交易担保证券账户中仍有相关担保证券的，证券登记结算公司向证券发行人或其清算组交付的证券持有人名册上，相关证券仍以"××证券公司客户信用交易担保证券账户"的名义登记。客户日后需凭信用证券账户的明细数据自行通过证券公司主张权利。

（四）融券交易期间权益的处理

客户融入证券后、归还证券前，在下列情形下应当按照融券数量对证券公司进行补偿：

1. 证券发行人派发现金红利的，融券客户应当向证券公司补偿对应金额的现金红利。

2. 证券发行人派发股票红利或权证等证券的，融券客户应当根据双方约定向证券公司补偿对应数量的股票红利或权证等证券，或以现金结算方式予以补偿。

3. 证券发行人向原股东配售股份的，或者证券发行人增发新股以及发行权证、可转换债券等证券时原股东有优先认购权的，由证券公司和融券客户根据双方约定处理。

九、信息披露与报告

证券公司应当于每个交易日 22：00 前向证券交易所报送当日各标的证券融资买入额、融资还款额、融资余额，以及融券卖出量、融券偿还量和融券余量等数据。证券公司应当保证所报送数据的真实、准确、完整。

证券交易所在每个交易日开市前，根据证券公司报送数据，向市场公布以下信息：

（1）前一交易日单只标的证券融资融券交易信息，包括融资买入额、融资余额、融券卖出量、融券余量等信息。

（2）前一交易日市场融资融券交易总量信息。

证券公司应当在每一月份结束后 10 个工作日内，向中国证监会、注册地证监会派出机构和证券交易所书面报告当月的下列情况：

（1）融资融券业务客户的开户数量。

（2）对全体客户和前 10 名客户的融资融券余额。

（3）客户交存的担保物种类和数量。

（4）强制平仓的客户数量、强制平仓的交易金额。

（5）有关风险控制指标值。

（6）融资融券业务盈亏状况。

（7）要求报告的其他信息。

中国证监会及其派出机构、中国证券业协会、证券交易所、证券登记结算机构依照规定履行证券公司融资融券业务监管或者自律管理职责，可以要求证券公司提供与融资融券业务有关的信息、资料。

证券公司通过客户信用交易担保证券账户持有的股票不计入其自有股票，证券公司无须因该账户内股票数量的变动而履行相应的信息报告、披露或者要约收购义务。

客户及其一致行动人通过普通证券账户和信用证券账户持有一家上市公司股票或其权益的数量，合计达到规定的比例时，应当依法履行相应的信息报告、披露或者要约收购义务。

 # 第三节 融资融券业务的风险及其控制

一、证券公司融资融券业务的风险

（一）客户信用风险

客户信用风险主要是指由于客户违约，不能偿还到期债务而导致证券公司损失的可能性。

（二）市场风险

市场风险主要是指因不可预见和控制的因素导致市场波动，交易异常，造成证券交易所融资融券交易无法正常进行、危及市场安全，或造成证券公司客户担保品贬值、维持担保比例不足，且证券公司无法实施强制平仓收回融出资金（证券）而导致损失的可能性。

（三）业务规模及集中度风险

业务规模及集中度风险主要是指证券公司融资融券规模失控，对单个客户融资融券规模过大、期限过长，而造成证券公司资产流动性不足、净资本规模和比例不符合监管规定的可能性。

（四）业务管理风险

业务管理风险主要是指证券公司融资融券业务经营中因制度不全、管理不善、控制不力、操作失误等原因导致业务经营损失的可能性。

（五）信息技术风险

信息技术风险主要是指因证券公司融资融券交易信息系统故障致使交易中断、监控失效而导致承担客户资产损失的赔偿责任或无法收回到期债权的可能性。

二、证券公司融资融券业务风险的控制

（一）客户信用风险的控制

1. 建立客户选择与授信制度，明确规定客户选择与授信的程序和权限。

（1）制定融资融券业务客户选择标准和开户审查制度，明确客户从事融资融券交易应当具备的条件和开户申请材料的审查要点与程序。

（2）建立客户信用评估制度，根据客户身份、财产与收入状况、证券投资经验、风险偏好等因素，将客户划分为不同类别和层次，确定每一类别和层次客户获得授信的额度、利率或费率。

（3）明确客户征信的内容、程序和方式，验证客户资料的真实性、

准确性，了解客户的资信状况，评估客户的风险承担能力和违约的可能性。

（4）记录和分析客户持仓品种及其交易情况，根据客户的操作情况与资信变化等因素，适时调整其授信等级和额度。

2. 严格合同管理、履行风险提示。证券公司应统一制定符合监管部门规定、内容完备的融资融券合同标准文本。同时，合同应由公司总部统一印刷、管理和与客户签订。

证券公司在与客户签订融资融券业务合同前，向客户履行以下告知义务：

（1）以书面方式向其提示投资规模放大、对市场走势判断错误、因不能及时补交担保物而被强制平仓等可能导致的投资损失风险。

（2）指定专人向客户讲解融资融券的业务规则、业务流程和合同条款。

（3）告知客户将信用账户出借给他人使用可能带来法律诉讼风险，提示客户妥善保管信用账户卡、身份证件和交易密码。

3. 证券公司应当在符合有关规定的基础上，确定可充抵保证金的证券的种类及折算率、客户可融资买入和融券卖出的证券种类、保证金比例和最低维持担保比例，并在营业场所内公示。

4. 建立健全预警补仓和强制平仓制度。证券公司应当指定专人实时监控客户担保物价值与客户债务价值及其比例的变动情况。当该比例低于合同约定的最低维持担保比例时，应当按照约定方式及时通知客户补足担保物。当客户不能按约定补足担保物，维持担保比例触及平仓维持担保比例时，及时向客户发送平仓通知，并启动强制平仓。证券公司应采取必要的措施对通知时间、通知内容等予以留痕。

（二）市场风险的控制

对市场风险可能导致的市场波动、交易异常及危及市场安全等问题，一般由证券交易所通过对市场运行情况和融资融券交易的监控，针对不同情况采取如下措施进行控制：

1. 单只标的证券的融资余额达到该证券上市可流通市值的 25% 时，证券交易所可以在次一交易日暂停其融资买入，并向市场公布。当该标的证券的融资余额降低至 20% 以下时，证券交易所可以在次一交易日恢复其融资买入，并向市场公布。

2. 单只标的证券的融券余量达到该证券上市可流通量的 25% 时，证券交易所可以在次一交易日暂停其融券卖出，并向市场公布。当该标的证券的融券余量降低至 20% 以下时，证券交易所可以在次一交易日恢复其融券卖出，并向市场公布。

3. 当融资融券交易出现异常时，证券交易所可视情况采取以下措施并向市场公布：

（1）调整标的证券标准或范围。

（2）调整可充抵保证金有价证券的折算率。

（3）调整融资融券保证金比例。

（4）调整维持担保比例。

（5）暂停特定标的证券的融资买入或融券卖出交易。

（6）暂停整个市场的融资买入或融券卖出交易。

（7）证券交易所认为必要的其他措施。

4. 融资融券交易存在异常交易行为的，证券交易所可以视情况采取限制相关账户交易等措施。证券公司应当按照证券交易所的要求，对融资融券交易进行监控，并主动、及时地向证券交易所报告其客户的异常融资融券交易行为。

对市场风险可能给证券公司造成的损失，证券公司一般根据市场波动情况及证券交易所的信息披露和风险提示，采取如下措施进行控制：

（1）调整担保品范围及品种。主要是提高保证金中现金的比重、在证券交易所公布的范围内缩小可充抵保证金有价证券的范围或剔除某些品种等。

（2）调整可充抵保证金有价证券的折算率。主要是在证券交易所公布的可充抵保证金有价证券的折算率上限内对全部品种或对某些品种调低折算率。

（3）调整保证金比例。主要是在证券交易所规定的保证金比例基础上提高保证金比例。

（4）调整维持担保比例。主要是在证券交易所规定的维持担保比例基础上提高维持担保比例。

（三）业务规模和集中度风险的控制

1. 证券公司要根据自有资金和证券状况，在净资本总额和比例符合监管要求、保持正常的资产流动性、风险可承受的前提下确定融资融券业务总规模。融资融券业务总规模一旦确定则不得随意扩大，并需通过技术手段进行实时监控。

2. 证券公司对客户的授信和融出资金、证券均应由公司总部统一控制和办理，严禁分支机构擅自对外办理相关业务。

3. 业务集中度严格控制在监管部门的有关规定范围内：

（1）对单一客户融资业务规模不得超过净资本的5%。

（2）对单一客户融券业务规模不得超过净资本的5%。

（3）接受单只担保股票的市值不得超过该只股票总市值的20%。

（四）业务管理风险的控制

1. 制定完备的内部控制制度、业务操作规范、风险管理措施等，并加强对相关业务人员进行管理制度和业务知识的培训。

2. 对重要的业务环节，如征信调查、合同签署、开立账户、担保品审核、授信审批等实行双人双岗复核、审批，并强制留痕。

3. 公司总部对业务经营情况、主要风险指标和每个客户的账户动态进行实时监控，并明确相应的处置措施，发现问题按相关规定及时处置。

4. 公司业务合规和风险管理部门对营业部和融资融券业务管理部门的业务操作进行定期或不定期检查或稽核。

（五）信息技术风险的控制

1. 建立完善的融资融券业务信息技术系统，包括日常业务运行系统、容错备份系统和灾难备份系统，并制定完善的备份方案和应急处理预案。

2. 制定并严格执行信息技术系统日常运行管理制度，加强系统日常维护，确保系统正常运行。

3. 定期或不定期组织融资融券业务管理部门和营业部对备份方案和应急预案进行演练，确保相关部门和人员熟悉相关内容和应急操作。

第四节　融资融券业务的监管和法律责任

一、融资融券业务的监管

（一）证券交易所的监管

证券交易所可以对每一证券的市场融资买入量和融券卖出量占其市场流通量的比例、融券卖出的价格作出限制性规定。

证券交易所应当按照业务规则，采取措施，对融资融券交易的指令进行前端检查，对买卖证券的种类、融券卖出的价格等违反规定的交易指令，予以拒绝。

单一证券的市场融资买入量或者融券卖出量占其市场流通量的比例达到规定最高限额的，证券交易所可以暂停接受该种证券的融资买入指令或者融券卖出指令。

融资融券交易活动出现异常，已经或者可能危及市场稳定，有必要暂停交易的，证券交易所应当按照业务规则的规定，暂停全部或者部分证券的融资融券交易并公告。

（二）证券登记结算机构的监管

证券登记结算机构应当按照业务规则，对与融资融券交易有关的证券划转和证券公司信用交易资金交收账户内的资金划转情况进行监督。对违反规定的证券和资金划转指令，予以拒绝；发现异常情况的，应当要求证券公司作出说明，并向中国证监会及该公司注册地证监会派出机构报告。

（三）客户信用资金存管指定商业银行的监管

负责客户信用资金存管的指定商业银行应当按照客户信用资金存管协议的约定，对证券公司违反规定的资金划拨指令予以拒绝；发现异常情况的，应当要求证券公司作出说明，并向中国证监会及该公司注册地证监会派出机构报告。

（四）客户查询

证券公司应当按照融资融券合同约定的方式，向客户送交对账单，并为其提供信用证券账户和信用资金账户内数据的查询服务。

证券登记结算机构应当为客户提供其信用证券账户内数据的查询服务。负责客户信用资金存管的指定商业银行应当按照客户信用资金存管协议的约定，为客户提供其信用资金账户内数据的查询服务。

（五）信息公告

证券公司应当按照证券交易所的规定，在每日收市后向其报告当日客户融资融券交易的有关信息。

证券交易所应当对证券公司报送的信息进行汇总、统计，并在次一交易日开市前予以公告。

（六）监管机构的监管

中国证监会派出机构按照辖区监管责任制的要求，依法对证券公司及其分支机构的融资融券业务活动中涉及的客户选择、合同签订、授信额度的确定、担保物的收取和管理、补交担保物的通知以及处分担保物等事项，进行非现场检查和现场检查。

二、法律责任

（一）《证券公司融资融券业务试点管理办法》的有关规定

证券公司或其分支机构在融资融券业务试点中违反规定的，由中国证监会派出机构予以制止，责令限期改正；拒不改正或者情节严重的，由中国证监会视具体情形，依法采取警示、公开警示、责令处分有关责任人员、责令停止有关分支机构的融资融券业务活动、撤销融资融券业务许可等监管措施。

证券公司或其分支机构未经批准擅自经营融资融券业务的，依照《证券法》第二百零五条的规定处罚，即："没收违法所得，暂停或者撤销相关业务许可，并处以非法融资融券等值以下的罚款。对直接负责的主管人员和其他直接责任人员给予警告，撤销任职资格或者证券业从业资格，并处以三万元以上三十万元以下的罚款。"

(二)《证券公司监督管理条例》的有关规定

1. 证券公司违反《证券公司监督管理条例》的规定，有下列情形之一的，责令改正，给予警告，没收违法所得，并处以违法所得 1 倍以上 5 倍以下的罚款；没有违法所得或者违法所得不足 3 万元的，处以 3 万元以上 30 万元以下的罚款。对直接负责的主管人员和其他直接责任人员单处或者并处警告、3 万元以上 10 万元以下的罚款；情节严重的，撤销任职资格或者证券从业资格：

(1) 未按照规定程序了解客户的身份、财产与收入状况、证券投资经验和风险偏好。

(2) 推荐的产品或者服务与所了解的客户情况不相适应。

(3) 未按照规定指定专人向客户讲解有关业务规则和合同内容，并以书面方式向其揭示投资风险。

(4) 未按照规定与客户签订业务合同，或者未在与客户签订的业务合同中载入规定的必备条款。

(5) 未按照规定编制并向客户送交对账单，或者未按照规定建立并有效执行信息查询制度。

(6) 未按照规定存放、管理客户担保账户内的资金、证券。

2. 证券公司未按照规定为客户开立账户的，责令改正；情节严重的，处以 20 万元以上 50 万元以下的罚款，并对直接负责的董事、高级管理人员和其他直接责任人员，处以 1 万元以上 5 万元以下的罚款。

3. 违反《证券公司监督管理条例》的规定，有下列情形之一的，责令改正，给予警告，没收违法所得，并处以违法所得 1 倍以上 5 倍以下的罚款；没有违法所得或者违法所得不足 10 万元的，处以 10 万元以上 60 万元以下的罚款；情节严重的，撤销相关业务许可；对直接负责的主管人员和其他直接责任人员给予警告，撤销任职资格或者证券从业资格，并处以 3 万元以上 30 万元以下的罚款：

(1) 证券公司、资产托管机构、证券登记结算机构违反规定动用客户担保账户内的资金、证券。

(2) 资产托管机构、证券登记结算机构对违反规定动用客户担保账户内的资金、证券的申请、指令予以同意、执行。

（3）资产托管机构、证券登记结算机构发现客户担保账户内的资金、证券被违法动用而未向国务院证券监督管理机构报告。

第九章

债券回购交易

 ## 第一节 债券质押式回购交易

一、债券质押式回购交易的概念

债券质押式回购交易是指融资方（正回购方、卖出回购方、资金融入方）在将债券质押给融券方（逆回购方、买入返售方、资金融出方）融入资金的同时，双方约定在将来某一指定日期，由融资方按约定回购利率计算的资金额向融券方返回资金，融券方向融资方返回原出质债券的融资行为。在债券质押式回购交易中，融资方是指在债券回购交易中融入资金、出质债券的一方；融券方是指在债券回购交易中融出资金、享有债券质权的一方。

开展债券回购交易业务的主要场所为沪、深证券交易所及全国银行间同业拆借中心。

上海证券交易所于 1993 年 12 月、深圳证券交易所于 1994 年 10 月分别开办了以国债为主要品种的质押式回购交易，其目的主要是发展我国的国债市场，活跃国债交易，发挥国债这一金边债券的信用功能，为社会提供一种新的融资方式。2002 年 12 月 30 日和 2003 年 1 月 3 日，上海证券交易所和深圳证券交易所分别推出了企业债券回购交易。2007 年公司债推出后，证券交易所又进一步允许公司债［包括普通公司债和分离交易的可转换公司债券中的公司债（简称"分离债"）］进行质押式回购。因此，目前证券交易所上市的各类债券都可以用作质押式回购。证券交易所债券回购市场的参与主体主要是投资股市的各类投资者，如证券公司、保险公司、证券投资基金等。根据中国人民银行 1997 年的通知，商业银行不得参与交易所债券回购交易。2009 年 1 月，中国证监会与中国银行业监督管理委员会联合发布通知，开展上市商业银行在证券交易所参与债券交易试点，2010 年 12 月 3 日，上海证券交易所和中国结算公司分别发布《上海证券交易所债券业务指南（商业银行专用）》和《上市商业银行参与证券交易所交易登记结算业务指南》。

全国银行间同业拆借中心也开办了国债、政策性金融债等债券的回购业务，参与主体是银行间市场会员，主要是商业银行、保险公司、财务公司、证券投资基金等金融机构。

二、证券交易所债券质押式回购交易

（一）证券交易所质押式回购制度和回购品种

证券交易所质押式回购实行质押库制度。融资方应在回购申报前，通过证券交易所交易系统申报提交相应的债券作质押。按照中国结算公司的相关规定，用于质押的债券需要转移至专用的质押账户（即进入"质押库"）。当日购买的债券，当日可用于质押券申报，并可进行相应的债券回购交易业务。质押券对应的标准券数量有剩余的，可以通过证券交易所交易系统将相应的质押券申报转回原证券账户。当日申报转回的债券，当日可以卖出。

证券交易所债券质押式回购实行标准券制度。标准券是由不同债券品种按相应折算率折算形成的回购融资额度。2008 年，上海证券交易所规定国债、企业债、公司债等可参与回购的债券均可折成标准券，并可合并计算，不再区分国债回购和企业债回购。深圳证券交易所仍维持原状，规定国债、企业债折成的标准券不能合并计算，因此需要区分国债回购和企业债回购。2009 年后我国发行的地方政府债券也可比照国债参与债券回购。

目前，上海证券交易所实行标准券制度的债券质押式回购分为 1 天、2 天、3 天、4 天、7 天、14 天、28 天、91 天、182 天 9 个品种，代码分别为 GC001、GC002、GC003、GC004、GC007、GC014、GC028、GC091 和 GC182。深圳证券交易所现有实行标准券制度的债券质押式回购有 1 天、2 天、3 天、4 天、7 天、14 天、28 天、63 天、91 天、182 天、273 天 11 个品种，代码分别为 R001、R002、R003、R004、R007、R014、R028、R063、R091、R182 和 R273；实行标准券制度的质押式企业债回购有 1 天、2 天、3 天、7 天 4 个品种，代码分别为 RC – 001、RC – 002、RC – 003 和 RC – 007。

(二) 证券交易所债券质押式回购交易流程

证券公司营业部接受投资者的债券质押式回购交易委托时，应事先向投资者提交《债券回购交易风险提示书》，与投资者签订《债券质押式回购委托协议书》；应当要求投资者提交质押券，填写"质押券提交申请表"。

营业部应对投资者证券账户内可用于债券回购的标准券余额进行检查。标准券余额不足的，债券回购的申报无效。投资者进行回购交易时，应提交有效签署的债券回购交易申请表。营业部收到债券回购交易申请表后，有权对投资者的回购交易申请进行审查，并确定其债券回购交易的最大融资额度。审查无异议的，营业部应根据投资者申请的时间、品种、数量及价格等及时办理，并将办理结果及时通知投资者。

债券回购交易申报中，融资方按"买入"（B）予以申报，融券方按"卖出"（S）予以申报。成交后由中国结算公司根据成交记录和有关规则进行清算交收；到期反向成交时，无需再行申报，由系统自动产生一条反向成交记录，中国结算公司据此进行资金和债券的清算与交收。债券回购交易的融资方，应在回购期内保持质押券对应标准券足额。债券回购到期日，融资方可以通过证券交易所交易系统，将相应的质押券申报转回原证券账户，也可以申报继续用于债券回购交易。当日申报转回的债券，当日可以卖出。

（三）证券交易所质押式回购的申报要求

1. 报价方式。以每百元资金的到期年收益率进行报价。

2. 申报要求。沪、深证券交易所对申报单位、最小报价变动单位及申报数量的规定有所不同。

《上海证券交易所债券交易实施细则》规定，债券回购交易集中竞价时，其申报应当符合下列要求：

（1）申报单位为手，1 000 元标准券为 1 手。

（2）计价单位为每百元资金到期年收益。

（3）申报价格最小变动单位为 0.005 元或其整数倍。

（4）申报数量为 100 手或其整数倍，单笔申报最大数量应当不超过 1 万手。

（5）申报价格限制按照交易规则的规定执行。

深圳证券交易所规定，债券回购交易的申报单位为张，100 元标准券为 1 张；最小报价变动为 0.01 元或其整数倍；申报数量为 10 张及其整数倍，单笔申报最大数量应当不超过 10 万张。其他规定与上海证券交易所类似。

三、全国银行间债券市场质押式回购交易的基本规则

全国银行间债券市场债券质押式回购业务是指以商业银行等金融机构为主的机构投资者之间以询价方式进行的债券交易行为。《全国银行间债券市场债券交易管理办法》规定，全国银行间债券市场质押式回购的债券是指经中国人民银行批准、可在全国银行间债券市场交易的政府债券、中央银行债券和金融债券等记账式债券。中央国债登记结算有限责任公司（简称"中央结算公司"）是中国人民银行指定的办理债券的登记、托管与结算的机构。中国人民银行是全国银行间债券市场的主管部门。中国人民银行各分支机构对辖内金融机构的债券交易活动进行日常监督。

（一）全国银行间债券市场质押式回购参与者

全国银行间债券市场质押式回购参与者包括：

1. 在中国境内具有法人资格的商业银行及其授权分支机构。

2. 在中国境内具有法人资格的非银行金融机构和非金融机构。

3. 经中国人民银行批准经营人民币业务的外国银行分行。

这些机构进入全国银行间债券市场，应签署"全国银行间债券市场债券回购主协议"（由中国人民银行货币政策司于 2000 年 7 月 28 日颁布）。除签订回购主协议外，回购双方进行回购交易应逐笔订立回购成交合同。回购成交合同与债券回购主协议共同构成回购交易完整的回购合同。

上述金融机构可直接进行债券交易和结算，也可委托结算代理人进行债券交易和结算；非金融机构应委托结算代理人进行债券交易和结算，且只能委托开展现券买卖和逆回购业务。结算代理人是指经中国人民银行批准，代理其他参与者办理债券交易和结算的金融机构。目前，具有结算代理人资格的金融机构主要有各全国性商业银行、烟台住房储蓄银行和部分符合条件的城市商业银行。

（二）全国银行间债券市场质押式回购成交合同

回购成交合同是回购双方就回购交易所达成的协议。回购成交合同应采用书面形式，具体包括全国银行间同业拆借中心交易系统生成的成交单、电报、电传、传真、合同书和信件等。回购成交合同的内容由回购双方约定，一般包括成交日期、交易员姓名、融资方名称、融券方名称、债券种类（券种代码与简称）、回购期限、回购利率、债券面值总额、首次资金清算额、到期资金清算额、首次交割日、到期交割日、债券托管账户和人民币资金账户、交割方式、业务公章、法定代表人（或授权人）签字等。以交易系统生成的成交单、电报和电传作为回购成交合同，业务公章和法定代表人（或授权人）签字可不作为必备条款。

回购双方需在中央结算公司办理债券的质押登记。质押登记是指中央结算公司按照回购双方通过中央债券簿记系统发送并相匹配的回购结算指令，在融资方债券托管账户将回购成交合同指定的债券进行冻结的行为。以债券为质押进行回购交易，应办理质押登记。回购合同在办理质押登记后生效。合同一经成立，交易双方应全面履行合同规定的义务，不得擅自变更或解除合同。

（三）全国银行间债券市场质押式回购交易品种及交易单位

全国银行同业拆借中心根据中央结算公司提供的交易券种要素，公告交易券种的挂牌日、摘牌日和交易的起止日期。2002 年发布的《全国银行间债券市场债券交易规则》第 6 条规定，全国银行间债券市场回购期限最短为 1 天，最长为 1 年。参与者可在此区间内自由选择回购期限，回购到期时参与者必须按规定办理资金与债券的反向交割，不得展期。

全国银行间债券市场回购交易数额最小为债券面额 10 万元，交易单位为债券面额 1 万元。回购利率由交易双方自行确定。回购期间，交易双方不得动用质押的债券。回购到期应按照合同约定全额返还回购项下的资金，并解除质押关系。

（四）全国银行间债券市场质押式回购询价交易方式

全国银行间债券市场债券交易以询价方式进行，自主谈判，逐笔成交。债券交易采用询价交易方式，包括自主报价、格式化询价、确认成交 3 个交易步骤。回购交易成交后，最后一个步骤是成交双方办理债券和资金的结算。

1. 自主报价。参与者的自主报价分为两类：公开报价和对话报价。公开报价是指参与者为表明自身交易意向而面向市场做出的、不可直接确认成交的报价。对话报价是指参与者为达成交易而直接向交易对手方做出的、对手方确认即可成交的报价。

公开报价还可进一步分为单边报价和双边报价两类。单边报价是指参与者为表明自身对资金或债券的供给或需求而面向市场做出的公开报价。双边报价是指经批准的参与者在进行现券买卖公开报价时，在中国人民银行核定的债券买卖价差范围内连续报出该券种的买卖实价，并可同时报出该券种的买卖数量、清算速度等交易要素。进行双边报价的参与者有义务在报价的合理范围内与对手方达成交易。

2. 格式化询价。格式化询价是指参与者必须按照交易系统规定的格式内容填报自己的交易意向。未按规定填报的报价为无效报价。

3. 确认成交。确认成交须经过"对话报价———确认"的过程，即一方发送的对话报价，由对手方确认后成交，交易系统及时反馈成交。交易成交前，进入对话报价的双方可在规定的次数内轮流向对手方报价。超过规定的次数仍未成交的对话，必须进入另一次询价过程。参与者在确认交易成交前可对报价内容进行修改或撤销。交易一经确认成交，参与者不得擅自进行修改或撤销。

债券回购交易成交确认后，成交双方需根据交易系统的成交回报各自打印成交通知单。债券回购成交通知单与参与者签署的债券回购主协议是确认债券回购交易确立的合同文件。若参与者对成交通知单的内容有疑问或歧义，则以交易系统的成交记录为准。

4. 结算。全国银行间债券市场质押式回购交易的债券和资金结算见本章第三节的相关介绍。

（五）全国银行间债券市场质押式回购违规行为及处罚

《全国银行间债券市场交易管理办法》第三十四条规定，债券回购业务参与者有下列行为之一的，由中国人民银行给予警告，并可处 3 万元人民币以下的罚款，可暂停或取消其债券交易业务资格；对直接负责的主管人员和直接责任人员，由其主管部门给予纪律处分；违反中国人民银行有关金融机构高级管理人员任职资格管理规定的，按其规定处理：

1. 擅自从事借券、租券等融券业务。
2. 擅自交易未经批准上市债券。
3. 制造并提供虚假资料和交易信息。
4. 操纵债券交易价格，或制造债券虚假价格。
5. 不遵守有关规则或协议并造成严重后果。
6. 违规操作对交易系统和债券簿记系统造成破坏。

第二节　债券买断式回购交易

一、债券买断式回购交易的含义及作用

（一）含义

所谓债券买断式回购交易（亦称"开放式回购"，简称"买断式回

购"），是指债券持有人（正回购方）将一笔债券卖给债券购买方（逆回购方）的同时，交易双方约定在未来某一日期，再由卖方（正回购方）以约定价格从买方（逆回购方）购回相等数量同种债券的交易行为。在债券买断式回购交易中，通过卖出一笔国债以获得对应资金，并在约定期满后以事先商定的价格从对方购回同笔国债的为融资方（申报时为买方）；以一定数量的资金购得对应的国债，并在约定期满后以事先商定的价格向对方卖出对应国债的为融券方（申报时为卖方）。

买断式回购与前述质押式回购业务（亦称"封闭式回购"）的区别在于：在买断式回购的初始交易中，债券持有人将债券"卖"给逆回购方，所有权转移至逆回购方；而在质押式回购的初始交易中，债券所有权并不转移，逆回购方只享有质权。由于所有权发生转移，因此买断式回购的逆回购方可以自由支配购入债券，如出售或用于回购质押等，只要在协议期满能够有相等数量同种债券返售给债券持有人即可。

（二）作用

买断式回购的这一特性对完善市场功能具有重要意义，主要表现在：

1. 有利于降低利率风险，合理确定债券和资金的价格。买断式回购使大量的债券不再像质押式回购那样被冻结，保证了市场上可供交易的债券量，缓解了债券供求矛盾，从而提高了债券市场的流动性，有利于合理确定债券和资金的价格。

2. 有利于金融市场的流动性管理。债券资产在商业银行、保险公司以及证券公司和基金公司等金融机构的资产结构中占有相当重要的地位，而债券回购业务是其调整头寸、进行资金管理的重要工具。这些机构的资产流动性管理始终贯穿于其经营管理的全过程，也是体现其经营管理水平的重要标志。买断式回购可以使大量回购债券不被冻结，突破了质押式回购在流动性管理方面存在的隐患和桎梏，提高了债券的利用效率，可以满足金融市场流动性管理的需要。

3. 有利于债券交易方式的创新。买断式回购使交易双方处于对称的地位。对正回购方而言，由于回购协议具有较低的利率和较低的保证金要求，所以正回购方可以利用融入的资金建立一个具有杠杆作用的证券远期多头。对于逆回购方来说，不仅可以防止因为正回购方到期拒付资金而给逆回购方带来损失，而且逆回购方还可以利用回购"买断"的债券进行相应规避利率风险和套利的操作。如果将买断式回购、现券买卖、质押式回购以及其他远期交易新品种等金融工具配合操作，可以组合产生一系列新的交易方式，满足投资者调整债券结构、规避利率风险等要求。

不过，由于我国利率市场化程度不高、参与主体同质性较强、税收和会计政策等原因，截止到2010年年底，相对于质押式回购，买断式回购交易并不活跃。

二、全国银行间债券市场买断式回购交易

（一）全国银行间债券市场买断式回购的有关规则

市场参与者进行买断式回购应签订买断式回购主协议。该主协议须具有履约保证条款，以保证买断式回购合同的切实履行。

市场参与者进行每笔买断式回购还应订立书面形式的合同。其书面形式包括全国银行间同业拆借中心（简称"同业中心"）交易系统生成的成交单或者合同书、信件和数据电文等形式。买断式回购主协议和上述书面形式的合同构成买断式回购的完整合同。交易双方认为必要时，可签订补充协议。

全国银行间债券市场买断式回购的期限由交易双方确定，但最长不得超过91天。交易双方不得以任何方式延长回购期限。买断式回购期间，交易双方不得换券、现金交割和提前赎回。

全国银行间债券市场买断式回购以净价交易，全价结算。买断式回购的首期交易净价、到期交易净价和回购债券数量由交易双方确定，但到期交易净价加债券在回购期间的新增应计利息应大于首期交易净价。为防范风险，买断式回购首期结算金额与回购债券面额的比例应符合中国人民银行对回购业务的有关规定。

（二）全国银行间债券市场买断式回购的风险控制

全国银行间债券市场对买断式回购采取了如下风险控制措施：

1. 保证金或保证券制度。买断式交易双方都面临对手方不履约的风险。如，正回购方（融资方）到期不返还款项，则逆回购方需要变卖此前从正回购方收到的债券，但变卖款可能不足额；逆回购方到期不归还债

券，则正回购方需动用款项补购债券，但款项金额可能不足。对于此类违约风险，全国银行间债券市场规定交易双方可以协商设定保证金或保证券。设定保证券时，回购期间保证券应在交易双方中的提供方托管账户冻结。保证金或保证券在一定程度上可以弥补交易对手违约带来的损失。

2. 仓位限制。全国银行间债券市场规定进行买断式回购，任何一个市场参与者单只券种的待返售债券余额应小于该只债券流通量的20%，任何一个市场参与者待返售债券总余额应小于其在中央结算公司托管的自营债券总额的200%。同业中心和中央结算公司每日向市场披露上一交易日单只券种买断式回购待返售债券总余额占该券种流通量的比例等买断式回购业务信息。这些规定有利于防范返售债券义务的正回购方被迫高价买券或违约的风险，有利于维护债券市场的正常秩序。

买断式回购发生违约，对违约事实或违约责任存在争议的，交易双方可以协议申请仲裁或者向人民法院提起诉讼，并将最终仲裁或诉讼结果报告同业中心和中央结算公司。同业中心和中央结算公司应在接到报告后5个工作日内将最终结果予以公告。

（三）全国银行间债券市场买断式回购的监管与处罚

同业中心负责买断式回购交易的日常监测工作，中央结算公司负责买断式回购结算的日常监测工作。发现异常交易、结算情况应及时向中国人民银行报告。

同业中心和中央结算公司负责依据中国人民银行有关买断式回购的规定制定相应的买断式回购业务的交易、结算规则。中国人民银行各分支机构负责对辖区内市场参与者的买断式回购进行日常监督。

三、上海证券交易所买断式回购交易的基本规则

上海证券交易所根据财政部、中国人民银行、中国证监会《关于开展国债买断式回购业务的通知》要求，于2004年12月6日，即2004年记账式（十期）国债上市日起，在大宗交易系统将此期国债用于买断式回购交易；继而于2005年3月21日，即2005年记账式（二期）国债上市日起，在竞价交易系统将此期国债用于买断式回购交易。至此，上海证券交易所买断式回购挂牌品种均同时在竞价交易系统和大宗交易系统进行交易。

（一）上海证券交易所买断式回购的参与主体

国债买断式回购的交易主体限于在中国结算公司上海分公司以法人名义开立证券账户的机构投资者（B、D 账户）。

上海证券交易所在国债买断式回购引入了交易权限管理制度，即并不是所有会员均可参与买断式回购，只有满足一定条件、经过核准的会员公司才可以自营或代理参与买断式回购交易。会员公司代理客户参与买断式回购交易，需承担其客户在债券和资金结算方面的交收责任。

（二）上海证券交易所买断式回购的交易品种和报价方式

国债买断式回购交易的券种和回购期限由证券交易所确定并向市场公布。买断式回购的回购期限从 1 天、2 天、3 天、4 天、7 天、14 天、28 天、91 天和 182 天中选择。截止到 2010 年 5 月底，用于国债买断式回购交易的券种有"04 国债（10）"、"05 国债（1）"、"05 国债（4）"、"05 国债（5）"、"06 国债（4）"等 10 只国债，回购期限设定为 7 天、28 天和 91 天。

国债买断式回购交易按照证券账户进行申报。申报应当符合以下要求：

1. 价格：按每百元面值债券到期购回价（净价）进行申报。

2. 融资方申报"买入"，融券方申报"卖出"。

3. 最小报价变动：0.01 元。

4. 交易单位：手（1 手 = 1 000 元面值）。

5. 申报单位：1 000 手或其整数倍。

6. 每笔申报限量：竞价撮合系统最小 1 000 手，最大 50 000 手。

单笔交易数量在 10 000 手（含）以上，可采用大宗交易方式进行。有关大宗交易的其他规定按照《上海证券交易所大宗交易实施细则》执行。

（三）上海证券交易所买断式回购风险控制措施

类似于银行间市场，上海证券交易所也采取了履约金制度和仓位控制防范买断式回购的风险。

1. 履约金制度。上海证券交易所买断式回购的履约金制度与银行间市场的保证金或保证券制度的初衷类似，也是为了防范到期违约风险。但相比而言，上海证券交易所履约金制度还存在以下特点：

（1）双方均需缴纳履约金；而在银行间市场，是否引入保证金或保证券由交易双方协商。

（2）履约金比率由证券交易所确定；而在银行间市场，保证金或保证券的金额也由双方协商。

（3）履约金到期归属按规则判定；而银行间市场则没有此类规则。上海证券交易所规定，回购到期双方按约履行的，履约金返还各自一方；如单方违约（含无力履约和主动申报"不履约"两种情况），违约方的履约金归守约方所有；如双方违约，双方各自缴纳的履约金划归证券结算风险基金。

（4）违约方承担的违约责任只以支付履约金为限，实际履约义务可以免除；而在银行间市场，保证金或保证券处置后仍不能弥补违约损失的，一般情况下守约方可以继续向违约方追索。与此相对应，上海证券交易所买断式回购到期日闭市前，融资方和融券方均可就该日到期回购进行不履约申报。

2. 仓位控制。与银行间市场类似，上海证券交易所也规定每一机构投资者持有的单一券种买断式回购未到期数量累计不得超过该券种发行量的20%；累计达到20%的投资者，在相应仓位减少前不得继续进行该券种的买断式回购业务。这一规定同样有助于防范正回购方届时被迫高价买券或违约的风险，有利于维护债券市场的正常秩序。

（四）上海证券交易所买断式回购的结算

国债买断式回购交易按照"一次成交、两次清算"原则结算，具体见本章相关介绍。

 # 第三节　债券回购交易的清算与交收

一、证券交易所质押式回购的清算与交收

证券交易所实行标准券制度的质押式回购的清算与交收，按照中国结

算公司《债券登记、托管与结算业务实施细则》办理清算与交收。

（一）初始清算与交收

在回购交易日，中国结算公司于当日收市后根据结算备付金账户分户相关规定，按成交金额将结算参与人当日回购成交应收、应付资金数据，与当日其他应收、应付资金数据合并清算，轧差计算出结算参与人净应收或净应付资金余额。结算参与人客户或自营结算备付金账户净应付款的，结算参与人应当按照规定履行资金交收义务。

（二）到期清算与交收

回购交易到期清算日收市后，中国结算公司按到期购回金额将到期购回的应收、应付资金数据，与其到期清算当日其他应收、应付资金数据合并清算，轧差计算出结算参与人净应收或净应付资金余额。

到期购回金额 ＝ 购回价格 × 成交金额 ÷ 100

购回价格 ＝ 100 ＋ 成交年收益率 × 100 × 回购天数 ÷ 360

结算参与人客户或自营结算备付金账户净应付款的，应当按照规定履行资金交收义务。

（三）质押券管理

在回购交易存续期间，融资方需在质押库中存放足额的债券作为质押。融资方结算参与人通过交易系统向中国结算公司申报提交质押券，与中国结算公司建立质押关系。对自营融资回购业务，融资方结算参与人应将自营证券账户中的债券作为质押券向中国结算公司提交，并与中国结算公司建立质押关系。对经纪融资回购业务，融资方结算参与人应根据客户的委托，并以融资方结算参与人自己的名义，将该客户证券账户中的债券作为质押券向中国结算公司提交，由中国结算公司实施转移占有，并以融资方结算参与人名义与中国结算公司建立质押关系。

在每个交易日收市后，中国结算公司按当期适用的标准券折算率分别将各结算参与人提交的质押券折算成标准券，与该证券账户发生的尚未到期回购融出的标准券总量、回购交易交收的履约情况进行比较，判断各相关证券账户质押券是否足额。发生新回购交易、标准券折算率调整等情况时，融资方结算参与人自身也应当主动检查各证券账户是否发生质押券折成的标准券少于其融资金额的情况（俗称"欠库"）。质押券欠库的，融资方结算参与人应当于次一交易日补足质押券。

结算参与人向中国结算公司申请从相关质押库中转回质押券时，中国结算公司在确保质押券转回不会导致欠库的情况下办理相关转回手续。予以办理相关转回手续的，在转回日收市后，中国结算公司将申报转回的质押券转入融资方结算参与人名下，并可按结算参与人要求从其名下转入其指定的证券账户。

（四）违约处理

质押券欠库的，中国结算公司在该日日终暂不交付或从其资金交收账户中扣划与质押券欠库量等额的资金。如次一交易日未补充申报提交，或补充申报提交质押券后相关证券账户仍然发生质押券欠库的，从该交易日起（含节假日）向该融资方结算参与人收取违约金。

违约金＝质押券欠库量等额金额×违约天数×违约金比例

中国结算公司暂不交付回购融资款项或扣划资金后，融资方结算参与人补充申报足额质押券并向中国结算公司支付违约金的，中国结算公司在补充申报日的下一个交易日将暂不交付的回购融资款项或扣划的资金支付给该融资方结算参与人。

在融资回购业务应付资金交收违约后的1个交易日内，融资方结算参与人支付融资回购业务应付资金及违约金的，中国结算公司接受该结算参与人提出的转回多余质押券的申报。

在融资回购业务应付资金交收违约后的1个交易日内，融资方结算参与人未支付融资回购业务应付资金及违约金的，中国结算公司可以按规定确定足额可供处分的质押券。从违约后第2个交易日起，中国结算公司有权依法处分质押券，以充抵结算参与人未支付的融资回购业务应付资金、利息、违约金及处分质押券所产生的全部费用等款项。

质押券处分所得不足以弥补该融资方结算参与人相关未支付融资回购业务应付资金、利息、违约金及处分质押券所产生的全部费用等款项的，中国结算公司将依法采取扣取其自营证券等措施继续追索。

（五）标准券折算率和融资额度计算

1. 标准券折算率的计算和公布。标准券折算率是指一单位债券可折成的标准券金额与其面值的比率。理论上，标准券折算率首先需要考虑违约风险防范的问题，需要达到以下效果：当融资方到期无法归还融入款项后，融券方变卖质押券所得款项可以弥补融资方融入的款项、利息、违约金和相关交易费用。要防止出现债券市值小于其标准券金额的不合理现象（即"倒挂"，意味着债券值 100 元却可以质押融资 100 元以上）。基于这一思路，可以根据债券的当前市场价格及其波动情况对下一期的变现价值加以估计，并进一步扣除回购利息、违约金、交易费用等项目，将扣除后的变现净值与质押券的面值相除，并考虑该债券信用评级及担保等具体情况，确定下一期适用的标准券折算率。在计算过程中，相关参数取值越谨慎，"倒挂"的概率越小，越能较好地防范结算风险。但另一方面，相关参数取值也不能过分谨慎，否则不利于债券回购功能的充分发挥。

沪、深证券交易所和中国结算公司联合发布的《标准券折算率管理办法》已经按照上述思路确定了标准券折算率计算公式，取得了较好的效果。

标准券折算率计算和公布的有关安排如下：

（1）对已在证券交易所上市的、可用以回购交易的国债、企业债和其他债券，中国结算公司一般在每星期三收市后根据"标准券折算率计算公式"计算下一星期适用的标准券折算率。

（2）对于新上市债券，中国结算公司最迟在新上市债券上市前一日，按照"标准券折算率计算公式"计算该品种债券上市日（含当日）至适用星期适用的标准券折算率。

（3）标准券折算率由中国结算公司和沪、深证券交易所在计算当日日终分别通过各自通信系统和网站联合发布。

2. 融资额度的计算。

例 9-1：某客户持有上海证券交易所上市 96 国债（6）现券 1 万手。该国债当日收盘价为 121.85 元，当时的标准券折算率为 1.27。该客户最多可回购融入的资金是多少（不考虑交易费用）？

因为回购可融入资金的额度取决于客户持有的标准券库存数量，而与其持有现券当时的市值无直接关系，所以，该客户回购可融入资金量

$= 1\ 000 \times 1.27 = 1\ 270$（万元）。

下面再举例说明有关债券回购交易清算等的计算。

例 9 - 2：某证券公司持有一种国债，面值 500 万元，当时标准券折算率为 1.27。当日该公司有现金余额 4 000 万元。买入股票 50 万股，均价为每股 20 元；申购新股 600 万股，价格每股 6 元。问：为保证当日资金清算和交收，该公司需要回购融入多少资金？库存国债是否足够（不考虑各项税费）？

计算如下：

（1）买股票应付资金 $= 50 \times 20 = 1\ 000$（万元）

（2）申购新股应付资金 $= 600 \times 6 = 3\ 600$（万元）

（3）应付资金总额 $= 1\ 000 + 3\ 600 = 4\ 600$（万元）

（4）需回购融入资金 $= 4\ 600 - 4\ 000 = 600$（万元）

（5）该公司标准券余额 $= 500 \times 1.27 = 635$（万元）

库存国债足够用于回购融入 600 万元。

例 9 - 3：某证券公司持有国债余额为 A 券面值 1 200 万元，B 券面值 4 000 万元，两种券的标准券折算率分别为 1.15 和 1.25。当日该公司上午买入 GC007 品种 5 000 万元，成交价格为 3.50 元（指每百元资金到期年收益）；下午卖出 B 券面值 4 000 万元，成交价格 126 元/百元。计算：（1）回购交易资金清算；（2）国债现货交易资金清算；（3）该券商国债标准券是否欠库，如欠库，计算应扣款金额；（4）当日资金清算净额（不考虑各项税费）。

计算如下：

（1）回购交易清算：应收资金 $= 5\ 000$ 万元

（2）国债现货交易清算：应收资金 $= 4\ 000 \times 1.26 = 5\ 040$（万元）

（3）是否欠库及欠库扣款清算：

标准券余额 $= 1\ 200 \times 1.15 + (4\ 000 - 4\ 000) \times 1.25 = 1\ 380$（万元）

标准券库存余额 $= 1\ 380 - 5\ 000 = -3\ 620$（万元）

该券商国债标准券已欠库，该欠库金额即为应扣款金额。

（4）当日资金清算净额 $=$ 应收资金 $-$ 应付资金

$$= 5\ 000 + 5\ 040 - 3\ 620$$

$$= 6\ 420 （万元）（当日应收金额）$$

二、全国银行间债券市场债券回购的清算与交收

全国银行间同业拆借中心为参与者的报价、交易提供中介及信息服务，中央结算公司为参与者提供托管、结算和信息服务。参与债券回购业务的金融机构应在中央结算公司开立债券托管账户，并将持有的债券托管于其账户。债券交易的债券结算通过中央结算公司的中央债券簿记系统进行。债券交易的资金结算以转账方式进行。商业银行应通过其准备金存款账户和中国人民银行资金划拨清算系统进行债券交易的资金结算，商业银行与其他参与者之间、其他参与者相互之间债券交易的资金结算途径由双方自行商定。

债券回购双方可以选择的交收方式包括见券付款、券款对付和见款付券三种。具体方式由交易双方协商选择。

见券付款，指在首次交收日完成债券质押登记后，逆回购方按合同约定将资金划至正回购方指定账户的交收方式。

券款对付，指中央结算公司和债券交易的资金清算银行根据回购双方发送的债券和资金结算指令，于交收日确认双方已准备用于交收的足额债券和资金后，同时完成债券质押登记（或解除债券质押关系手续）与资金划账的交收方式。

见款付券，指在到期交收日正回购方按合同约定将资金划至逆回购方指定账户后，双方解除债券质押关系的交收方式。

交易双方应按合同约定及时发送债券和资金的交收指令，在约定交收日应有足额的用于交收的债券和资金，不得买空或卖空。

全国银行间债券市场回购期限是首次交收日到到期交收日的实际天数，以天为单位，含首次交收日，不含到期交收日。回购利率是正回购方支付给逆回购方在回购期间融入资金的利息与融入资金的比例，以年利率表示。计算利息的基础天数为365天。

资金清算额分首次资金清算额和到期资金清算额。

到期资金清算额 = 首次资金清算额 × （1 + 回购利率 × 回购期限 ÷ 365）

回购交易单位为万元，债券结算单位为万元，资金清算单位为元，保留两位小数。

回购双方应按回购成交合同约定，向中央结算公司及时发送内容完整并相匹配的回购结算指令。回购双方在接到中央结算公司关于回购结算指令不匹配的信息反馈后，应及时沟通，并修改重发。

银行间债券回购的折算率（折算比例）根据 1997 年 6 月 5 日《银行间债券回购业务暂行规定》，由中国人民银行确定并定期公布。

中央结算公司应定期向中国人民银行报告债券托管和结算有关情况，及时为参与者提供债券托管、债券结算、本息兑付和账务查询等服务；应建立严格的内部稽核制度，对债券账务数据的真实性、准确性和完整性负责，并为账户所有人保密。

三、证券交易所买断式回购的清算与交收

上海证券交易所于 2005 年 12 月推出了买断式回购品种。买断式回购采用"一次成交、两次结算"的方式。两次结算包括初始结算与到期结算。初始结算由中国结算公司上海分公司作为共同对手方担保交收。到期结算由中国结算公司上海分公司组织融资方结算参与人和融券方结算参与人双方采用逐笔方式交收。此时，中国结算公司上海分公司不作为共同对手方，不提供交收担保。

结算参与人应当开立资金交收账户（即结算备付金账户）和证券交收账户，用于买断式回购初始结算资金和证券交收。结算参与人证券交收账户与资金交收账户存在一一对应关系。另外，中国结算公司在结算系统中分别设立资金及证券集中交收账户，用于完成与结算参与人资金和证券的交收。此外，中国结算公司还以结算系统名义，开立交收担保品证券账户和专用待清偿证券账户，分别用于核算和存放结算参与人提交或中国结算公司上海分公司暂扣的交收担保品、交收透支后的待处分证券。

国债买断式回购初始结算实行中国结算公司上海分公司与结算参与人之间的货银对付制度。在买断式回购初始结算的交收日，融资方结算参与人与融券方结算参与人均需按规定缴纳履约金。履约金比率由证券交易所按照买断式回购品种设定并公布。如有调整，调整后的比率适用于调整日后的交易，已发生交易的履约金不追溯调整。结算参与人应缴纳的履约金并入结算参与人当日清算净额在资金交收账户中交收。中国结算公司上海分公司按金融同业存款利率对履约金计付利息。在收到结算参与人缴纳的

履约金后,中国结算公司上海分公司立即对履约金单列专户代为保管,直至买断式回购交易到期结算完成。

（一）买断式回购初始结算

买断式回购初始结算业务流程如下：

1. 清算。买断式回购初始交易日（T日），中国结算公司上海分公司清算系统根据证券交易所成交数据按参与人清算编号对买断式回购交易、履约金与其他品种的交易进行清算，形成一个清算净额。

2. 资金交收和证券交收。资金方面，T日，中国结算公司上海分公司完成T-1日所有证券交易、有效认购的资金交收后，进行T+0资金预交收。结算参与人的资金交收账户内可用资金小于当日清算应付净额的，或当日清算应收净额不足抵补历史透支的，该参与人T+0预交收资金不足，其差额为待交付金额，必须在T+1日交收截止时点前补入其资金交收账户内。T+1日，中国结算公司上海分公司进行资金交收时，将结算参与人应付净额由其资金交收账户划拨至中国结算公司上海分公司资金集中交收账户，在结算参与人已完成证券交收义务的前提下，将应收净额由资金集中交收账户划入其资金交收账户。

证券方面，中国结算公司上海分公司根据清算结果，按照货银对付的原则，将处于交收状态的国债在结算参与人证券交收账户和证券集中交收账户之间进行划拨。

具体做法如下：T日日终，中国结算公司上海分公司按照结算参与人委托，将国债从买入证券账户划拨至结算参与人证券交收账户，再统一划拨至证券集中交收账户。T日所有证券交易资金清算后为净应收的，或T日所有证券交易资金清算后为净应付但结算参与人资金交收账户内剩余可用资金不小于该应付净额的，中国结算公司上海分公司将应付标的国债从证券集中交收账户划拨至结算参与人证券交收账户，完成中国结算公司上海分公司与结算参与人之间不可撤销的证券交收，并代为划拨至相应卖出证券账户。T日所有证券交易资金清算后为净应付，且结算参与人资金交收账户内剩余可用资金小于该应付净额的，中国结算公司上海分公司将对其实施证券待交收处理。如T+1日结算参与人履行了资金交收义务，中国结算公司上海分公司将相应待交收证券及其产生的权益划拨至该结算参与人证券交收账户，最终划拨至相应卖出证券账户。

T＋1日结算参与人资金交收违约的，中国结算公司上海分公司将按相关待交收处理规则确定待处分证券。中国结算公司上海分公司对待处分证券及其权益依法拥有处置权。同时，中国结算公司上海分公司将计收利息及交收违约金，并提请证券交易所暂停该结算参与人买断式回购交易资格。

（二）买断式回购到期购回结算

对于买断式回购到期购回结算，中国结算公司上海分公司按成交记录完成买断式回购到期购回交收。结算参与人多笔应付、应收不作轧差处理，同一笔交易不拆分交收。中国结算公司上海分公司不作为共同对手方，对国债买断式回购到期购回结算不提供交收担保。

国债买断式回购到期购回结算的交收时点为R＋1日（R为到期日）14：00。回购到期清算日（R日）9：00～15：00，融资方和融券方均可通过PROP系统对当日到期的一笔或多笔买断式回购申报不履约。中国结算公司上海分公司接受对同一笔交易的多次申报，但以最后一次申报为准。中国结算公司上海分公司收到参与人发送的不履约申报后，将申报结果即时反馈给申报人。参与人可通过PROP平台实时查询申报结果。参与人申报不履约后其购回交收义务自动解除，相应的履约金不予返还。

到期购回结算业务流程如下：

1. 到期购回日（R日）。回购到期清算日，中国结算公司上海分公司对参与人买断式回购到期购回进行单独清算，并通过结算明细文件向参与人发送明细清算数据。R日日终，中国结算公司上海分公司剔除融券方已作不履约申报的交易后，按买断式回购成交顺序自前往后逐笔检查各卖出证券账户中标的国债是否足额。若足额，中国结算公司上海分公司将该足额标的国债进行冻结处理；若不足额，则判定该笔交易为融券方参与人违约。

2. 到期购回交收日（R＋1日）。中国结算公司上海分公司于R＋1日14：00进行买断式回购到期购回资金交收，在剔除融资方结算参与人已作不履约申报的交易后，按买断式回购的成交顺序自前往后逐笔检查其专用资金交收账户中是否有足额资金。若足额，则完成该笔资金交收；若该资金交收账户中当前可用于交收的余额小于某笔交易的金额，则判定该笔交易为融资方违约，不进行该笔交易的资金交收。

①对融资方违约的交易，融券方应付国债义务自动解除，中国结算公司上海分公司对原冻结的标的国债予以解冻，解冻国债在 R + 2 日可用。

②对于双方均履约的交易，中国结算公司上海分公司按每个参与人应付或应收汇总两个金额，在参与人专用资金交收账户中进行借记或贷记处理；同时，将卖出证券账户中相应标的国债解冻，划拨至融券方参与人专用证券交收账户，再划拨至融资方参与人专用证券交收账户，最终代为划拨至相应买入证券账户。

3. 到期购回交收日（R + 1 日）日终。中国结算公司上海分公司当日交收完成后，通过结算明细文件向参与人发送交收明细数据。

（三）履约金返还规则

中国结算公司上海分公司清算系统根据买断式回购业务原则及当日交收结果判定履约金的归属，并将处理结果并入当日二级市场净额清算。履约金归属判定规则见表 9 – 1。

表 9 – 1　　　　　　　　　　履约金归属判定规则

交收结果	保证金归属
双方均履约	退还双方
融资方履约，融券方申报不履约	归融资方
融资方履约，融券方无力履约	归融资方
双方均无力履约	归风险基金
融资方申报不履约，融券方履约	归融券方
双方均申报不履约	归风险基金
融资方申报不履约，融券方无力履约	归风险基金
融资方无力履约，融券方履约	归融券方
融资方无力履约，融券方申报不履约	归风险基金

中国结算公司上海分公司于 R + 2 日日终，在结算参与人现有资金交收账户内完成包括履约金返还的净额资金交收。

第十章

证券登记与交易结算

 第一节　证券登记

一、证券登记概述

　　证券登记是指证券登记结算机构为证券发行人建立和维护证券持有人名册的行为。证券登记具有确定或变更证券持有人及其权利的法律效力，是保障投资者合法权益的重要环节，也是规范证券发行和证券交易过户的关键所在。目前，中国结算公司办理证券登记业务的主要依据是2006年7月经中国证监会批准发布的《证券登记规则》以及2010年4月7日修订发布的《证券持有人名册服务业务指引》。为办理证券登记业务，中国结算公司设立了电子化证券登记簿记系统。证券登记簿记系统的主要功能是根据证券账户的记录，办理证券持有人名册的登记。电子化证券登记簿记系统的记录采取整数位，记录证券数量的最小单位为1股（份、元），记录的信息包括但不限于以下内容：证券持有人姓名或名称、证券账户号码、有效身份证明文件号码、证券持有人通讯地址、持有证券名称、持有证券数量、证券托管机构以及限售情况、司法冻结、质押登记等证券持有状态。

根据规定，证券应当登记在证券持有人本人名下；但符合法律、行政法规和中国证监会规定的，可以登记在名义持有人名下。名义持有人依法享有作为证券持有人的相关权利，同时应当对其名下证券权益拥有人承担相应的义务；证券权益拥有人通过名义持有人实现其相关权利。目前，境内多数投资者持有的股票均登记在持有者本人名下。这些投资者取得股东身份就可以直接行使参加股东大会等股东权利。少数通过托管机构持有 B 股的境外投资者未取得直接的股东身份，这些境外投资者只能通过其名义持有人（即其托管机构）间接行使股东权利。

二、证券登记的种类

证券登记按证券种类可以划分为股份登记、基金登记、债券登记、权证登记、交易型开放式指数基金登记等；按性质可以划分为初始登记、变更登记、退出登记等。以下按性质划分标准进行介绍。

（一）初始登记

初始登记指已发行的证券在证券交易所上市前，由中国结算公司根据证券发行人的申请维护证券持有人名册，并将证券记录到投资者证券账户中。经过初始登记手续，投资者持有该证券的事实得到确认。初始登记是投资者后续进行买卖、转让、质押等流转和处置行为的前提。

1. 初始登记大体流程如下：

（1）已发行的证券在证券交易所上市前，证券发行人应当在中国结算公司规定的时间内提出办理证券初始登记的申请。

（2）中国结算公司审核申请材料后，办理证券持有人名册的初始登记。其中，通过证券交易所交易系统发行（简称"网上发行"）的证券，由中国结算公司根据网上发行认购结果，直接将证券登记到其持有人名下；通过网下发行的证券，由中国结算公司根据证券发行人提供的网下发行证券持有人名册，将证券登记到其持有人名下。

（3）中国结算公司完成证券持有人名册初始登记后，向证券发行人出具证券登记证明文件。

2. 按照证券类别和发行情况，可以对证券初始登记进一步划分为股份初始登记、基金募集登记、债券发行登记、权证发行登记和交易型开放式指数基金发行登记。

（1）股份初始登记。股份初始登记包括首次公开发行登记、增发新股登记、送股（或转增股本）登记和配股登记等。

①股份首次公开发行和增发登记。在我国，股份公司经主管部门批准公开发行新股，曾采用股票认购证、与储蓄存款挂钩、"全额预缴、比例配售"等网下发行和网上定价发行、网上竞价发行等方式。在不同的发行方式下，股份发行登记的方法略有不同。

在现阶段采用网上定价公开发行方式的情况下，投资者申购后，主承销商根据股票发行公告的有关规定确定认购股数，然后由中国结算公司在发行结束后根据成交记录或配售结果自动完成新股的股份登记。具体办法为：新股认购者在开立股票账户后，可于规定的发行日前，在办理本次发行的证券营业部存入足够的申购资金，然后按买入股票的委托手续办理申购。认购者应在申购结束后到证券营业部确认申购配号，并在中签后办理交割手续。

对于中国结算公司股份登记的实际运作来说，如果是通过网上发行新股的，就根据证券交易所关于股票发行有关事宜的通知，将网上发行总量记录到主承销商发行专户中，并根据网上申购结果，将主承销商证券账户中的相应股份过户到投资者证券账户中。如果是通过网下发行新股的，中国结算公司根据证券发行人申报数据，将相应股份记录到投资者证券账户中。发行结束后2个交易日内，上市公司应当向中国结算公司申请办理股份发行登记，对网上和网下发行的结果加以确认。

②送股及公积金转增股本登记。送股是指股份公司将其拟分配的红利转增为股本；公积金转增股本是指股份公司将公积金的一部分按每股一定比例转增为股本。对送股（公积金转增股本）的股份登记，由中国结算公司根据上市公司提供的股东大会红利分配方案决议确定的送股比例或公积金转增股本比例，按照股东数据库中股东的持股数，主动为其增加股数，从而自动完成送股（转增股）的股份登记手续。送股股份登记的记录在证券账户的过户记录中逐笔反映。根据有关规定，证券发行人申请办理送股（公积金转增股本）登记，应向中国结算公司提供派发股份股利及公积金转增股本申请、股东大会决议以及其他要求的材料。中国结算公司对证券发行人的申请材料审核通过后，根据其申请派发相应股份，于权

益登记日登记送股（转增股）。申请送股（转增股）时，上市公司应确保权益登记日不得与配股、增发、扩募等发行行为的权益登记日重合，并确保自向中国结算公司提交申请表之日至新增股份上市日期间，不得因其他业务改变公司的股本数或权益数。

③配股登记。配股是指股份公司以股东所持有的股份数为认购权，按一定比例向股东配售该公司新发行的股票。在配股登记日闭市后，中国结算公司将根据持股数量记录投资者的配股权，并将明细数据传输给证券公司。投资者可在公告的配股期限内，委托其指定证券交易所所属证券营业部或原股份托管的证券营业部，在交易时间通过证券交易所电脑交易系统进行配股申报。认购缴款结束后，由中国结算公司主动为认购缴款的股东在相应的股票账户中增加相应的股数。未被认购并且承销商未予包销的股份，根据中国证监会的有关规定即时在可配股份总数中予以扣除，不予登记。配股股份登记的记录在股票账户的过户记录中逐笔反映。

（2）基金募集登记。证券投资基金网上发行和网下发行要进行募集登记。基金募集登记的办法是参照股份首次公开发行登记的相关内容来办理的。

（3）债券发行登记。记账式国债通过招投标或其他方式发行的，中国结算公司根据财政部和证券交易所相关文件确认的结果，建立证券持有人名册，完成初始登记。记账式国债在证券交易所挂牌分销或在场外合同分销的，中国结算公司根据证券交易所确认的分销结果，办理记账式初始国债登记。公司债和企业债的初始登记与股份首次公开发行登记类似。

（4）权证发行登记。权证发行登记参照股份首次公开发行登记办理。

（5）交易型开放式指数基金发行登记。交易型开放式指数基金募集结束后，基金管理人应到中国结算公司办理交易型开放式指数基金份额上市前的有关登记手续。中国结算公司根据基金管理人提供的投资者交易型开放式指数基金份额有效明细数据办理初始登记。中国结算公司在办理投资者交易型开放式指数基金份额初始登记的同时，解除全部组合证券的认购冻结，并根据基金管理人报证券交易所确认的投资者的有效认购组合证券数据，将有效认购组合证券变更登记至以交易型开放式指数基金名义持有的证券账户。

（二）变更登记

变更登记指由证券登记结算机构执行并确认记名证券过户的行为。具体做法是以账户划转的方式在投资者或账户之间转移，并相应更改股东名册或债权人名册。这是因为：其一，现代证券交易的对象多为无纸化证券，由于没有实物载体，股东（或债权人）对相应证券的所有权无法凭借实物券来体现，而在证券账户上对股东（或债权人）的姓名、持有证券数量等资料进行登录，并依据证券账户相关资料生成股东名册（或债权人名册）发送给发行人，就可以使证券持有人获得股东（或债权人）的身份。其二，在证券交易中，股东（债权人）的身份会不断发生改变，权利、义务不断在交易者之间转移，从而要求能够对已有的股权（债权）登记进行修改，即需要进行股权（或债权）过户。变更登记包括证券过户登记和其他变更登记。

1. 证券过户登记。按照引发变更登记需求的不同，可以将证券过户登记划分为证券交易所集中交易过户登记（简称"集中交易过户登记"）和非集中交易过户登记（简称"非交易过户登记"）。

（1）集中交易过户登记。投资者委托证券公司参与证券交易所集中交易后，中国结算公司需要根据证券交易的交收结果在买方的证券账户上增加证券，在卖方的证券账户上减少证券，并相应在证券持有人名册上进行变更登记。

（2）非交易过户登记。非交易过户登记是指符合法律规定和程序的因股份协议转让、司法扣划、行政划拨、继承、捐赠、财产分割、公司购并、公司回购股份和公司实施股权激励计划等原因，发生的记名证券在出让人、受让人或账户之间的变更登记。

2. 其他变更登记。其他变更登记包括证券司法冻结、质押、权证创设与注销、权证行权、可转换公司债券转股、可转换公司债券赎回或回售、交易型开放式指数基金申购或赎回等引起的变更登记。对于其他变更登记，中国结算公司将相应维护证券账户和证券持有人名册的记录，采取变更余额、对质押和司法冻结等情况加以标记等措施。

（三）退出登记

股票终止上市后，股票发行人或其代办机构应当及时到中国结算公司办理证券交易所市场的退出登记手续。按规定进入代办股份转让系统挂牌转让的，应当办理进入代办股份转让系统的有关登记手续。中国结算公司在结清与股票发行人的债权债务，或就债权债务问题达成协议后，与股票发行人或其代办机构签订证券登记数据资料移交备忘录，将股份持有人名册清单等证券登记相关数据和资料移交股票发行人或其代办机构。

股票发行人或其代办机构未按规定办理证券交易所市场退出登记手续的，中国结算公司可将其证券登记数据和资料送达该股票发行人或其代办机构，并由公证机关进行公证，视同该股票发行人证券交易所市场退出登记手续办理完毕。股票发行人证券交易所市场退出登记办理完毕后，中国结算公司在中国证监会指定报刊上刊登关于终止为股票发行人提供证券交易所市场登记服务的公告。

债券提前赎回或到期兑付的，其证券交易所市场登记服务业务自动终止，视同债券发行人交易所市场退出登记手续办理完毕。

 # 第二节　证券交易清算与交收

一、清算与交收的概念

（一）清算、交收的定义

清算与交收是整个证券交易过程中必不可少的两个重要环节。清算一般有三种解释：一是指一定经济行为引起的货币资金关系应收、应付的计算；二是指公司、企业结束经营活动、收回债务、处置分配财产等行为的总和；三是银行同业往来中应收或应付差额的轧抵。

证券交易的清算适用第一种解释，具体指在每一营业日中对每个结算参与人证券和资金的应收、应付数量或金额进行计算的处理过程。

证券交易的交收指根据清算的结果在事先约定的时间内履行合约的行

为，一般指买方支付一定款项以获得所购证券，卖方交付一定证券以获得相应价款。交收的实质是依据清算结果实现证券与价款的收付，从而结束整个交易过程。

清算和交收两个过程统称为结算。

（二）清算和交收的联系和区别

1. 清算与交收的联系。从时间发生及运作的次序来看，清算是交收的基础和保证，交收是清算的后续与完成。清算结果正确才能确保交收顺利进行；而只有通过交收，才能最终完成证券或资金收付，结束整个交易过程。

2. 清算与交收的区别。两者最根本的区别在于：清算是对应收、应付证券及价款的计算，其结果是确定应收、应付数量或金额，并不发生财产实际转移；交收则是根据清算结果办理证券和价款的收付，发生财产实际转移（虽然有时不是实物形式）。

二、滚动交收和会计日交收

证券交易从结算的时间安排来看，可以分为滚动交收和会计日交收。滚动交收要求某一交易日成交的所有交易有计划地安排距成交日相同营业日天数的某一营业日进行交收。例如，在 T＋3 滚动交收中，要求 T 日成交的证券交易的交收在成交日之后的第 3 个营业日（T＋3）完成。与滚动交收相对应的是会计日交收，即在一段时间内的所有交易集中在一个特定日期交收。滚动交收目前已被各国（地区）证券市场广泛采用。从现实情况来看，各市场采用的滚动交收周期时间长短不一，美国证券市场采取 T＋3，我国香港市场采取 T＋2。

我国内地市场目前存在两种滚动交收周期，即 T＋1 与 T＋3。T＋1 滚动交收目前适用于我国内地市场的 A 股、基金、债券、回购交易等；T＋3 滚动交收适用于 B 股（人民币特种股票）。

三、清算与交收的原则

（一）净额清算原则

一般情况下，通过证券交易所达成的交易需采取净额清算方式。净额清算又称差额清算，指在一个清算期中，对每个结算参与人价款的清算只计其各笔应收、应付款项相抵后的净额，对证券的清算只计每一种证券应收、应付相抵后的净额。

净额清算又分为双边净额清算和多边净额清算。双边净额清算指将结算参与人相对于另一个交收对手方的证券和资金的应收、应付额加以轧抵，得出该结算参与人相对于另一个交收对手方的证券和资金的应收、应付净额。多边净额清算是指将结算参与人所有达成交易的应收、应付证券或资金予以充抵轧差，计算出该结算参与人相对于所有交收对手方累计的应收、应付证券或资金的净额。将结算参与人对应的所有双边净额清算结果加以累计，可以得出该结算参与人的多边净额结算结果；在引入共同对手方（见下文）的情况下，计算该结算参与人相对于共同对手方的双边净额清算结果也相当于实现了多边净额清算。

目前，通过证券交易所达成的交易大多采取多边净额清算方式。净额清算方式的主要优点是可以简化操作手续，减少资金在交收环节的占用。应该注意的是，在实行滚动交收的情况下，清算价款时同一清算期内发生的不同种类证券的买卖价款可以合并计算，但不同清算期发生的价款不能合并计算；清算证券时，只有在同一清算期内且同种的证券才能合并计算。

（二）共同对手方制度

为保证多边净额清算结果的法律效力，一般需要引入共同对手方的制度安排。共同对手方（Central Counter Party，CCP）是指在结算过程中，同时作为所有买方和卖方的交收对手并保证交收顺利完成的主体，一般由结算机构充当。如果买卖中的一方不能按约定条件履约交收，结算机构也要依照结算规则向守约一方先行垫付其应收的证券或资金。

共同对手方的引入，使得交易双方无需担心交易对手的信用风险，有利于增强投资信心和活跃市场交易。事实上，由于结算机构充当共同对手方，卖出证券的投资者相当于将证券卖给了结算机构，买入证券的投资者相当于从结算机构买入证券，买卖双方可以获得的证券或款项得到了保证。对于我国证券交易所市场实行多边净额清算的证券交易，证券登记结算机构（即中国结算公司）是承担相应交易交收责任的所有结算参与人的共同对手方。

（三）货银对付原则

货银对付（Delivery Versus Payment，DVP）又称款券两讫或钱货两清。货银对付是指证券登记结算机构与结算参与人在交收过程中，当且仅当资金交付时给付证券，证券交付时给付资金。通俗地说，就是"一手交钱、一手交货"。根据货银对付原则，一旦结算参与人未能履行对证券登记结算机构的资金交收义务，证券登记结算机构就可以暂不向其交付其买入的证券，反之亦然。货银对付通过实现资金和证券的同时划转，可以有效规避结算参与人交收违约带来的风险，大大提高证券交易的安全性。目前，货银对付已经成为各国（地区）证券市场普遍遵循的原则。我国证券市场目前已经在权证、ETF等一些创新品种实行了货银对付制度，但A股、基金等老品种的货银对付制度还在推行当中。2005年修订的《证券法》以及2006年中国证监会发布的《证券登记结算管理办法》已经要求在实行净额结算的品种中贯彻货银对付的原则。

（四）分级结算原则

证券和资金结算实行分级结算原则。证券登记结算机构负责证券登记结算机构与结算参与人之间的集中清算交收，结算参与人负责办理结算参与人与客户之间的清算交收。但结算参与人与其客户的证券划付，应当委托证券登记结算机构代为办理。

实行分级结算，意味着对证券公司接受投资者委托达成的证券交易，证券公司需承担相应的证券或资金的交收责任。实行分级结算原则主要是出于防范结算风险的考虑。证券登记结算机构与客户没有直接业务联系，很难衡量客户的资质和风险；同时，由于客户数量较多、地区分布较散，在出现交收违约时，证券登记结算机构也很难处理。而对数量相对较少、实力相对较强、取得结算参与人资格的证券公司或其他机构而言，证券登记结算机构则可以有效采取风险管理措施。在境外证券交易所市场，分级结算是普遍的做法。

第三节 结算账户的管理

证券公司参与结算应当按照规定向中国结算公司申请取得结算参与人资格。取得资格后，证券公司需要在中国结算公司开立结算账户。结算系统参与人名称或其结算账户、清算路径内容发生变更时，需及时在中国结算公司办理结算账户信息变更手续，结算系统参与人停止资金结算业务后，应向中国结算公司提出撤销其结算账户的申请。

一、结算账户的开立

根据中国结算公司《结算备付金管理办法》，结算参与人申请开立资金交收账户时，应当提交结算参与人资格证书、法定代表人授权委托书、开立资金交收账户申请表、资金交收账户印鉴卡、指定收款账户授权书等材料。结算参与人同时应在中国结算公司预留指定收款账户，用于接收其从资金交收账户汇划的资金。指定收款账户应当是在中国证监会备案的客户交易结算资金专用存款账户和自有资金专用存款账户，且账户名称与结算参与人名称应当一致。

二、结算账户的管理

（一）资金交收账户计息

结算备付金指资金交收账户中存放的用于资金交收的资金，因此资金交收账户也称为结算备付金账户。中国结算公司按照中国人民银行规定的金融同业活期存款利率向结算参与人计付结算备付金利息。结算备付金利息每季度结息 1 次，结息日为每季度第 3 个月的 20 日，应计利息记入结算参与人资金交收账户并滚入本金。遇中国人民银行调整存款利率的，中国结算公司统一按结息日的利率计算利息，不分段计算。

（二）最低结算备付金限额

根据《结算备付金管理办法》规定，中国结算公司对结算参与人资金交收账户设定最低结算备付金限额（简称"最低备付"）。

1. 最低备付的含义。最低备付指结算公司为资金交收账户设定的最低备付限额，结算参与人在其账户中至少应留足该限额的资金量。最低备付可用于完成交收，但不能划出。如果用于交收，次日必须补足。

2. 最低备付的调整。根据各结算参与人的风险程度，中国结算公司每月为各结算参与人确定最低结算备付金比例，并按照各结算参与人上月证券日均买入金额和最低结算备付金比例，确定其最低结算备付金限额。

计算公式为：

$$最低结算备付金限额 = \frac{上月证券买入金额}{上月交易天数} \times 最低结算备付金比例$$

其中，上月证券买入金额包括在证券交易所上市交易的 A 股、基金、ETF、LOF、权证、债券以及未来新增的、采用净额结算的证券品种的二级市场买入金额，债券回购初始融出资金金额和到期购回金额，但不包括买断式回购到期购回金额；对于最低结算备付金比例，债券品种（包括现券交易和回购交易）按 10% 计收，债券以外的其他证券品种按 20% 计收。

在每月前 3 个营业日内，中国结算公司对结算参与人的最低结算备付金限额进行重新核算、调整。此外，结算参与人被认定为高风险结算参与人的，中国结算公司有权随时提高其最低结算备付金限额；而对于被认为风险较低的结算参与人，中国结算公司可以降低其最低结算备付金限额。

3. 最低备付不足。结算参与人每日应及时查询资金交收账户的余额。若余额不足，应立即补足资金。结算参与人资金交收账户的资金由于相关原因被冻结，结算参与人应保证资金交收账户中冻结资金以外的资金能完成正常交收，并满足该结算参与人最低备付金限额的要求。结算参与人资金交收账户每日（包括节假日）日终余额扣减冻结资金后，不得低于其最低结算备付金限额。最低结算备付金可用于应急交收，但如日终余额扣减冻结资金后低于其最低结算备付金限额时，结算参与人应于次一营业日补足。在保证当日资金交收的前提下，资金交收账户余额扣减冻结资金后，如超过最低结算备付金限额，结算参与人可以申请将超出部分资金划入其指定收款账户。

资金交收账户余额不能满足交收日交收所需要的资金时，结算参与人必须在当日交收截止时点之前将不足部分划入其资金交收账户；否则，构成资金交收违约。

三、结算账户的撤销

结算系统参与人无对应交易席位且已结清与中国结算公司的一切债权、债务后，可申请终止在中国结算公司的结算业务，撤销结算账户。

 ## 第四节　证券交易的结算流程

证券交易的结算可以划分为清算和交收两个主要环节。在此基础上，还可以进一步划分为交易数据接收、清算、发送清算结果、结算参与人组织证券或资金以备交收、证券交收和资金交收、发送交收结果、结算参与人划回款项、交收违约处理八个环节。

一、交易数据接收

沪、深证券交易所在闭市后，会按约定将证券交易数据通过专用通讯链路传输给中国结算公司沪、深分公司。中国结算公司沪、深分公司接收数据时，应当核对所接收数据的完整性。

二、清算

接收完证券交易数据后，中国结算公司沪、深分公司一般在当日日终，作为共同对手方，以结算参与人为单位，对各结算参与人负责清算的证券交易对应的应收和应付价款进行轧抵处理。在清算过程中，除计算应收和应付价款外，还需将印花税、经手费、监管规费等税费一并纳入净额清算中。实践中，投资者应收的现金分红、利息，以及转让限售股应缴纳的个人所得税等也会纳入到净额清算中。由于我国证券交易所市场实行滚动交收制度，因此一般来说，不同交易日发生的交易是分开清算的，在同一个交易日发生的交易才会进行轧抵处理。

除净额清算外，在一些证券品种上还存在逐笔交收制度，如权证的行权、买断式回购的到期结算等。对于实行逐笔交收的证券交易，中国结算公司沪、深分公司并不将其纳入到净额清算中，而是逐笔计算对应结算参与人的应收和应付数量或金额。

三、发送清算结果

清算完毕后，中国结算公司沪、深分公司会通过专用通讯网络，将清算结果数据发送给各结算参与人。

四、结算参与人组织证券或资金以备交收

结算参与人应当根据收到的清算结果，组织证券或资金以备交收。

结算参与人净应付款项的，应当及时核查自身资金交收账户的资金是否足额；如不足，应当在最终交收时点前，向其资金交收账户划入资金。具体操作方法是向中国结算公司沪、深分公司在商业银行（称为结算银行）开立的专用存款账户汇入款项，并通过专用通讯网络将汇款信息通知中国结算公司沪、深分公司，中国结算公司沪、深分公司据此记增该结算参与人的资金交收账户余额。

对于证券，一般情况下，客户证券原先即托管在证券公司，客户也不可能卖出超过其实际可卖数量的证券，因此证券公司不需要专门组织证券以备交收。不过 B 股市场存在例外。在深圳 B 股市场，境外投资者可能将证券托管在境外托管机构，而交易委托证券公司进行，由于中国结算公司深圳分公司交收对手是证券公司，因此投资者卖出证券后，需要将卖出证券从境外托管机构划付到证券公司。

五、证券交收和资金交收

在最终交收时点（A 股、基金、债券、ETF、权证等品种最终交收时点为 T＋1 日 16：00），中国结算公司沪、深分公司将进行证券交收和资金交收。

（一）证券交收

证券交收包含两个层面：

一是中国结算公司沪、深分公司与结算参与人的证券交收。对于应付

证券的结算参与人，中国结算公司沪、深分公司会将相应证券从其证券交收账户划付到中国结算公司沪、深分公司证券登记结算系统自身设立的"集中证券交收账户"；对于应收证券的结算参与人，中国结算公司沪、深分公司会将相应证券从"集中证券交收账户"划付到其证券交收账户。中国结算公司沪、深分公司与结算参与人的证券交收一般称为"集中证券交收"。

二是结算参与人与客户之间的证券交收。结算参与人与客户之间的证券交收是结算参与人（通常是证券公司）和客户履行双方证券交易合同的一部分，但由于客户证券账户由中国结算公司沪、深分公司直接维护，因此，为完成相应的证券交收，证券公司需委托中国结算公司沪、深分公司办理相应的证券划付。对于应付证券的客户，证券公司需委托中国结算公司沪、深分公司在办理前述集中证券交收前，将相应证券从客户的证券账户划付到证券公司的证券交收账户。对于应收证券的客户，证券公司需委托中国结算公司沪、深分公司在办理前述集中证券交收后，将相应证券从证券公司的证券交收账户划付到客户的证券账户。

实践中，除 ETF、权证等新品种外，现行 A 股、基金等品种证券交收过程与上述流程不同，实际做法是根据成交记录直接记增或记减投资者证券账户。按照中国结算公司的货银对付实施方案，未来 A 股、基金等品种也将按照前述流程组织证券交收。

（二）资金交收

因中国结算公司沪、深分公司并不直接维护客户的资金账户，因此资金交收仅包括中国结算公司沪、深分公司与结算参与人的资金交收这一"集中资金交收"环节，中国结算公司并不具体处理结算参与人与客户的资金交收。具体而言，在最终交收时点，对于应付资金的结算参与人，中国结算公司沪、深分公司会将相应资金从其资金交收账户划付到中国结算公司沪、深分公司证券登记结算系统自身设立的"集中资金交收账户"；对于应收资金的结算参与人，中国结算公司沪、深分公司会将相应资金从"集中资金交收账户"划付到其资金交收账户。

六、发送交收结果

中国结算公司沪、深分公司在完成证券交收和资金交收后，会将交收结果发送给结算参与人，供结算参与人对账、向客户提供证券余额查询服务、用于自身系统的前端监控等。另外，中国结算公司沪、深分公司也会在次日开市前，将完成交收后的证券账户余额等数据发送给证券交易所，供证券交易所实行前端监控。

七、结算参与人划回款项

如果结算参与人根据资金交收结果并妥善估计已达成证券交易的资金净应收或应付的情况，确认其资金交收账户内的资金足额，则可向中国结算公司沪、深分公司申请划出资金，但划出后其资金交收账户余额不得低于最低备付要求。划出资金的具体操作是结算参与人向中国结算公司沪、深分公司发出指令，中国结算公司沪、深分公司审核后，指示对应结算银行从专用存款账户划付款项至结算参与人指定收款账户，并相应记减结算参与人的资金交收账户余额。

八、交收违约处理

在前述集中证券交收和资金交收过程中，如结算参与人证券交收账户或资金交收账户余额不足以履行交收义务，则构成交收违约。

（一）资金交收违约处理

对于资金交收违约，中国结算公司沪、深分公司将暂不向该结算参与人交付其应收的证券，同时按规则计收违约金。另外，由于在结算参与人资金交收违约时，中国结算公司沪、深分公司作为共同对手方需垫付款项给守约结算参与人，为弥补自身成本，中国结算公司沪、深分公司还需向违约结算参与人收取垫付资金的利息。中国结算公司沪、深分公司将责令违约结算参与人通过补缴款项等尽快弥补交收违约。如果违约结算参与人在违约次日前仍未能弥补资金交收违约，中国结算公司沪、深分公司将从违约第 2 日起，采取处置暂不交付证券的措施，收回此前垫付的资金。实践中，除了 ETF、权证等新品种外，现行 A 股、基金、债券等品种的交收违约处置并未完全按上述流程处理，还有待在推行货银对付方案的过程中加以完善。

（二）证券交收违约处理

对于证券交收违约，中国结算公司沪、深分公司将暂不向该结算参与人交付其应收的资金，同时按规则计收违约金。中国结算公司沪、深分公司将责令违约结算参与人通过补缴或补购证券等措施尽快弥补证券交收违约。如果违约结算参与人在规定期限内未能弥补证券交收违约，中国结算公司沪、深分公司将利用暂不交付的款项补购证券（称为"强行补购"）。A股、基金、债券等品种由于实行前端监控，一般不存在这一问题，深圳B股则由于未实行前端监控，存在须进行证券交收违约处理的可能。

 ## 第五节　结算风险及防范

作为证券市场运行过程的最后环节，证券登记结算系统的安全和高效运行对整个证券市场的正常运转至关重要，而管理和防范好结算风险是证券登记结算系统安全和高效运行的关键。

一、证券结算风险的概念和种类

证券结算风险是证券登记结算机构在组织结算过程中所面临的风险，根据成因，大致可以将证券结算风险分为以下几类：

（一）信用风险

信用风险包括买方不能履行资金交收义务的风险，或卖方不能履行证券交收义务的风险。证券登记结算机构作为共同对手方，如果买卖中的一方不能按约定条件履约交收，证券登记结算机构也要向守约一方支付其应收的证券或资金。因此，在证券公司参与交易时无须顾忌对手方信用风险的同时，证券登记结算机构自身也因此集中承担了所有的对手方的信用风险。

信用风险可以进一步细分为"本金风险"和"价差风险"（价差风险也称"重置风险"）。前者指证券登记结算机构付出证券但收不到对应款项，或者付出款项但收不到对应证券的风险。后者是指证券登记结算机构采取处置措施时价格发生不利变化的风险。例如，在发生资金交收违约时，证券登记结算机构一般采取暂不向违约方交付证券的本金风险防范措施（即实行货银对付原则），同时履行共同对手方职责，按先前的成交价将对应卖出款项垫付给守约方。为收回垫付款项，证券登记结算机构需要处置证券，但如果处置时的市场价格低于先前的成交价，变卖所得将不足以弥补此前的垫付款项，这一风险即为价差风险。

（二）流动性风险

在面临资金或证券交收违约时，证券登记结算机构需要垫付资金或证券给守约方。证券登记结算机构一旦出现流动性风险，后果将十分严重，很可能导致证券登记结算系统无法正常运转，证券市场被迫闭市。此外，由于守约方无法收到原先预期能收到的款项或证券，因此也极易引发连锁反应，波及其他金融市场。

（三）操作风险

操作风险是指由于证券登记结算机构的硬件、软件和通讯系统发生故障，或人为操作失误，证券登记结算机构管理效率低下致使结算业务中断、延误和发生偏差而引起的风险。

（四）法律风险

法律风险是指因为法律法规不透明、不明确或法规适用不当，导致证券登记结算机构遭受损失的风险。

（五）结算银行风险

结算银行破产、倒闭时，证券登记结算机构存放在结算银行的存款将面临无法足额收回的风险。

二、证券结算风险的防范措施

世界各国采用了许多措施来管理和防范结算风险，主要包括：

1. 采用事前防范措施，强化结算参与人的资格管理。

2. 在共同对手方制度下，通过货银对付交收机制来防范本金风险，保证证券和资金的所有权同时进行实质性交收，也就是"一手交钱、一手交货"。

3. 采取盯市制度、收取担保品来防范价差风险。

4. 建立结算互保金和其他财务资源，防范流动性风险。

5. 妥善选择结算银行，防范结算银行风险。

6. 加强证券登记结算机构内部管理，完善证券登记结算系统软、硬件设施，防止操作风险。

7. 建立完善的法律法规体系和健全的业务规则体系，减少结算行为和结算关系在法律上的不确定性，防范法律风险。

8. 提高快速处置风险的能力，防止系统性风险的发生。

三、我国的结算风险防范和管理措施

中国证监会于 2006 年 4 月 7 日发布、2009 年 11 月 20 日修订的《证券登记结算管理办法》（简称《办法》）针对交收风险、法律风险、操作风险、技术风险，明确了有关证券登记结算机构风险防范和控制措施，形成了一套严密的结算风险管理体系。目前，中国结算公司已经采取措施落实《办法》的规定，建立健全我国证券交易所市场的结算风险管理体系。

（一）事前防范措施

对于结算参与人信用风险的事前防范，《办法》规定了以下三种措施：一是要求建立结算参与人制度，设立结算参与人资格门槛；二是建立结算参与人风险评估体系；三是对于持续或重大交收违约的结算参与人，限制其净买入额，或暂停、终止办理其部分、全部结算业务。目前，中国结算公司已经于 2007 年 2 月发布了《结算参与人管理规则》，对上述规定进行了细化。

（二）本金风险的防范

针对本金风险，《办法》规定证券登记结算机构需引入货银对付机制。对资金交收违约，证券登记结算机构可以采取暂不交付相关证券和扣划自营证券的措施；对证券交收违约，证券登记结算机构可以采取暂不向违约方划付相关资金的措施。中国结算公司已经制定了货银对付实施方案，目前正在商议推行中。

（三）价差风险的防范

《办法》规定证券登记结算机构可以要求高风险参与人提供交收履约担保。另外，当结算参与人资金交收违约且其当日买入暂不交付的证券不足以弥补违约交收资金时，证券登记结算机构可以扣划其自营证券，或要求其提供担保；结算参与人在规定期限仍无法偿还资金的，可以通过变卖相关暂不交付的证券、担保品等予以弥补；处置所得不足的，可以向违约结算参与人追索；在规定期限内无法追回的，可用结算互保金弥补。中国结算公司已经于 2007 年 2 月发布了《交收担保品管理办法》，对这一制度进行了细化。另外，在证券市场设立之初即设立的结算互保金（上海市场原称"清算交割准备金"，深圳市场原称"清算保证金"），也可用于弥补结算参与人违约给中国结算公司带来的损失。

（四）流动性风险的防范

在资金流动性风险方面，之前我国证券登记结算机构未能从结算银行取得透支额度，一旦出现资金交收违约，将面临资金流动性不足的问题。《办法》规定，证券登记结算机构可以动用结算参与人的担保资金、结算互保金和其他资金完成资金交收。另外，《办法》还规定证券登记结算机构可以按照有关规定申请授信额度，或将专用清偿证券账户中的证券用于质押申请贷款。目前，除按规定可动用结算互保金及证券结算风险基金外，中国结算公司已经从部分结算银行申请取得了授信额度，实践中也曾利用专用清偿证券账户的证券申请质押贷款。

证券流动性风险方面，由于沪、深证券交易所对 A 股等多数品种实施前端监控，一般情况下不可能出现证券交收违约，因此对证券登记结算机构来说，证券流动性风险并不突出。但未来随着做市商制度、证券衍生产品的发展和证券交易所前端监控可能的放松，这一问题也需要借鉴境外经验，通过自动证券借贷、强制补购和延迟交付等机制加以解决。

（五）其他风险的防范

对于操作风险、结算银行风险、法律风险等其他风险，《办法》也作了相应的规定。针对操作风险，要求证券登记结算机构对结算数据和技术系统进行备份，制定业务紧急应变程序和操作流程；针对结算银行风险，《办法》要求建立结算银行准入标准和风险评估体系；针对法律风险，规定了证券交易、托管与结算协议中与证券登记结算业务有关的必备条款。中国结算公司已经根据这些规定采取了相应措施。

根据财政部和中国证监会发布的《证券结算风险基金管理办法》，中国结算公司还实际管理证券结算风险基金，用于垫付或者弥补因违约交收、技术故障、操作失误、不可抗力造成的证券登记结算机构的损失。该基金按证券登记结算机构收入、收益的 20% 以及结算参与人证券交易金额的一定比例收取，基金总额上限为 30 亿元。

后　记

2011 年《证券业从业资格考试统编教材》由中国证券业协会主持修订。此套考试指定教材的修订工作分为 5 个小组进行，霍文文、张望、王建业、李康、杜书明同志分别主持《证券市场基础知识》、《证券发行与承销》、《证券交易》、《证券投资分析》和《证券投资基金》的修订工作。参加教材编写、修改工作的人员有申屹、骆玉鼎、吴顺虎、梅慎实、邹颖、金剑华、高占军、李德峰、黄悦、王贤平、龚仰树、陈加赞、张银旗、陈宏、侯定海、林晓征、张建春、赵建明等。在本次教材修订过程中，谢庚、霍达、沙雁、杨烈、李明、刘秀毓、郑锋、周璇、范永武、林海中、李宇白、孟繁永、李洪涛、高润恒、张军、隋强、王丽、张啸川、何勤、冶辉、胡佳荟、冷刚、高天红、刘悦、杨超、张敬晗、骆莹、岳新宇、高琳、赵善学、吴喻慧、秦雁、应展宇等同志提出了宝贵的修改意见和建议。

教材的修订还得到了中国证监会机构监管部、发行监管部、市场监管部、上市公司监管部、基金监管部和中国证券登记结算有限公司的大力支持；得到了上海财经大学、中央财经大学、海通证券股份有限公司、中信证券股份有限公司、中国银河证券公司、光大银行基金托管部、兴业银行资产托管部、国泰君安证券股份有限公司、宏源证券股份有限公司、湘财证券有限责任公司的帮助。

在本套教材的编辑出版过程中，中国财政经济出版社做了大量工作，在此一并表示感谢。

中国证券业协会
2011 年 6 月